Tesla
y la conspiración
de la luz

Miguel A.
Delgado

Tesla y la conspiración de la luz

Miguel A. Delgado

Obra editada en colaboración con Editorial Planeta - España

© 2014, Miguel A. Delgado

© 2014, Editorial Planeta, S.A. – Barcelona, España

Derechos reservados

© 2015, Editorial Planeta Mexicana, S.A. de C.V.
Bajo el sello editorial PLANETA M.R.
Avenida Presidente Masarik núm. 111, Piso 2
Colonia Polanco V Sección
Delegación Miguel Hidalgo
C.P. 11560, México, D. F.
www.planetadelibros.com.mx

Primera edición impresa en España: octubre de 2014
ISBN: 978-84-233-4838-1

Primera edición impresa en México: enero de 2015
ISBN: 978-607-07-2535-7

Impreso en los talleres de Litográfica Ingramex, S.A. de C.V.
Centeno núm. 162, colonia Granjas Esmeralda, México, D.F.
Impreso en México – *Printed in Mexico*

A mis padres

«…nadie hace cincuenta años habría podido imaginar que la humanidad pudiese llegar a cotas de prosperidad como las que estamos viviendo. Y todo, gracias al liderazgo científico y tecnológico de nuestro país, que ha hecho posible la introducción de la iluminación artificial de la Aurora, la instauración de la Red Mundial o la incorporación de los autómatas al esfuerzo bélico. Pero, con ser importantes, son sólo los primeros jalones de un proceso abierto de esperanza que aún nos deparará sorpresas inimaginables. Ahora que los Estados Unidos, y con ellos el mundo, encaran una nueva década, nadie puede imaginarse qué nuevas maravillas formarán parte de nuestra vida diaria dentro de otros diez años […] Es difícil saber si hemos alcanzado ya nuestro cénit como especie, pero si no es así, debemos estar muy cerca…»

(Edición impresa de *The New York Times*,
2 de enero de 1930, pág. 16, col. 8)

Primera
parte

I

Nueva York.
Sábado, 17 de octubre de 1931.

Para algunos ya era una rutina, pero para Edgar no. Él nunca se cansaba de contemplar la llegada de los oceánicos.

La Terminal Internacional de Nueva York, situada al sur de Manhattan, era una sorprendente llanura en el extremo de una isla plagada de rascacielos que recortaban su silueta sobre la Aurora, una cortina resplandeciente que aquí y allá dejaba asomar alguna solitaria estrella y que hacía una hora había sustituido a la luz del sol. Justo su momento preferido para ver cómo se aproximaba el gran huso sin alas que completaba su viaje desde Europa.

El oceánico disminuyó su velocidad cuando los rayos locales fueron tomando el relevo, en una maniobra perfectamente coordinada, al gran haz tractor que lo había guiado sobre el Atlántico, sin sobresaltos y con la misma precisión con la que un raíl habría conducido a un tren, en un viaje que en tan sólo nueve horas lo había traído desde Alemania.

Edgar lo veía a través del gran ventanal donde el resto de mensajeros esperaba el descenso del huso, de cuya superficie se fue borrando el reflejo de la Aurora, cubierto ahora por el brillante resplandor de los focos de la dársena. Y, una vez más, contempló maravillado la secreta genialidad de su forma lisa y alargada, sin rastro de soldadura alguna, como si hubiese sido concebida de una sola pieza en un astillero de otro mundo.

El joven lo sabía todo sobre aquel aparato. En realidad, lo sabía todo sobre cualquier ingenio que volara. Incluso se había atrevido con algunos volúmenes destinados a los estudiantes de Ingeniería Aérea, por más que una y otra vez tropezara con unas matemáticas demasiado avanzadas para sus diecinueve años. Pero aun así, sentía un especial deleite en el esfuerzo de desentrañar aquellas largas filas de números y fórmulas aparentemente sin sentido. Le gustaba pensar que, como los arqueólogos que se enfrentan a una tablilla escrita en un alfabeto incomprensible, aquí y allá aparecerían retazos de significado que le permitirían abrir una estrecha rendija por la que acceder al resto de contenido.

Tal vez se engañaba. Hacía diez años, desde la muerte de su padre, que había tenido que dejar los estudios para ponerse a trabajar. Pero eso no le hacía renunciar a sus ilusiones, y en aquel momento éstas se concretaban en un firme objetivo: entrar al año siguiente en la Aeroescuela Superior. Sería difícil, una auténtica proeza, compatibilizarlo con las diez horas diarias de trabajo como mensajero. Pero estaba convencido de que lo lograría.

Sin ser consciente de ello, sus ojos se entrecerraron mientras seguían el descenso de la nave silenciosa, tanto que un ciego apenas notaría una leve brisa de aire provocada a su paso. Y también su mano derecha se cerró con fuerza algo excesiva sobre el papel que sujetaba. Pensar en lo que quería ser se había convertido en una reflexión permanente, y cada fibra de su cuerpo respondía ante él.

Edgar volvió a contemplar divertido cómo el aparato parecía convertirse en un gigantesco insecto al aproximarse hacia el suelo. Seis patas surgieron de su vientre y buscaron los anclajes que lo fijaron de forma definitiva a la aeropista. Allí lo esperaban otros como él. Edgar había contado hasta seis oceánicos que en aquel momento se encontraban en alguna de las fases de despegue, aterrizaje o avituallamiento. No en vano, Nueva York era ya, junto con Londres, París y Berlín, la principal terminal del esquema aéreo de la Red Mundial. De hecho, y aunque sólo contaba con una década de vida, ya había planes para construir una ampliación al otro lado del río, en Governors Island, mientras que Nueva Delhi estaba a punto de arrebatar a todas las demás la preeminencia: Gran Bretaña había tomado como objetivo estratégico la extensión de su propia red a lo largo de todo su imperio, lo que supondría que, en el plazo de tan sólo veinte años, dos tercios del planeta serían accesibles desde el aire. La velocidad con la que la nueva tecnología se extendía era prodigiosa...

Cuando terminó la rutina de las comprobaciones, la esclusa de la parte inferior se abrió y la rampa principal comenzó a descender. En un costado se abrió otra, la destinada a los pasajeros de clase A, mientras que en la trasera la gran compuerta de mercancías se dejó oír con un poderoso ruido metálico. A través de las filas de redondas ventanillas que puntuaban la lisa superficie cerca del vientre del aparato, Edgar pudo entrever las sombras de los pasajeros de las clases B y C que buscaban la salida para dirigirse luego a los grandes terrestres sin asientos que les transportarían hasta la aduana general de Castle Garden. Mientras, los elegantes automóviles con chófer acudían a recoger a los privilegiados de la clase A: tan cerca de la pista de aterrizaje no estaba permitido el acceso a los aéreos. Pero eso no era problema para aquella selección de hombres de negocios, estrellas del cine y deportistas, aristócratas y miembros de la élite; sus flotas personales contaban con vehículos de todo tipo, aptos para cualquier situación.

Varios autómatas, poco más que unas grúas con ruedas, se colocaron en la parte trasera del gigante para extraer la carga que llenaba su vientre. Había llegado el momento de dirigirse al muelle de mercancías; la megafonía anunció la puerta en la que se procedería a la entrega de los paquetes. Cuando la voz femenina pronunció el código que correspondía al esperado por Edgar, éste echó a andar por el gran pasillo en la dirección indicada.

Cuando llegó, una mujer con el uniforme de la compañía TransAir Incorporated procedió a examinar su documentación con el detalle de una restauradora de papiros antiguos. A Edgar no le costó nada imaginársela unos centenares de metros más allá, en el edificio de Castle Garden, aplicando un exhaustivo examen a los inmigrantes procedentes del otro lado del Atlántico. Era antipática, fea y desagradable, y Edgar tuvo buen cuidado en evitar que nada de lo que pasaba por su cabeza trascendiera a su rostro: tenía la suficiente experiencia como para saber que, si así lo deseaba ella, podría encontrar mil y una excusas para retenerle el tiempo que quisiera, e incluso buscar defectos de forma que invalidaran la entrega del envío. Y eso era algo que no se podía permitir: se trataba de un transporte especial, enviado en línea directa desde Europa y con entrega inmediata 45 minutos después de que lo tuviera en su poder. Y quien lo esperaba lo necesitaba tanto que no había tenido reparo en pagar el extra por un servicio en fin de semana.

No, no era casual que Edgar se hubiera convertido en el mensajero que más rápidamente había llegado a ganarse la confianza de la Mercury Express, y desde luego no tenía intención de hacerles dudar de su decisión.

La guardiana introdujo el formulario en la máquina lectora y lo recogió al salir por la bandeja inferior. Edgar sabía que una copia exacta del papel estaría surgiendo en ese momento de otra máquina igual que aquélla, en alguna remota dependencia de la terminal, para ser archivada. Cada vez resultaba más difícil que se extraviara un envío; a Edgar no le había pasado nunca, y pretendía que aquello aún durase mucho tiempo.

La mujer le dedicó una mirada inexpresiva, sin interés. Edgar se atrevió a sostenerla, pero era como mirar a una estatua. Un ligero zumbido sonó tras ella y Edgar imaginó que algo pasaba detrás, que la cinta transportadora que acercaba los paquetes hasta el mostrador se volvía loca y que los envíos comenzaban a salir disparados a través del ventanuco por el que aparecían. La mente de Edgar compuso rápidamente una situación de caos, en la que todo el mundo se alteraba y buscaba refugio ante la lluvia de objetos... Todos menos la guardiana, claro, que mantenía clavada la mirada en Edgar, como si no hubiese ocurrido nada... Hasta que un pequeño paquete rectangular la golpeaba por detrás, removía su pelo perfectamente lacado y hacía que, con el impulso, chocara contra el mostrador de...

—¿Qué es tan gracioso, chico?

Edgar sintió como si volviese de un sueño. La mujer le seguía mirando, pero el caos había desaparecido. La cinta corría monótona, desganada, y de repente Edgar percibió la impaciencia de los que esperaban tras él.

—Nada, señora. Es sólo que... he recordado algo.

Por un instante, Edgar creyó ver un atisbo de expresión en su rostro, algo parecido a un leve fruncimiento del entrecejo, hasta que finalmente bajó la mirada, o más bien la desvió hacia un lado. En el hueco de la pared apareció un paquete del tamaño de una caja de zapatos, envuelto con el reglamentario papel de estraza, atado con cuerda y con los correspondientes sellos y matasellos. Cuando la mujer lo puso sobre el mostrador, Edgar abandonó su quietud y se acercó para comprobar que los datos del destinatario estaban bien:

Sr. Alfred Saulny
Metropolitan Life Tower, piso 23, despacho 23-16
Nueva York

—¿Es correcto? —preguntó la mujer sin la más leve sonrisa, con un tono que exigía que se le contestara de manera inmediata.

—Sí, señora.

—Bien. Firma aquí.

Edgar cogió la tableta de madera y firmó la entrega sobre el papel sujeto con una pinza. A continuación, agarró el paquete y con un «gracias» que apenas resultó audible echó a andar con paso ligero hacia la escalera mecánica que llevaba a la azotea, donde se encontraba el aparcamiento especial para aéreos. El envío pesaba mucho menos de lo que podía esperarse por su tamaño, y no parecía contener un objeto muy grande; en todo caso, iba extraordinariamente bien protegido. Por un momento, se permitió especular sobre qué sería aquello que había venido con tanta premura desde Europa..., aunque tal vez fuese solamente un complemento de moda para la esposa de algún alto directivo de MetLife.

En realidad, no importaba demasiado. Fuera lo que fuera, sólo quedaban quince minutos para la entrega. Y si fallaba, no sólo perdería la prima, sino que la misma Mercury quedaría en entredicho. Algo que Tim le haría pagar con creces: la competencia era brutal.

Echó a correr de manera tan repentina que apenas vio al hombre al que, en su carrera, atropelló haciéndole saltar el sombrero. Casi no le dio tiempo a murmurar una ininteligible disculpa antes de seguir corriendo por el transitado vestíbulo, alejándose del gran ventanal donde podría pasarse horas soñando con estar al otro lado, sobre la pista, al mando de uno de aquellos hermosos aparatos.

2

Una vez elevado, Edgar maniobró con soltura su aéreo entre los altos edificios. Aunque era sábado, había bastante tráfico, pero aquella no era, ni de lejos, la peor situación a la que se había enfrentado. Las rutas para los aéreos tenían sus propias reglas, y allí las normas de tráfico no eran tan estrictas; Edgar forzaba en ocasiones el aparato, obligándole a dar un giro brusco que lo hacía traquetear. Una sensación que él adoraba, porque se trataba de la experiencia más parecida a la de pilotar un biplano autopropulsado que el aéreo podía ofrecer.

Un zumbido resonó en la cabina. Era una llamada entrante. Edgar pulsó el botón de respuesta y la voz metálica de James, el encargado del turno de fin de semana, se dejó oír.

—M4, M4, ¿estás ahí?

Edgar conectó el micrófono que pendía del techo, justo sobre su cabeza.

—Afirmativo. Envío recogido y en ruta de entrega.

—¡Menos mal! Creo que si vuelven a llamarme otra vez, me suicido. No sé qué es lo que va en el paquete, pero desde luego el tipo de MetLife está como loco por que llegue a tiempo. Más vale que sea así, o creo que nos decapita.

—Todo va bien, jefe.

—Mejor. Confírmame la entrega; hasta que no sepa que ya te has deshecho de él, creo que no podré irme a dormir...

—Ok.

Edgar volvió a concentrarse en el camino. La ciudad iba pasando debajo de él, envuelta en el permanente resplandor del cielo que había traído consigo la Aurora; ese tono claro que había impuesto nuevos biorritmos a las aves y convertía el conjunto de edificios en una gigantesca maqueta.

Ligeramente por detrás de él, la Torre Uno, la encargada de suministrar energía a todo aquel sector de la ciudad, se destacaba de manera especial; un coloso que empequeñecía incluso al recién construido Empire State. Tan imponente que era lo primero que veían los viajeros que llegaban a la ciudad por barco, antes incluso de vislumbrar tierra. Y en una época en la que las nieblas eran cosa del pasado, siempre estaba ahí, una construcción grácil a pesar de sus dimensiones, con una enorme base que iba disminuyendo hasta volver a ensancharse en una estructura redondeada que le confería aspecto de champiñón gigante. Se trataba tan sólo de una de las tres torres repartidas por el área metropolitana de Nueva York, pero era la más importante porque, invisible pero segura, de ella fluía la electricidad que mantenía activas las oficinas de las principales compañías del país. Además, era el centro neurálgico de la Red, el nudo principal del que dependía el resto.

De toda aquella inmensa cantidad de energía, una mínima parte la consumía en ese momento el aéreo de Edgar, sin duda el único espacio en el que verdaderamente se sentía a gusto. A los dieciséis años se había sacado el permiso para conducir un terrestre. Tuvo suerte, porque justo en aquel momento se había rebajado la edad necesaria: los sistemas automáticos eran tan fiables que la posibilidad de choque era muy baja. Pero, en realidad, lo que a él le interesaba era el aire: puede que aún fuera pronto para sentarse ante los mandos de un oceánico, pero al menos aquella especie de furgón volador le permitía despegar los pies del suelo. Apenas tenía amigos, y sabía que en general la gente que le trataba le consideraba tímido, incluso poco resolutivo. Y sin embargo, muchas veces se acostaba agotado de sus propios pensamientos, de una imaginación que, cuando Edgar tocaba tierra, palpitaba entre las paredes de su cráneo, superponiendo a la rutina diaria escenas inspiradas en sus lecturas juveniles de Verne, de Stevenson... Sus preferidas eran las disparatadas historias surgidas al calor de la fiebre marciana de finales del siglo anterior y principios del XX, y que había encontrado en casa en una maleta abandonada por un huésped. Como las aventuras del capitán John Carter, en un Marte con princesas y tribus en lucha por un planeta moribundo. Eran delirantes, sí, pero en todas encontraba una forma de elevarse, de abandonar el suelo, de irse lejos, justo lo contrario de su rutina diaria.

Al ponerse a los mandos de su aéreo, sentía que el mismo aparato se convertía en una extensión de sí mismo, capaz de expresar lo que su cuerpo y su voz no lograban decir. Con un ingenioso sistema para elevarse en posición vertical y, a continuación, desplazarse en horizontal, se había convertido, por su agilidad y versatilidad, en el vehículo preferido de los servicios de la ciudad, de la policía a los repartidores. Hacía falta una licencia especial para pilotarlo, y Edgar la había obtenido al primer intento, a los dos días de cumplir los dieciocho. En cuanto se subió por primera vez a uno, no tuvo dudas: estaba hecho para volar. En tierra nunca estaba seguro de tener la respuesta adecuada, y siempre le atenazaba la sensación de no saber qué se esperaba de él. En cambio, en el aire todo era como debía ser: el giro correcto en el momento justo, la velocidad que más convenía, la inclinación perfecta para descender.

«Ojalá viviéramos siempre aquí arriba —se dijo—. Todo sería mucho más fácil. No habría más tristezas, desaparecería la resignación. Y si en algún momento acecharan, bastaría con tocar las palancas e irse rápidamente a otro sitio. Aquí siempre eres bienvenido.»

Contempló de nuevo la ciudad. ¿Cuántas veces lo había hecho? Seguramente miles, pero no podía dejar de hacerlo, una y otra vez. Edgar nunca había estado en otro sitio, pero estaba convencido de vivir en el mejor lugar del mundo, el que mejor había absorbido la esencia de la nueva era eléctrica, en gran parte porque había crecido sobre ese mismo impulso. Londres, por ejemplo, a la que tanto había visto en los noticieros, tuvo que adaptarse a las nuevas necesidades, y no siempre sus construcciones se insertaban bien en las exigencias de las nuevas tecnologías. Edgar no podía evitar la impresión de ver algo superpuesto, que no terminaba de casar con el Big Ben o la venerable cúpula de Saint Paul.

En cambio, ¿cómo no admirar la grandeza de Nueva York? Al poco de despegar, por ejemplo, ya estaba a punto de dejar atrás la Torre Morgan, terminada de construir hacía cinco años, pero que por su potencia, la riqueza de su diseño y su posición, que le permitía dominar todo el horizonte, era la pura encarnación de la hegemonía que la estirpe de financieros había logrado sobre la ciudad y el país. Había un dicho popular que decía que los presidentes pasaban, pero los Morgan permanecían. Y John Pierpont II, al que los comentaristas de los noticieros llamaban Jack Morgan para distinguirlo de su padre, quien había conseguido un imperio al apostar por la nueva tecnología, era el que ocupaba el trono en aquellos momentos.

A pesar de que no había tiempo, Edgar no pudo evitar detenerse unos instantes para admirarla, al rebasarla por la derecha. Estaba tan cerca que podía distinguir los detalles del diseño que había marcado un antes y un después en la historia de la arquitectura, con toques modernistas y unas formas de ensueño que parecían lanzarse hacia arriba y que delataban la huella de Gaudí, el arquitecto español que mejor había entendido el nuevo mundo. Si hubiese tenido la oportunidad de hacer una maniobra de acercamiento desde arriba, quizá habría podido entrever alguna de las máquinas que los neoyorquinos conocían de sobra por haberlas visto sobrevolarles, imponentes. Y quizá, con suerte, habría podido cruzarse con el *Corsario*, el flamante gran vehículo del dueño de la firma, capaz de desplazarse hasta la otra punta del globo.

Pero ahora lo inmediato era llegar a Park Avenue. Edgar ya podía distinguir el perfil del Met, como aún era conocido el que había sido uno de los primeros rascacielos de la ciudad, en pleno arranque de Madison Avenue. Cuando estuvo lo suficientemente cerca, dirigió el aéreo hasta la parte superior, justo en la base del remate inspirado en el *campanile* veneciano, y donde tras una reforma se había instalado el muelle de recepción de mercancías. El mensajero desplazó los impulsores e hizo que el aparato se quedara suspendido en el aire, casi inmóvil, a más de 160 metros del suelo. En lo que sólo podía ser calificado como de una gran casualidad en pleno sábado, justo delante de él otro vehículo de mensajería aguardaba su turno de identificación.

Edgar echó un vistazo a uno de los grandes relojes de la fachada: quedaban cinco minutos para el final del plazo; ésta no iba a ser su primera mancha en el expediente. Volvió a mirar el paquete que reposaba en el asiento del copiloto, y de nuevo jugó a adivinar su contenido. No parecía muy probable que un ejecutivo de una aseguradora pudiese estar involucrado en una trama de espionaje, pero ¿quién sabe? Al fin y al cabo, como bien había aprendido en los libros, todo era posible. Y más en unos tiempos en los que el cambio había sido vertiginoso: a Edgar le parecía increíble lo que le contaba su madre de cuando era niña, historias de un mundo donde las comunicaciones inalámbricas simplemente eran inimaginables y donde no es que al hombre le estuviese prácticamente vedado desplazarse por el aire, sino que ni siquiera los coches eléctricos, la lógica evolución de los viejos vehículos de tracción animal, existían.

A veces, como en aquel momento, suspendido sobre las calles de Nueva York, con todo aquel despliegue de logros a sus pies, intentaba imaginarse cómo sería vivir en aquellos tiempos en los que, por ejemplo, cruzar el Atlántico, como habían hecho sus padres en 1913, suponía pasar un periodo de tiempo indecible confinado en un gigantesco barco impulsado por sucio carbón que, con gran dificultad, conseguía llegar a destino.

Nada que ver con la actualidad, cuando la tupida Red Mundial de torres había establecido un sistema invisible de guías que cientos, miles de vehículos aéreos, terrestres y marinos de todas las clases y tamaños seguían de manera constante y segura.

Si quisiera, y si pudiera pagárselo, claro, su madre podría levantarse por la mañana en Nueva York y cenar en una aldea del condado de Wexford, donde aún vivía gran parte de su familia. A Edgar le había fascinado leer en el *Post* que Guillén de Lampart, el aventurero del siglo XVII que inspiró el personaje del Zorro, protagonista de uno de los seriales de mayor éxito, había nacido también allí. Edgar la había acribillado a preguntas, pero lo único que consiguió de ella como respuesta fue:

—Cuando yo era niña, lo que rezabas era para no tener aventuras. Sobre todo con los ingleses.

Aquello puso fin inmediato a la conversación.

La radio de su vehículo se activó justo en el momento en el que el aéreo que le antecedía comenzaba a acercarse al muelle. Una voz femenina se oyó en la cabina del vehículo.

—Identifique compañía, vehículo y piloto, por favor.

—Mercury Express, mensajero número M4. ID del vehículo 5659-FGG.

—¿Entrega para...?

—Traigo un envío continental para el señor Alfred Saulny, despacho 23-16.

Hubo un silencio momentáneo. Finalmente, la misma voz femenina y metálica le contestó:

—Muy bien. Continúe.

Con un leve gesto de la mano, Edgar hizo que el aéreo dejara de mecerse en el aire y comenzó la maniobra de acercamiento hacia el muelle. Cuando se hubo posado, cogió el paquete y salió. Por el camino, intercambió un saludo con el mensajero anterior, de la New Jersey Rapid, que regresaba ya a su vehículo.

Un vigilante con cara de aburrimiento le esperaba al otro lado de una ventanilla con un hueco giratorio para la entrega de los paquetes. Seguramente, aquella coincidencia de dos mensajeros sería el momento más emocionante de toda la jornada sabatina. A su lado, un televisor mostraba la figura de un hombre que estaba contando algo a la cámara. Tras él, podía distinguirse la silueta de una casa que conocía muy bien, aunque nunca hubiese puesto el pie en ella. De hecho, era muy probable que en aquel momento ningún otro lugar fuera más conocido en Norteamérica y gran parte del mundo desde que se había convertido en fondo recurrente de las emisiones televisivas.

—¿Cómo va? —le preguntó al hombre, señalando con la cabeza el aparato—. ¿Hay alguna novedad?

—Dicen que no pasará de esta noche —respondió cuando acabó de firmar la entrega, echando una mirada al televisor—. Ojalá sea así. Nadie se merece una agonía tan larga. Me pregunto de qué le han servido todos sus inventos si al final resulta que va a morirse como todos...

Según su máxima de permanecer en silencio y no contradecir a quien pudiera causarle problemas en el trabajo, Edgar debería haberse ahorrado la respuesta. Pero esto era demasiado.

—¿Cómo puede decir eso? Si Edison no hubiese creado todos los maravillosos inventos que salieron de su laboratorio de Menlo Park, usted no tendría trabajo. Yo no tendría trabajo. Ni siquiera podría estar ahí opinando sobre su enfermedad, porque no tendría televisión ni forma de enterarse hasta que no lo publicara un periódico. ¡Él no es como todos los demás!

El hombre se le quedó mirando, perplejo, sorprendido porque ese chico de aspecto timorato hubiese tenido una reacción tan acalorada ante algo que, en el fondo, ni le iba ni le venía. Al vigilante, en realidad, le fastidiaba que con motivo de las conexiones y reportajes constantes dedicados a la agonía del inventor hubiesen removido casi toda la programación, dejándole sin los seriales, las películas, los concursos y los musicales que tanto le ayudaban a aligerar las largas horas del fin de semana.

Por un momento, el hombre pensó en contestarle algo, incluso en hacer volver al impertinente mensajero por donde había venido, pero se contuvo. A pesar de todo, era consciente de que Thomas Alva Edison era el héroe nacional, la figura que todos adoraban, el responsable de toda la tecnología que había transformado Estados Unidos, y que ahora estaba cambiando el mundo. Seguramente, en aquel preciso instante miles de neoyorquinos estarían comentando, en sus casas, en los trabajos, en los mercados y en los bares, con conocidos o desconocidos, las últimas noticias sobre la evolución de su enfermedad como si fuesen verdaderos miembros de su familia.

Y es que, para la mayoría, era como si se estuviera muriendo alguien cercano, porque muchos habían crecido mecidos por el relato heroico de cómo había creado tantos inventos a partir de la fundacional bombilla. Desde que hacía semanas su salud había empeorado, todas las cadenas, empezando por la todopoderosa RCA, habían instalado sus puestos permanentes en West Orange, a la espera del fatal desenlace. Y, ante la falta de verdaderas noticias, habían procedido a hacer un prolijo repaso de la biografía del genio.

Casi se había convertido en una competición entre los norteamericanos demostrar quién sabía el mayor número de detalles de la vida de Edison: su infancia, sus inicios en la telegrafía, la invención del gramófono y la noche memorable en que consiguió que su bombilla permaneciera encendida durante 48 horas seguidas... y a partir de ahí, cuatro décadas de maravillas: la corriente alterna, los motores eléctricos, la transmisión inalámbrica, la radio (en colaboración con Marconi), la televisión, los oceánicos, la Red Mundial...

Sí, se iba a morir, como todos. Pero la diferencia es que lo haría como nadie hasta entonces en toda la historia de la humanidad, con los ojos de los habitantes de la Tierra fijos en él, sufriendo con su mujer y sus hijos, sintiéndose abandonados porque ya nunca más estaría ahí el hombre que siempre encontraba la respuesta adecuada para cada desafío. Y eso era lo que aquel tipo aburrido que hacía un trabajo rutinario que a nadie importaba no podría entender aunque pasaran mil años.

El hombre sólo dejó escapar un gruñido mientras ponía el sello en el albarán de entrega. Se lo tendió a Edgar mientras clavaba sus ojos en él.

—Largo —fue lo único que dijo.

Edgar, sorprendido aún de su arranque, no rechistó esta vez. Cogió el papel y retrocedió, no sin antes volver a mirar de reojo la pantalla, sintiendo de nuevo la punzada de tristeza que le producía saber que, dentro de aquella casa, quien tanto admiraba se estaba muriendo.

Treinta segundos después, abandonaba el edificio a bordo de su aéreo y ponía rumbo hacia el Bajo Manhattan. Tecleó el número de la oficina.

—Entregado el paquete, jefe.

—Vale, perfecto. Ya nos hemos ganado el sueldo por hoy... Puedes irte a casa.

—Recibido. Hasta mañana.

Y de repente tuvo la imperiosa necesidad de sacudirse la punzada oscura que le había amargado: no podía ser que aquélla fuese la última sensación de la jornada. Hizo que el aéreo abandonara la vertical de Madison

Avenue con más vehemencia de lo requerido, dejándose caer a una excesiva velocidad, mientras sentía cómo el pecho se le pegaba contra la correa del tirante cinturón y el maravilloso traqueteo subía por el volante del vehículo. Y cuando parecía que iba a perder el control, tiró de nuevo de los mandos y lo estabilizó, con una euforia que se desparramó por su cerebro como una droga.

Sonrió. En breve volvería a ser un torpe animal terrestre, y quería exprimir al máximo aquellos últimos momentos de libertad de quien siente que tiene el control.

3

Lo primero era siempre el olor. Le gustaba fantasear con que, si se quedara ciego un día, podría muy bien encontrar el camino de vuelta a la pensión dejándose guiar sólo por él. Edgar había estado en muchas casas, había olido su comida, había entrado incluso en alguna en la que no olía a nada en absoluto. Pero nunca había encontrado un aroma que ni por asomo se pareciera al que su madre era capaz de crear en la cocina. Incluso en aquella hora del sábado, cuando ella ya se había acostado y el piso estaba casi vacío, el olor seguía ahí, persistente tras tantos años de guisos y menús.

Los fines de semana, gran parte de los huéspedes que trabajaban en Nueva York regresaba con sus familias. Y entre los pocos que se quedaban estaba, claro, el señor Kachelmann. Salvo en sus paseos matinales, nunca iba a ningún lado; mucho menos los fines de semana. Ni Edgar ni su madre sabían cuántos años tenía, pero el joven apostaría que setenta, o incluso ochenta. No tenían ni la menor idea de a qué se había dedicado o si tenía familia, porque en los casi diez años que llevaba viviendo allí, nunca le había visitado nadie, y raramente hacía o recibía alguna llamada. Tampoco es que importara mucho: era un huésped cómodo, adicto a las rutinas y educado... aunque misterioso. Eso sí, pagaba religiosamente todas las semanas, así que ni siquiera eso representaba un verdadero problema.

—Buenas noches, señor Kachelmann.

El anciano levantó la vista y lo miró con sus ojos siempre entrecerrados, como extrañados de lo que tenía ante él. El azul de sus iris parecía aún más claro a través de aquellas rendijas.

—Buenas noches, chico.

Durante la semana, todos los asientos frente al televisor se ocupaban para seguir los concursos y los seriales. Pero aquel sábado, el único que permanecía ante el aparato en aquel salón iluminado por la solitaria lámpara de pie era él, su silueta barnizada por el resplandor gris de la pantalla. Y cómo no, estaba viendo imágenes de Edison. En este caso, del gran homenaje que hacía dos años le había orquestado su amigo y discípulo Henry Ford al conmemorarse el cincuentenario de la noche en la que la primera bombilla resultó viable. Edgar se descargó la mochila, se quitó la gorra y se sentó en otro sillón.

—Míralos —masculló el señor Kachelmann, con su leve acento germano que tras tantos años seguía resistiéndose a desaparecer—. No falta ni uno.

Y era verdad. Henry Ford no había escatimado en gastos ni gestiones para que el «Mago de Menlo Park», como pronto apodaron a Edison los periodistas, tuviera el reconocimiento que se merecía. Incluso, había hecho reconstruir, con el detalle de un miniaturista que trabajara a tamaño natural, el propio laboratorio de Menlo Park en su complejo de Greenfield Village. Y no contento con eso, había organizado el Light's Golden Jubilee, con la asistencia de quinientos invitados, entre los que se contaba una representación de los hombres más poderosos del planeta, encabezados por el presidente Herbert Hoover, dueños de la economía como Rockefeller o Jack Morgan, premios Nobel y hasta el príncipe de Gales.

Justo en ese momento la televisión mostraba las imágenes del instante en el que, de forma teatral, Edison había procedido a encender una réplica exacta de la primera bombilla. Edgar recordaba perfectamente aquella escena porque, como tantos americanos, e incluso muchos habitantes de otros países, había obligado a su madre a apagar todas las luces de la casa. Durante unos minutos, la ciudad entera se había quedado en una casi total oscuridad, salpicada aquí y allá por pequeños y temblorosos puntos luminosos, los reflejos de los televisores encendidos en las casas.

Y ahora Edgar revivía la emoción de aquellos momentos. La imagen que les ofrecía la televisión era muda (en aquel entonces aún no podía registrarse el sonido junto con la imagen), pero el joven podía recordar a la perfección la voz teatral, llena de expectación, de Orson Welles, que relataba los hechos, paso a paso. Cómo el anciano Edison había sujetado los dos cables, los había conectado a la lámpara, dado al contacto… y una luz se expandió, volviendo a la vida a aquel Menlo Park poco antes sumido en la más negra oscuridad.

Aquello fue sólo el comienzo: tras las instrucciones del locutor y la recomendación presidencial, se fueron encendiendo todas las luces de las casas, de las calles, el metro volvió a funcionar, y la Aurora ocupó su lugar en el cielo. Se certificaba así, para admiración de todos, el salto de gigante que había dado el hombre desde que se atreviera a salir de su caverna. Edgar se imaginó la formidable escena, cómo sería ver todo aquello desde el espacio: ramilletes de luces que irían puntuando la negra superficie del continente y, como remate, aquella ondulante cascada brillante, la abolición definitiva de la noche.

Sí, había sido un momento glorioso, el recuerdo de cómo Edison les había rescatado a todos de las tinieblas para iniciar una nueva era. El mismo hombre que, en aquel preciso instante, se estaba muriendo en su cama.

Un sonido a su lado le trajo de vuelta los murmullos del señor Kachelmann.

—Debe de ser la quinta vez que lo repiten hoy. A este paso van a quemar las imágenes.

—Pero sigue siendo increíble...

El anciano esbozó una mueca que quizá pretendiese ser una sonrisa.

—Sí, chico, tú lo has dicho: es increíble.

Edgar se quedó mirándolo, sorprendido. Por primera vez veía resentimiento en sus ojos, incluso odio.

—¿Qué quiere decir?

El anciano meneó la cabeza como si se empeñara en negar todo lo que estaban diciendo en el televisor.

—Es una farsa. Y ni siquiera se preocupan en disimularlo...

Edgar esperó que añadiera algo, pero no lo hizo. Se quedó allí, la vista clavada en el televisor, en un sorprendente silencio.

—¿Se encuentra bien, señor Kachelmann?

Éste le miró.

—Tú también sientes pena por él, ¿verdad?

Edgar asintió.

—Es lo más grande que le ha pasado a América. Todo se lo debemos a él.

—Y me imagino que en los Veintiuno de Octubre eras siempre de los primeros...

Le hablaba con desprecio y eso incomodó a Edgar. ¡Claro que era de los primeros! El presidente había declarado festivo el 21 de octubre bajo el nombre de Día de la Luz, en homenaje a Edison. Era costumbre que los niños dedicaran esa semana a fabricar sus propias bombillas, y Edgar siempre conseguía que la suya durase más que las otras. Aún se recordaba volviendo exultante del colegio, cómo se lo contaba a su madre y la forma en que ésta le miraba sin comprender dónde estaba el mérito de aquello.

Todo eso había pasado hacía un mundo, cuando aún no había tenido que dejar el colegio para ponerse a trabajar. Pero eso no le impidió alzar la barbilla y mirar desafiante a Kachelmann:

—¡Por supuesto! Y me sentía orgulloso de ello...

El anciano le observó, los ojos tan entrecerrados como cuando los posaba sobre la pantalla del televisor. Le escrutó, y Edgar sintió una incomodidad que crecía en él. Pero entonces algo se relajó en la expresión del anciano y volvió a ser el hombre inofensivo, silencioso, en el que nadie reparaba. Sus ojos se clavaron de nuevo en la pantalla. No dijo nada más.

Edgar entrevió a través de los visillos de la ventana que había llegado la hora del apagado de la Aurora. Se mantenía encendida una cantidad de tiempo variable, según la época del año. Un equipo de médicos, etólogos y físicos había establecido un límite razonable para prolongar las horas de luz, de manera que, durante el invierno, la jornada laboral pudiera aprovecharse mejor. Pero el organismo humano (y en general los seres vivos) necesitaba regirse bajo la apariencia de un ciclo de noche y día. Por tanto, se estableció que la Aurora permanecería activada desde la puesta del sol hasta las 23.30 de la noche, lo que implicaba un número variable de horas en función de la época del año. A partir de ese momento, la iluminación tradicional, aunque alimentada por bombillas inalámbricas, tomaría el relevo. Una regla que tenía algunas excepciones, como el Cuatro de Julio, Acción de Gracias, Navidad, Año Nuevo y, por supuesto, el Veintiuno de Octubre, fechas en las que la Aurora se mantenía toda la noche (el manipulado de sus colores había jubilado a los anticuados fuegos artificiales), cubriendo el cielo con un manto tranquilizador que recordaba a todos que, por fin, el mundo era un lugar mucho más seguro.

Hasta que vio desaparecer el resplandor al otro lado de la ventana, Edgar no fue consciente de lo tarde que era y de lo cansado que estaba. No sabía qué le había pasado al señor Kachelmann; imaginó que se trataba de rarezas de viejo y prefirió no darle mayor importancia. Se puso de pie, le dio las buenas noches y se encaminó a su cuarto, pero antes se detuvo en la cocina.

En contra de lo que era habitual en ella, su madre aún estaba allí. Llevaba una bata sobre el camisón y tenía el pelo recogido en un moño. Bajo la luz de la cocina, las canas que se imponían entre el pelirrojo de su hermosa melena eran muy visibles. En cuanto le vio entrar, le cogió por la barbilla y se le acercó para darle un beso.

—Madre, ¿qué hace levantada a estas horas?

—No podía dormir, hijo.

—¿Y eso? ¿Alguna preocupación?

Ella esbozó una sonrisa triste.

—¡Claro que no! Tenemos tantas que resulta imposible quedarse sólo con una... Ven, tendrás hambre.

Pamela Kerrigan abrió el horno y sacó de él una bandeja con los restos de un jamón asado. Mientras Edgar llevaba a la pequeña mesa de madera un vaso y unos cubiertos, ella le sirvió un trozo abundante.

—Está un poco frío —le dijo—, pero si quieres puedo calentártelo.

—No, tardaría demasiado y estoy agotado. No veo la hora de irme a la cama...

Su madre siempre suspiraba por un horno microondas como los que la Westinghouse anunciaba en la televisión, pero eran el último grito tecnológico y su precio aún resultaba prohibitivo.

Sacó de la nevera la botella de leche, se sirvió un gran vaso y comenzó a comer. Su madre permaneció de pie, cruzada de brazos. Edgar la miró, sin saber muy bien qué decir; era algo que le pasaba a menudo, y luego lo lamentaba. Desde que su padre había muerto, hacía diez años, ella nunca había vuelto a ser la misma. De repente, se vio en la obligación de llevar la iniciativa y de sacar adelante un hijo y un negocio que le exigían una dedicación casi absoluta. Y por algún motivo, aquella tristeza le había ido calando, hasta convertirse en una parte esencial de su carácter. Edgar apenas recordaba haberla visto sonreír; casi nunca aceptaba planes para pasar los días festivos, así que

Edgar se acostumbró a pasarlos en su habitación, entregado a sus lecturas. Un buen día, Edgar se encontró observando a una mujer a la que la edad le pesaba, y que estaba haciéndose vieja.

Lo peor era que Edgar no era capaz de entenderla. Por un lado, comprendía que echara de menos a su padre y que la vida desde su muerte no hubiera sido fácil para ella. Pero lo cierto era que habían logrado salir adelante, y Edgar se sentía especialmente orgulloso de haber conseguido enseguida un trabajo que había ayudado a la economía de la casa. Y, sin embargo, nada de eso lograba que se relajara la expresión de su rostro; cuantos más planes de futuro hacía Edgar, menos paciencia tenía para la obsesión de su madre por permanecer anclada en un pasado que no se podía cambiar.

No le gustó el camino que estaban tomando sus pensamientos, así que se esforzó en apartarlos de su mente. Llevaban varios minutos en silencio, acompañados por el tictac del reloj de la cocina, cuando oyeron la puerta de la calle y unos pasos que se acercaban hasta la cocina. Era Francesca.

—¡Vaya! —dijo—. Estáis aquí.

—Sí, y por fin tú también —Francesca no era hija de Pamela, era su ayudante y vivía allí (su jornada terminaba el sábado al mediodía) pero llevaba tanto tiempo en la casa que inevitablemente tendía a hablar con ella como si lo fuera—. No tienes buena cara... ¿Estás bien?

Francesca no contestó. Se dirigió al fregadero, cogió un vaso y lo llenó en el grifo. Se lo bebió de un trago.

—Podría estar mejor —dijo al fin, volviéndose hacia Edgar, con su pelo negro recogido en un moño a la moda y su inglés con acento italiano.

Edgar no sabía mucho de chicas, pero le resultó evidente que debía de venir de una cita, y que ésta no parecía haber ido muy bien. Ella era tres años mayor que él, sus padres la habían mandado a Estados Unidos desde Italia para que unos tíos la acogieran mientras ellos reunían el dinero para el pasaje en el oceánico. Pero algo pasó, ese viaje nunca se produjo; la joven se cansó de sus tíos y un buen día apareció en la puerta de la pensión pidiendo trabajo, justo en el momento en el que la anterior ayudante de su madre se había despedido. De aquello hacía tres años, y desde entonces había hecho de aquel gran piso de Brooklyn lo más parecido a un hogar.

—El señor Kachelmann se va a quedar ciego como siga viendo la televisión —dijo, en un tono que dejó de ser taciturno, como si encontrara un tema que le permitía apartarse de lo que la incomodaba—. Me pregunto a qué se dedicaría cuando aún no la habían inventado...

—No creo que le importe mucho, la verdad —intervino Edgar justo después de beber un gran trago de leche—. Además, ¿cómo alimentaría sus refunfuños si no? Nunca sale, así que las únicas historias que conoce son las que ve ahí.

—Dios sabe que es un huésped ejemplar —dijo Pamela—, pero nunca he conocido a nadie con menos vida que él.

«Excepto tú», pensó Edgar. Pero se calló el pensamiento para sí.

—La ha tomado con el pobre Edison —dijo en su lugar.

—¿Ah, sí? —preguntó Francesca—. ¿Por qué, qué dice?

—Nada en concreto. Pero... no sé, que se esté muriendo parece llenarle de satisfacción. ¿Cómo puede alguien pensar así? ¡Con todo lo que ha hecho por nosotros! Gracias a él ganamos la guerra y conseguimos todo lo que tenemos...

—Siempre hay desagradecidos, Edgar. No lo olvides nunca. —Pamela se incorporó y echó a andar hacia la puerta de la cocina, tras posar una mano en su hombro—. Me voy a la cama, chicos. Ya que habéis vuelto los dos, creo que conseguiré dormir tranquila. Buenas noches.

—Buenas noches, señora Kerrigan.

—Buenas noches, madre. —Edgar esperó a que su madre saliera para reclinarse en la silla, suspirar y preguntarle a Francesca en un susurro—: Es desesperante. ¿Qué le pasa?

La chica encogió los hombros y se sentó a la mesa, frente a él.

—No lo sé. Nada y todo. Las cuentas... y la soledad, imagino.

—¡No está sola! Estoy aquí...

Francesca le miró con un destello de ternura en sus ojos.

—¡Claro que estás! Pero ella sabe que quieres irte. Supongo que ya lo está descontando...

—¡Yo no quiero irme! Sólo quiero ser piloto.

—Ya. Pero no creo que sea para volar sólo sobre Brooklyn. Edgar, los dos sabemos que, cuando estés en un oceánico, recorrerás todo el mundo. Y a ella le es muy difícil aceptar que te irás. Creo que tiene tanto miedo a quedarse sola que ya lo vive con anticipación.

Edgar suspiró. Miró su plato, ahora vacío, mientras resonaba el mordisco que Francesca le propinaba a una manzana que había cogido del cesto de fruta.

—Dentro de una semana hará diez años de la muerte de mi padre. Pero en cuanto a ella, parece que hubiese sido ayer... Lo dejó todo para venirse aquí con él, y eso no les gustó a mis abuelos. Mi madre rompió un compromiso de boda con el hijo de un terrateniente; ellos eran ricos, mientras que mi padre no tenía nada que ofrecerle, salvo trabajo. Pero apostó por él, por venirse a Estados Unidos y salir adelante con esfuerzo. Nunca se lo perdonaron. Mi madre se enteró de la muerte de mi abuela sólo por una notificación legal, y desde que vino nunca ha hablado con mi abuelo, ni siquiera le ha escrito una carta...

—Es duro, Orville —le contestó ella, llamándolo por el apodo que le había puesto—. Tienes que entenderla.

—¡Claro que la entiendo! Lo que no sé es por qué ella no me entiende a mí...

—¡No seas tan duro! Hablas como si te estuviera maltratando todo el tiempo.

—¡Claro que no! Pero tampoco me apoya nunca. Me mata ver su cara siempre seria, que sea incapaz de alegrarse por nada, de ilusionarse por lo que hago, por lo que consigo... —Edgar volvió a tener una fugaz imagen de su madre mirando la torpe bombilla fabricada con un tarro de mermelada y el recuerdo de su único comentario: «Y eso, ¿para qué sirve? Si ya tenemos bombillas de sobra...»—. ¿Es que no se da cuenta de que lo hago también por ella? Un piloto de un oceánico puede llegar a ganar mucho dinero...

Francesca se levantó a tirar los restos de la manzana al cubo de la basura.

—Dale tiempo, simplemente. Lo aceptará cuando ya no tenga más remedio, porque sobre todo y ante todo eres su único hijo. Pero es duro sentir que estás sola en el mundo.

—Sin embargo, a ti parece que se te da bien...

Francesca se detuvo, luego le miró. Un velo de tristeza volvió a recorrer por un momento sus preciosos ojos oscuros.

Se encogió de hombros.

—Bueno, hace mucho tiempo que no sé nada de mis padres. Y no olvides que tuve que venirme sola a un país en el que no conocía a nadie.

Edgar asintió.

—Nunca me has contado por qué te viniste...

—...y lamento defraudarte, pero hoy tampoco voy a hacerlo. ¡Buen intento! —replicó ella, con una sonrisa. Como siempre, encontró rápidamente la manera de desviar la conversación—: ¿Qué tal tú? ¿Cómo ha ido el trabajo? ¿Has establecido algún nuevo récord?

Edgar la miró, ligeramente avergonzado. No debería haberle contado que, a veces, forzaba su aéreo para intentar llevarlo al límite, o que incluso se había excedido a la hora de hacer alguna maniobra especialmente arriesgada. Pero al menos ella no se lo había dicho a su madre: con la multa que llegó en una ocasión con el correo, tuvo más que suficiente al respecto.

—No, hoy he sido bueno. Y eso que había un envío urgente para el MetLife...

—Pufff... caprichos de ricos. Ya me dirás tú si no pueden esperarse al lunes.

—Los ricos, precisamente, son los únicos que nunca pueden esperar.

—Ya lo sé. Lo que tienen que hacer es siempre taaaaaan importante... En fin, Orville, me voy a la cama —dijo, mientras se incorporaba—. Estoy rendida.

—Buenas noches.

Ella esbozó un adiós con la mano y se fue, arrastrando los pies, por el mismo camino por el que se había ido su madre. Se la veía cansada de verdad. Edgar se sintió un tanto extraño, como si las dos mujeres con las que vivía, y que formaban parte de su familia, o de su clan, o de lo que fuera en el caso de Francesca, fueran en especial misteriosas, casi tanto como el propio señor Kachelmann. Se dio cuenta de que desconocía qué estaría pasando por sus cabezas aquella noche en la que todo el mundo parecía alterado.

Poco después, mientras se preparaba para meterse en la cama, Edgar se detuvo ante la reproducción del *Flyer I* que tenía colgada del techo. Era el primer aeroplano diseñado por los hermanos Wright y se lo había fabricado su padre cuando él era tan sólo un niño y poco más podía hacer que sentarse del otro lado de la mesa en la que construía sus maquetas, maravillado a medida que los trozos de madera, varilla y tela iban convirtiéndose en aquel precioso aparato.

Orville, el pequeño de los Wright, había sido el piloto en el primer vuelo exitoso, el 17 de diciembre de 1903. Más tarde, la aviación comercial había seguido otros derroteros, con el desarrollo del sistema externo de tracción universal que hacía que las aeronaves no necesitaran un pilotaje activo. Pero los verdaderos amantes de la aviación seguían admirando aquellos aparatos que necesitaban de la intervención humana para poder alzarse del suelo y hacer su camino. Manejarlos en los años de la Red era un privilegio reservado a muy pocos, que además debían ser capaces de demostrar una gran habilidad para merecerlo.

—Orville Wright era un gran piloto —le había dicho su padre, mientras ajustaba con sorprendente delicadeza una pieza de la cola—, pero sobre todo era un valiente. Porque hacía falta mucho valor para subirse a aquel aparato, Edgar. Sobre el papel era imposible de pilotar, pero aún así él se convenció de que podía hacerlo. De hecho, todavía hoy en día los pilotos más experimentados siguen teniendo serias dificultades para controlar las réplicas del *Flyer I*, con su endiablado sistema de poleas y sus continuos bandazos.

Sí, Orville Wright fue el primero de la raza auténtica de los aviadores; una vez se lo contó a Francesca, y desde entonces ella le llamaba así, y le gustaba. Cuando al final apagó la luz, la penumbra le permitió seguir viendo la silueta del avión, que se balanceaba ligeramente, llevado por alguna corriente nocturna. Por alguna razón, el recuerdo de las manos de su padre, fuertes y con dedos largos, y sin embargo capaces de ensamblar con delicadeza las pequeñas piezas de las maquetas, se volvió más nítido que nunca. En su interior, sentía que la inminente muerte de Edison le dejaría aún más solo en un mundo que parecía no querer entenderle, que pretendía cargarle con unas culpas que no le correspondían. Estaba convencido de que si su padre aún estuviera allí, sería capaz de entenderle y apoyarle. Al fin y al cabo, él luchó por conseguir lo que nadie le quería dar, empezando por una esposa que todos decían que nunca sería para él. Era cabezota e idealista, justo lo que ahora su madre, que una vez se había enamorado de él precisamente por ser así, rechazaba...

Edgar volvió a esforzarse por desviar el curso de unos pensamientos que no le hacían más que daño, pero todo parecía empeñarse esa noche en llevarle hacia ellos. En la televisión habían recordado cómo el joven Edison se había enfrentado a todo lo que se le oponía. Su profesor no creía en él, y en una ocasión le devolvió a casa con una nota en la que decía que no merecía la pena gastar ni un segundo en intentar educarle. Su madre se ocupó entonces de enseñarle lo básico, y a los doce años ya lo mandó a trabajar para el ferrocarril. Sí, Nancy Edison tenía fe en su hijo; en ese sentido, era muy diferente a Pamela Kerrigan.

Reprimió una lágrima, se aovilló bajo las mantas, y prefirió volver a la difusa imagen de su padre. Buscando entre los retazos de sus recuerdos, encontró la forma en que pronunciaba la palabra «valiente» para describir a Orville Wright, y fantaseó con cómo sonaría aplicada a sí mismo. En aquel momento en que se sentía más huérfano que nunca, le habría encantado sentir la calidez de su mano frotando enérgica su cabeza, despeinándole, y a la vez oír su voz:

—Eres valiente, Edgar. Y los valientes siempre tienen su recompensa.

No era verdad, claro. Pero se aferró a ello hasta que el sueño le venció.

4

Los domingos, a esa hora temprana de la mañana, viajaba muy poca gente en los vagones del suburbano BMT. Tan silencioso como el resto de las máquinas que recorrían el subsuelo de Nueva York, el convoy avanzaba bajo el East River hacia Manhattan. Edgar entró en el vagón cuando sólo viajaban un par de jóvenes que, como él, tenían aspecto de ir también a trabajar, y una mujer que se peleaba con las agujas de tejer. Al fondo, un hombre con aspecto de vagabundo dormía tumbado sobre tres asientos. Según se fueron acercando a la isla, el número de viajeros fue aumentando y, para cuando llegaron a su destino, en Bowery, ya había pasajeros de pie.

Al salir de la estación, Edgar se encontró con más movimiento. La calle estaba llena de tiendas de ropa barata que se disponían a abrir sus puertas en domingo. Algunos terrestres circulaban por las calles, ordenados por el autómata de tráfico, mientras que sobre sus cabezas pasaban los primeros aéreos, y algunos de ellos descendían frente a las tiendas para descargar mercancía. En un local de comida, los trabajadores de la zona apuraban sus desayunos antes de incorporarse a sus puestos.

Sí, todo era como cualquier domingo... o tal vez no. Algo era diferente, algo que Edgar comprendió con un sobresalto al pasar junto a un quiosco de prensa. El luminoso de la parte superior lanzaba un mensaje que hacía que los viandantes se detuvieran, consternados. Él también se detuvo. A su lado, una mujer se llevó la mano a la boca para ahogar un sollozo. Eran sólo siete palabras, ni siquiera se trataba de una sorpresa, pero aun así le aturdieron como un aldabonazo:

¡MUERE EDISON!
El genio falleció al alba

Edgar miraba a toda esa gente que se apresuraba a introducir en el quiosco los tres centavos que permitían que la máquina les imprimiese un ejemplar actualizado con las últimas noticias. Por la bandeja de salida comenzaron a aparecer, uno tras otro, copias del *Post* con grandes caracteres en portada, que manchaban con su tinta húmeda los dedos de sus ansiosos compradores. Pero eso no parecía importarles: los lectores se abalanzaban sobre las páginas encabezadas por la gran foto del inventor.

—¡Dios mío!

—Por fin, ya habrá descansado.

—Su mujer debe de estar destrozada. Pobre Mina...

Los repartidores comenzaron su recorrido cargados de ejemplares calientes para las personas que estaban demasiado lejos del quiosco como para procurárselos ellos mismos:

—¡Última hora! ¡Edison ha muerto! ¡La nación, huérfana! ¡Última hora!

Edgar sintió un aguijonazo en su interior. No necesitaba leer más, y sobre él se abatió una sensación extraña, la comprensión de que todo había terminado, de que aquello que habían estado temiendo y esperando durante tanto tiempo finalmente había sucedido. Un mundo sin Edison parecía inimaginable; pues bien, ahí estaba. A partir de ahora, la Tierra seguiría girando, pero sin el hombre que siempre había tenido las respuestas adecuadas, que había visto antes que nadie las posibilidades del futuro. Había habido buenos y malos presidentes, la nación había atravesado crisis económicas turbulentas, y las páginas de los medios y las radios y las televisiones habían visto desfilar, en un carrusel vertiginoso, una retahíla de nombres en un primer momento llamados a ser populares, para apagarse poco después como una vela. Sólo uno había permanecido todo el tiempo... Hasta ahora.

Edgar todavía estaba sumido en sus reflexiones cuando puso el pie en el hangar de la Mercury Express. Saludó con un mecánico movimiento de cabeza al guardia mientras introducía su tarjeta en el aparato para fichar, y se dirigió al vestuario. Acababa de ponerse el mono cuando una voz femenina se oyó por el altavoz:

—Edgar, tienes un envío. Acude a Emisiones.

—Vaya, Ed —era su compañero de turno, Bob, en quien ni había reparado al cruzarse con él en la entrada—, esto sí que es llegar y tocar.

Edgar se encogió de hombros. Su mente estaba lejos, en otra parte.

—¿Quién puede tener tanta prisa un domingo por la mañana?

Edgar se dirigió hacia la oficina de Emisiones.

—Edgar Kerrigan —dijo al llegar.

Del otro lado de la ventanilla, solo en un enorme despacho vacío de domingo, James reposaba sus abundantes kilos de más sobre la silla de mando, sentado de lado. Leía un libro de Pearl S. Buck, del que apenas levantó la vista mientras, con su mano libre, arrancaba un papel de un formulario y se lo entregaba a Edgar. Éste lo leyó en voz alta:

—«Recogida. Hotel New Yorker. Instrucciones en destino.» Entendido, jefe.

—Muy bien, chico. Demuestra que, además de saber leer, entiendes lo que lees —contestó él mientras sus ojos se desplazaban hacia la página par.

Edgar se dirigió con paso ágil a la plaza donde había dejado estacionado el aéreo la noche anterior. La orden no especificaba las dimensiones del objeto que debía transportar, pero desde que la energía había dejado de ser un motivo de preocupación, aquello ya no era un problema: tanto daba enviar una bicicleta que una postal; la mayoría de las empresas de mensajería, incluida por supuesto la Mercury, utilizaban un modelo estándar de vehículo Ford que cubría la mayor parte de las necesidades.

El aparato respondió con su leve zumbido ascendente. La consola con los números analógicos de velocidad y posición se iluminó, mientras Edgar se ajustaba el cinturón de seguridad y conectaba el aparato de radio. El ritual de conexión se había completado.

—M4, listo para salir.

La voz de James le contestó distraída, seguramente aún perdida en alguna remota aldea de la China de su libro.

—Ya estás tardando, Kerrigan.

El aéreo se alzó con suavidad unos centímetros sobre el suelo del hangar mientras se deslizaba hacia la vertical de despegue. Cuando la alcanzó, Edgar hizo los ajustes correspondientes y se elevó con creciente rapidez, incrementada al comprobar que el camino estaba despejado. El tejado, con el nombre de la empresa escrito en grandes letras sobre la cubierta metálica, quedó rápidamente por debajo, mientras el aéreo alcanzaba la altura reservada a los servicios de la ciudad. Y entonces, una vez más lejos de la tierra y de la triste realidad, se sintió un poco mejor. Con una ágil maniobra que para él siempre tenía un efecto relajante, se incorporó al tráfico que iba hacia el norte. En esa dirección, veía el sol de la mañana que lanzaba destellos desde lo alto del edificio Chrysler. Pero no podía distraerse, porque el punto de destino, en la confluencia de la Octava Avenida con la calle 34, estaba apenas a cuatro minutos de distancia.

Pronto tuvo ante él la masa cuadrada de su objetivo, el imponente bloque lleno de ventanas, su gran neón rojo en lo alto y las luces parpadeantes que indicaban el muelle para aéreos. Cuando hubo terminado la maniobra de aterrizaje, se dirigió hacia la garita del guardia. Le tendió el papel con los detalles del encargo. El hombre descolgó el teléfono y marcó cuatro números.

—Buenos días, señor. Hay aquí un mensajero para usted. —Una pausa de un instante—. Muy bien, señor.

El guardia colgó y le devolvió el papel tras ponerle un sello y pasarlo por un escáner de entrada.

—Habitación 3327. Por el elevador de servicio.

Edgar recogió el papel y se dirigió a la entrada de personal y mercancías tan rápidamente que no pudo ver que el guardia, en cuanto se hubo alejado y sin dejar de mirar en su dirección, volvía a descolgar el teléfono para decirle unas pocas palabras a alguien al otro lado de la línea.

El joven entrevió, tras una puerta automática de cristal, el pasillo que daba al *hall* superior. La mayoría de los huéspedes seguían llegando por las recepciones situadas a pie de calle, pero dado que los clientes importantes poseían sus propios aéreos, los grandes hoteles habían construido una segunda recepción, más pequeña pero normalmente también más lujosa, justo al lado de los muelles. No hace falta decir que Edgar casi nunca ponía el pie allí.

Tomó el elevador. Estaba en la última planta, la 40, y debía bajar hasta la 33. En el camino se detuvo dos veces. Una limpiadora entró empujando un carro lleno de sábanas y ropa de cama; en la otra, tres camareros iban comentando entre ellos las últimas noticias sobre Edison y las especulaciones sobre la fecha del funeral.

Al salir del elevador, Edgar se detuvo un momento para orientarse en la dirección correcta del panel. Finalmente, tomó un estrecho pasillo hasta llegar a la puerta de la habitación 3327.

Llamó con los nudillos. Una voz suave, que parecía llegar de muy lejos, le contestó desde dentro:

—Pase.

5

Le recibió un olor fuerte y que no le era del todo extraño. No fue hasta que oyó un zureo y un batir de alas y descubrió a una paloma que salía de algún punto a su derecha para dirigirse hacia la ventana entreabierta, cuando entendió que era el olor de ellas lo que inundaba toda la habitación. A Edgar le pareció ver otros pájaros esperando al otro lado del cristal, recortados sobre el fondo de los rascacielos y los aéreos en movimiento.

Al mensajero, como a la mayoría de los conductores que se desplazaban por el aire, le desagradaban las palomas por lo que suponían de peligro potencial. No se habían resignado a ceder su espacio a los recién llegados, y de vez en cuando alguna de ellas seguía teniendo la peregrina idea de estamparse contra la ventana delantera, estropear algún faro o, lo que era peor, una turbina. Afortunadamente, los nuevos aéreos carecían de aspas que pudieran obturarse por el impacto de los pájaros, pero no había que desdeñar los riesgos de que el conductor reaccionase con alguna maniobra brusca, sobresaltado por el sonido de un golpe seco contra el vehículo.

Edgar miró a su alrededor. La cama estaba hecha, pero unas arrugas delataban que alguien había estado tumbado sobre ella. A la izquierda, un escritorio aparecía cubierto de notas salpicadas por signos matemáticos, gráficas y esquemas. Junto a la pared, una sucesión de montones de periódicos, en perfecta formación, descansaba justo al lado de una caja fuerte y una pequeña columna de archivadores. Más que en una habitación, Edgar tenía la sensación de haber entrado en la oficina de alguien muy ocupado, tanto que incluso necesitaba de una cama para poder echarse de vez en cuando. A los pies de ésta, un televisor permanecía encendido con el volumen silenciado. En la pantalla, un presentador movía los labios sobre un rótulo que decía: «Thomas Alva Edison (1847-1931)».

Oyó ruidos tras la puerta cerrada del cuarto de baño, los pasos de alguien que se disponía a salir. En efecto, el picaporte giró y tras la puerta abierta apareció un anciano altísimo, delgado, con el rostro enjuto y unos ojos que, más que mirarle, parecían detectarle. El hombre caminó hacia él con suave elegancia.

—¿Por qué ha tardado tanto? —dijo, mientras avanzaba. Su voz, aguda pero con un fondo cansado, estaba adornada por un acento extraño que Edgar habría asignado con los ojos cerrados, sin titubear, a algún malvado de esas extrañas películas europeas que tanto le inquietaban: el doctor Rotwang de *Metrópolis*, o el perverso doctor Mabuse.

—Señor, he venido en cuanto...

—No importa, ya no tiene remedio. Pero es crucial que lo compensemos lo antes posible.

El hombre se detuvo frente a uno de los archivadores, rebuscó en el bolsillo de su pantalón (pese a lo temprano de la hora, iba pulcramente vestido con un traje algo ajado y pasado de moda), extrajo una llave y abrió el cajón. Allí cogió un sobre abultado y lo llevó hasta el escritorio. Edgar le siguió; a pesar de la edad, aquel hombre era dueño de una agilidad extraordinaria.

El anciano movió los papeles con cálculos y números que lo llenaban todo e hizo un hueco para el sobre. Agarró una pluma, le quitó el capuchón y escribió algo con pulcra caligrafía en el exterior. Edgar se distrajo con las aves que reposaban en el alféizar de la ventana. Había un comedero e incluso, en la parte interior, una caja mullida en algodón, donde la presencia de plumas evidenciaba que había servido para el reposo de alguna paloma. Al lado se amontonaban varios frascos de alcohol desinfectante, vendas y otros objetos necesarios para hacer curas.

—Tenga —le tendió el sobre—. No hay tiempo que perder.

Edgar cogió el sobre. Al tacto, parecía contener un grueso haz de papeles. El mensajero le echó un vistazo a la dirección:

Sr. Samuel Langhorne Clemens
35 South Fifth Ave., Nueva York

Y en la esquina superior izquierda, sobre el membrete del New Yorker, el anciano había escrito el nombre del remitente:

Sr. Philip Kafsack

—Muy bien, señor... Kafsack. Firme aquí. —Y le tendió la tablilla.

Los largos y finos dedos sujetaron con liviandad la pluma mientras trazaban la firma.

—Tenga muchísimo cuidado, joven —dijo al devolverle la tablilla—. Es muy importante que se lo entregue en mano al propio señor Clemens. Lo está esperando con mucha ansiedad, se lo aseguro. Se trata de algo importantísimo.

—No se preocupe, señor. Lo recibirá inmediatamente.

El hombre ya no le miraba; parecía absorto en la superficie de su escritorio, sin fijarse en ningún papel en particular. El joven dedicó una última mirada hacia la ventana, y al extraño aspecto de aquella habitación, antes de abandonar la estancia. Era verdad que todo mensajero podría escribir un libro entero lleno de anécdotas referidas a clientes excéntricos, y desde luego aquel hombre, que por su forma de vestir parecía salido de alguna vieja fotografía de finales de siglo, era el candidato perfecto para protagonizar unas cuantas.

Cuando estuvo de nuevo en el aire, giró hacia el sur. Cada vez había más aéreos circulando, y la ciudad se iba pareciendo a un campo de flores de cemento surcado por innumerables insectos. Un racimo de ellos se dirigía al Madison Square Garden, donde estaban a punto de comenzar las veladas matinales de boxeo.

Pronto se encontró cerca de su destino, un tramo de calle sin apenas comercios, en el que el tráfico en domingo era casi inexistente. Edgar localizó el edificio al que se dirigía, un almacén que tenía todos los accesos cerrados. Aterrizó justo enfrente de la puerta, cogió el sobre y la tablilla, y se dirigió hacia la entrada. Llamó a la puerta.

Nadie respondió.

Volvió a insistir, sin éxito. Miró por una ventana para atisbar en el interior, pero estaba oscuro y no pudo ver nada. Allí no parecía haber nadie.

Edgar recorrió toda la fachada, a un lado y a otro, sin éxito. Se asomó también a los flancos, por si hubiera otra puerta, pero fue en vano. Ni siquiera pasaba nadie por la calle; algunos camiones permanecían aparcados en los márgenes, y muy raramente algún vehículo rodaba por la calzada.

Dándose por vencido, regresó al aéreo y llamó por radio a la central.

—Aquí M4. Jefe, estoy en el punto de entrega del envío del New Yorker. Aquí no hay nadie.

Esta vez, la respuesta de James sonó verdaderamente interesada. Quizá había hecho un descanso entre capítulo y capítulo.

—¿Cómo que no hay nadie?

—Como lo oye. Y tampoco me extraña: los domingos esto está desierto.

Hubo una pausa al otro lado, un silencio salpicado de estática.

—¿Para quién era el envío?

Edgar se lo leyó. Para su sorpresa, una risita resonó al otro lado.

—Chico, estoy casi tentado de decirte que, si consigues entregar ese pedido, me despido y le digo a Jim que te ponga en mi lugar.

Edgar frunció el entrecejo.

—¿Cómo? ¿Qué quiere decir?

—Que nuestro cliente es un cachondo. Además de alguien con ganas de gastarse el dinero en un envío dominical de broma, desde luego. Samuel Langhorne Clemens lleva muerto más de veinte años.

Por primera vez, fue Edgar el que se quedó sin saber muy bien qué decir.

—¿Es que... le conoció?

Ahora fue una risa sin complejos lo que resonó por el altavoz.

—No, claro que no. Aunque me hubiera gustado. Sólo le vi una vez, durante una conferencia. Yo debía de tener más o menos tu edad, y para entonces ya me había leído casi todos sus libros. Seguro que tú también conoces alguno.

—¿Algún libro? —Edgar seguía sin entender nada—. ¿Como cuál?

—Pues por ejemplo... *Un yanqui en la corte del rey Arturo*. O *Tom Sawyer*...

—¿*Tom Sawyer*? Espere, espere, ese libro... ¡ese libro es de Mark Twain!

—Muy bien. Sabía que, aunque callado, no eras del todo tonto.

—Pero ¿qué tiene que ver Mark Twain con... con Samuel Lang...?

Súbitamente, se calló. Por fin lo entendió. O mejor sería decir que su perplejidad tomó otra forma, porque lo cierto era que entender, seguía entendiendo poco.

—¡Mark Twain y Samuel Langhorne Clemens son la misma persona! Twain era el seudónimo que utilizaba para escribir...

—Exactamente.

—Pero, pero... ¿cómo puede ser que el viejo del hotel me haya enviado hasta aquí? Hablaba de Clemens como de alguien que estuviera esperando este envío, que le era imprescindible... ¿Es que no sabe que lleva muerto mucho tiempo? Además, dudo que viviera nunca en este barrio...

—En eso estoy de acuerdo. Y a no ser que quiera que se lo llevemos al cementerio, veo bastante complicado que podamos hacer esta entrega.

—Entonces, ¿qué hago ahora, jefe?

—Pues dan ganas de hacer lo que marcan las normas: dejar un aviso en el buzón y desentendernos. Pero el tipo ha pagado la tarifa más alta, así que creo que merece que le devuelvas el envío y le des la mala noticia.

—¿Qué mala noticia?

—Que tiene un amigo menos.

Edgar se quedó callado, anonadado.

—¿De verdad quiere que...?

—Exacto. No queda otra...

—Pero...

—...y date prisa. Quiero tenerte aquí de vuelta por si hay algún encargo para llevar tarjetas, flores, coronas, notas o bombones, lo que sea, a West Orange.

Edgar quiso añadir algo, pero un chasquido al otro lado dejó claro que la conversación había terminado.

Su vida no había sido muy larga hasta ese momento y había hecho alguna estupidez: recordaba, por ejemplo, cómo su madre le había tenido que llevar a urgencias de niño porque le dio por remedar al joven Harbert de *La isla misteriosa* y comerse todos los moluscos que encontró en la arena de Coney Island. Pero tenía que reconocer que la situación en la que se encontraba ahora las superaba a todas. Ni siquiera sabía muy bien cómo darle la noticia al anciano. Hasta que un pensamiento se impuso en su divagar:

«¿Es que eres tonto? ¡No le vas a dar ninguna mala noticia! El hombre chochea, eso es evidente. Díselo, y ya está. Sabe perfectamente que su amigo está muerto, o quizás lo ha olvidado. Pero, sea como sea, no es cosa tuya. Sólo haz lo que te han dicho, y vuelve rápido a la central.»

Suspirando, se ató de nuevo el cinturón y se dispuso a conectar el aéreo, pero en ese momento una voz situada justo a su izquierda le interrumpió.

—Chico, yo puedo explicártelo todo.

Edgar se sobresaltó al darse cuenta de que un muchacho más joven que él, de unos diecisiete años y con la cara llena de granos, le miraba a través del cristal de la puerta. Llevaba una gorra que le arrojaba sombra sobre los ojos, y éstos le miraban como lo haría un zorro a una gallina.

—¿Eh? ¿Qué quieres decir?

—Que yo sé por qué ese carcamal está buscando a Mark Twain.

Edgar iba a contestar, pero justo en ese instante se dio cuenta de que alguien había abierto la otra puerta. Cuando se volvió, tuvo el tiempo suficiente de ver cómo una mano agarraba el sobre que había dejado sobre el asiento del copiloto y echaba a correr.

—¡Eh!

Perdió un instante precioso en quitarse el cinturón y salir del aéreo. Para cuando lo hizo, los dos chicos ya estaban lejos. Un tercero se les había unido. El que le había hablado tuvo tiempo, incluso, para darse la vuelta y hacerle un gesto con el dedo hacia arriba. Por un momento estuvo tentado de correr en su búsqueda, pero no le hacía ninguna gracia dejar el aéreo desprotegido en aquel lugar casi desierto.

Algunas veces había imaginado cómo sería su primer extravío. Pero jamás habría supuesto que sería así.

6

—Señor Shear, desde Matinecock Point informan de que el *Corsario* ya ha llegado.

—Muchas gracias, señorita Kilgannon. Por favor, póngame con el señor Morgan en cuanto sea posible.

—Muy bien, señor.

Shear tachó mentalmente una línea de su lista de preocupaciones. Que su jefe hubiera regresado justo a tiempo de China era una estupenda noticia. Parecía incluso como si el viejo Edison hubiera tenido el detalle de esperarle para morirse, pero no podía sentirse más aliviado: a pesar de todas las facilidades que la Red Mundial ofrecía para comunicarse con cualquier persona, aunque estuviera al otro lado del mundo, siempre era más cómodo tener al jefe a un alcance razonable. Seguía confiando en los viejos métodos.

Y más ahora que era necesario extremar las precauciones para que todo saliera según lo previsto. La oficina de Henry Ford acababa de informarles de que el funeral se celebraría en tres días, justo en pleno Veintiuno de Octubre: incluso para elegir el momento de su muerte había tenido ojo el bueno de Tom. Hasta entonces, era necesario que todo saliera a la perfección, que nada empañara la despedida del héroe del momento. El guion ya estaba escrito y debía cumplirse al pie de la letra. Eso era lo que el señor Morgan quería, y era, por tanto, la principal ocupación de Shear.

Se oyó un ligero toque en la puerta y Bob Goodstein entró, como siempre, sin esperar respuesta. Shear no acababa de acostumbrarse a verle aparecer de repente, con su andar chulesco y su bigote descuidado. Le enervaba su tendencia a olvidar que la Torre Morgan no era una extensión de los callejones en los que solía realizar sus trabajos.

—Bob, permíteme recordarte que esa mujer que está en un escritorio junto a la puerta es mi secretaria. Y ya que la he hecho venir en domingo, estaría bien que le dejaras hacer su trabajo y te anunciara. Se sentiría menos frustrada.

—No quería importunarla por tan poco, señor Shear. Traigo algo que pensé que podía interesarle. —Dejó caer sobre el escritorio un grueso sobre con una dirección manuscrita.

Shear reconoció inmediatamente la caligrafía.

—¿De dónde lo has sacado?

—Hace una hora, nuestro amigo del New Yorker se lo entregó a un mensajero para que lo llevara a una dirección del sur de la Quinta Avenida. Tres de mis chicos lograron interceptarlo sin problema.

Shear sintió un ligero sobresalto.

—¿El sur de la Quinta Avenida? ¿Qué hay allí ahora?

Bob se encogió de hombros.

—Nada extraño. Un almacén de material de mercería. De todas maneras, hoy no había nadie.

Shear rasgó el sobre y extrajo su contenido: un grueso taco de hojas manuscritas. Las pasó rápidamente, y se sorprendió cuando, de entre ellas, se deslizaron unos billetes que se desparramaron sobre su gran mesa.

Bob dejó escapar un silbido.

—Vaya, el viejo había cobrado su pensión.

Shear apartó los billetes. Habría como unos veinte, todos de cinco dólares. Cogió el primero de los folios y comenzó a leer:

El desarrollo progresivo del hombre depende vitalmente de la invención; es el producto más importante de su cerebro creativo. Su propósito último es el dominio completo de la mente sobre el mundo material, el aprovechamiento de las fuerzas de la naturaleza para las necesidades humanas. Ésta es la difícil tarea del inventor, a quien a menudo no se comprende ni se recompensa. Pero él encuentra amplia compensación en el agradable ejercicio de sus poderes y en la conciencia de pertenecer a esa clase excepcionalmente privilegiada, sin la cual la raza habría perecido hace tiempo en la amarga lucha contra los elementos inclementes...

Shear avanzó, ojeando aquí y allá las hojas. Parecía un relato autobiográfico, salpicado de explicaciones y esquemas. Desde luego, algo que no convenía que circulara por ahí.

—¿Es importante? —preguntó Bob.

Shear volvió a introducir las hojas y los billetes en el sobre.

—Ya no. Buen trabajo. Dales un premio a tus chicos.

El hombre se rió mientras se levantaba de la silla. Shear alcanzó a ver la pistola que colgaba bajo su axila.

—Ellos tienen suficiente pago con que les permitamos salir del orfanato, créame. Y por cierto, ¿qué pasa conmigo? ¿Es que yo no me merezco un premio?

—Te pago demasiado. Espero que estos días puedas hacerme recordar para qué.

Y con la misma risita con la que había entrado, Bob volvió a salir por la puerta. Shear aún tuvo tiempo de oírle decir, con un tono burlón:

—Adiós, señorita Kilgannon.

Volvió a mirar el sobre antes de meterlo en uno de los cajones de su mesa. Estaba claro que la mente del anciano volvía a fallar; eso les había salvado. Si en lugar de enviarle esas páginas a su amigo muerto lo hubiera hecho a alguien con mayor influencia, quizá hubieran tenido algún problema. Nada catastrófico, desde luego, pero se habrían enfrentado a la incomodidad de tener que intervenir, con el riesgo que ello suponía. Y justo en ese momento era lo último que les interesaba.

Un zumbido que conocía bien le hizo mirar hacia el otro lado de la mesa. Junto al intercomunicador, un teléfono reclamaba su atención, mientras una luz roja parpadeaba sobre él. Aquella era la única línea que no pasaba por la mesa de su secretaria, y de hecho sólo había una persona que pudiese estar al otro lado. Shear descolgó.

—Señor Morgan, bienvenido. Espero que haya tenido buen...

—Por favor, Mike, no son necesarias las fórmulas de cortesía. ¿Puedo saber qué está pasando?

Shear se quedó mudo. Morgan sólo lo llamaba Mike cuando estaba furioso, y eso era algo que no ocurría a menudo. Para un oído inexperto, la aparente calma que transmitía su voz podría pasar por un educado interés, pero conocía demasiado bien a su jefe como para que le pasara desapercibido su enfado. A diferencia de su padre, que era capaz de atemorizar a todo Wall Street con sus arranques de cólera, Jack prefería ejercer el poder con firmeza pero con suavidad. Podía hundir prácticamente a cualquier persona en Estados Unidos, pero era capaz de hacerlo con una expresión de lástima en el rostro que incluso podría pasar por verdadera.

Lo peor era que, por mucho que pretendiera tenerlo todo controlado, en esta ocasión no sabía por qué le había llamado.

—¿Disculpe, señor? No entiendo...

—Dime, Mike. ¿Has leído últimamente el *Times*?

—¿Yo? —Shear hizo memoria enseguida. Había impreso una copia instantánea justo al salir de su casa, hacía tres horas, pero no había vuelto a mirar ninguna otra más actualizada—. Sí... temprano por la mañana, señor...

—Pues haz el favor de echarle un vistazo. Y por favor, dame una explicación antes de salir para West Orange, ¿de acuerdo?

—Eh... sí, sí, señor.

—Muy bien, Mike; gracias. Por un momento temí que hubieses descuidado tus obligaciones...

Shear no tuvo siquiera tiempo de responder. La comunicación con la finca campestre de Jack Morgan quedó interrumpida. Con creciente ansiedad, se puso de pie, salió del despacho, pasó por delante de su desconcertada secretaria y se dirigió hacia la máquina impresora de periódicos. Pulsó el botón destinado al *The New York Times* y esperó lo que le pareció una eternidad, cuando en realidad apenas fueron treinta segundos.

Cogió el diario y comenzó a pasar las páginas ruidosamente. Al principio no encontró nada. Había ligeras diferencias con respecto a la edición que había visto al alba, pero nada que pareciera relevante.

De repente lo vio. Y sintió una ráfaga helada que le recorrió la espalda. Tras él, oyó cómo a lo lejos la voz de la señorita Kilgannon atendía una llamada. También, a través de la puerta abierta, le llegó el sonido de los dos aparatos de su propia mesa, que comenzaron a sonar, al igual que el otro teléfono de la mesa de su secretaria. Por un momento, le pareció que toda esa estridencia provenía de su propio cerebro.

Ante sus ojos, toda una página del *Times* estaba en blanco, salvo por dos líneas en grandes caracteres, de diseño diferente del resto, y que de hecho interrumpían un artículo que terminaba en la página par anterior. Una gran masa de blanco que en su centro chillaba a los cuatro vientos:

EDISON MUERE. TESLA VIVE.
SUYO ES EL FUTURO

—Señor Shear, le llaman de la oficina de Henry Ford.

—Dígales que les llamo en cinco minutos... Póngame antes con el *Times*. Y sobre todo, intercepte a Goodstein. ¡Que vuelva inmediatamente!

«Ahora sí que va a tener que ganarse el sueldo...», se dijo para sí.

7

Cuando Edgar llamó de nuevo a la puerta de la habitación 3327 del New Yorker, nadie le respondió. Esperó un instante mientras, al otro lado del pasillo, vio pasar a una asistenta que llevaba unas toallas a otra habitación. La mujer llamó, alguien le respondió al otro lado, y desapareció dentro.

Edgar repitió los golpecitos en la puerta. Otra vez, el silencio. Esta vez puso la oreja sobre la madera. Entre los indefinibles sonidos que la atravesaron, le pareció oír a las palomas, pero no estaba seguro de si no sería su imaginación la que le engañaba.

La mujer salió de la otra habitación. Dedicó una mirada curiosa a Edgar.

—¿No te abre?

Edgar negó con la cabeza.

—Pues está dentro, seguro, porque ya apenas sale. Pero muchas veces se queda ensimismado. Prueba a abrir y entrar. Pero ten cuidado, no le des un susto de muerte, puede que ni se dé cuenta de que estás hasta que le hables, y quizá tampoco entonces.

Edgar musitó un «gracias» y maldijo de nuevo a James por hacerle pasar por ese trago. Aunque, en realidad, sabía que era a él mismo a quien maldecía, por haber sido tan estúpido de dejarse robar el paquete.

Giró el picaporte de la puerta y entró en la habitación.

El hombre estaba sentado ante el escritorio, y no pareció percatarse de la presencia de Edgar. Murmuraba algo ininteligible inclinado sobre un gran papel.

—¿Señor... Kafsack?

Al sonido de su voz, dos palomas que permanecían posadas en el alféizar de la ventana echaron a volar, asustadas. Sólo entonces el hombre levantó la vista.

—¿Qué...?

Miró hacia atrás, y entonces reparó en Edgar.

—¿Quién es usted? ¿Qué quiere? ¿Quién le manda...?

—Señor Kafsack, soy... el mensajero. El que le llevó un paquete al sur de la Quinta Avenida, ¿recuerda?

El hombre le examinó durante unos segundos; sus ojos penetrantes mostraban un velo de prevención. Hasta que pareció reconocerle y se irguió en su asiento, digno, enérgico.

—Claro que sí. ¿Qué hace aquí? ¿No ha podido entregar el paquete?

—Señor Kafsack, ha habido un problema...

—¿Problema? ¿Qué clase de problema?

Edgar quiso contestar, pero algo en su interior le impedía pronunciar las palabras exactas. Ni siquiera había sido capaz de llamar a James para informarle del robo, no quería reconocer ante nadie que había fallado, no sabía si por vergüenza o por la extraña sensación que le despertaba ese anciano. Miró de reojo las anotaciones en las hojas que tenía ante él, un galimatías de notas apresuradas y el esquema de algo que podría ser una máquina.

Edgar sintió en su interior algo que conocía a la perfección, el aguijonazo de la curiosidad. A una parte de él le habría encantado coger esos papeles, perderse entre la apretada caligrafía, descubrir qué artefacto describían aquellos esquemas. Pero se obligó a repetirse: «Le ha enviado un sobre a un muerto, no lo olvides». Un sobre que había perdido, por decirlo suavemente, de la forma más estúpida. Y estuviera mal de la cabeza o no, lo primero era decírselo a su cliente. No sabía si al final del día seguiría conservando el trabajo, así que, ¿qué importaba?

Y sin embargo, fue el hombre el primero que habló:

—Se lo han quitado.

Edgar se quedó de piedra.

—¿Cómo... cómo lo sabe?

El anciano dio un puñetazo sobre el escritorio.

—¡Lo sabía! ¡Maldita sea, lo sabía!

Apartó los papeles con violencia, buscando algo sobre su escritorio.

—Tenemos que hacer algo, y hacerlo ya. ¡Samuel necesita ese dinero!

—Señor Kafsack, el señor Clemens...

El anciano se volvió hacia él, con expresión ansiosa.

—¿Qué pasa? ¿También le han cogido a él? Dime, chico, ¿es eso? —El hombre se levantó y se dirigió hacia el archivador—. Se lo advertí, le dije que tenía que permanecer escondido. Pensó que a él nunca le harían nada, que su éxito le protegería. Siempre fue demasiado imprudente...

—¿Imprudente?

—Sí. Ése era el trato infame: estar callados, comportarnos como si no hubiera pasado nada... Yo no tenía mucho que perder si lo hacía, pero él tiene que cuidar de su familia, de sus hijas. ¡Necesita ese dinero! Esos canallas deben de haberle oído hablar con alguien. Quizá le han seguido, o...

Tras varios e infructuosos intentos, Edgar logró introducir una cuña en el monólogo aparentemente incontenible del anciano.

—No, señor Kafsack. No es eso...

El hombre se volvió.

—¿No? ¿Qué ha pasado entonces?

Edgar tragó saliva antes de hablar. Había pensado cientos de formas de dar la noticia pero, al final, le salió la más simple de todas:

—El señor Clemens... el señor Clemens está muerto.

El anciano no dijo nada. Sólo se quedó ahí, mirándole, escrutándole, dando vueltas a sus palabras.

—Eso es imposible.

Ahora fue Edgar el que no supo muy bien cómo reaccionar.

—¿Cómo dice?

—¡Que no puede ser! —El señor Kafsack comenzó a deambular nervioso por la habitación mientras no dejaba de hablar, imparable—: El señor Clemens estuvo anoche en esta habitación, justo donde está usted.

—¿Anoche? —Edgar estaba cada vez más desconcertado—. ¿Usted le vio?

—¡Claro que le vi! —respondió el hombre con una expresión sarcástica—. ¿Acaso tengo aspecto de estar loco?

La pregunta pilló de improviso a Edgar. Cualquier persona sensata habría convenido en que sólo era posible dar una respuesta. Y sin embargo, a pesar del disparate de aquella conversación, había algo en el anciano que no permitía reducirle al mero arquetipo del trastornado. En su forma de expresarse, en su aspecto, en cada detalle de aquella habitación se traslucía algo que le indicaba que se había topado con alguien absolutamente distinto a todo lo que hubiera visto hasta aquel momento.

O mejor dicho, sí que había visto a gente como él. Pero sólo habitaban entre las páginas de los libros.

Ésa es la única explicación de que su respuesta sincera finalmente fuera:

—Estoy seguro de que usted le vio.

El anciano frunció el entrecejo y le miró a su vez. Parecía no menos sorprendido de la respuesta del joven. Aferró el bastón y se levantó, no sin alguna dificultad. Pero rechazó el amago de Edgar de acercarse a ayudarle.

—No, no es necesario. Yo me valgo.

Y lo consiguió. Dio unos pasos y se encaminó hacia la ventana. Una vez allí, se quedó un instante contemplando la imagen de los edificios, que se sucedían unos a otros hasta el horizonte, las filas ordenadas de aéreos que se mantenían dentro de las invisibles rutas del aire. En el alféizar, una paloma que había regresado zureó, como si saludara a su cuidador.

Edgar paseó de nuevo la mirada por la habitación. Bien, ya había dado la noticia. ¿Por qué no le decía que la agencia le indemnizaría y se iba de allí? Ya había hecho su parte. Pero, en lugar de eso, esperaba con verdadera ansiedad las próximas palabras del anciano.

Éstas, al final, llegaron, y parecieron retomar algún hilo invisible, como si no hubiera dejado en ningún momento de pensar y ahora simplemente su pensamiento volviese a la superficie.

—Nunca acierta con las inversiones en las que se mete —dijo por fin—. Siempre se lo advierto, tiene demasiadas... ¿cómo se dice?, aves, aves en la cabeza. Pensé que mi manuscrito le ayudaría, lo guardaba para Hugo, pero Samuel podría haberlo vendido a algún otro editor y habría ganado dinero. Sí, seguro, lo habría hecho. Pero no tiene una mente práctica, no. Nunca la ha tenido. Si hubiera seguido mis consejos, le habría ido mucho mejor. Pero no escucha. Ésa es su grandeza, sí, ser terco como una mula. Pero no importa: un buen caballo tiene mil defectos, pero uno malo sólo tiene uno. Y Samuel es un buen caballo, desde luego no lo hay mejor...

Edgar asistió al bombardeo de palabras con la boca abierta, incapaz de intercalar ninguna por su parte. Súbitamente, el anciano se quedó callado y se dirigió de nuevo hacia el archivador. Sacó la llave y abrió el mismo cajón de donde había sacado el primer sobre.

—Aquí creo que encontraré algo para que se lo lleve de nuevo.

—¿Volver? —Edgar intentaba sonar respetuoso—. Señor Kafsack, le estoy diciendo que el señor Clemens está muerto. No importa lo que viera ayer, ¡lleva veinte años así! Y allí no hay nada que...

De repente, el anciano se dio la vuelta. La ira inundaba sus ojos:

—¡No me diga quién está muerto y quién no! ¿Cómo lo sabe? ¿Qué sabe usted? ¿Acaso se lo han dicho ellos?

—¿Ellos? —Edgar abrió los ojos y extendió los brazos, implorante—. ¿Quiénes?

—¡Lo sabe perfectamente! ¡Ellos, los que han decidido quién vive y quién no! Llevo décadas oyéndoles mentir, sufriendo sus ofensas... ¿Son ellos los que le han mandado?

—Señor Kafsack... Yo..., fue usted el que llamó pidiendo el servicio.

—Sí, es verdad. Pero ¿por qué, de entre todos los que podían haber acudido, le tocó justo a usted? —El anciano le observó unos instantes. Parecía meditar; finalmente, más calmado, le preguntó—: Dígame, ¿cómo se llama?

—Edgar.

—¿Qué más?

—Kerrigan. Edgar Kerrigan.

—Edgar Kerrigan... —repitió, y retrocedió siguiendo el paso de su bastón. Llegó hasta su escritorio y se sentó de nuevo. Cogió la pluma y comenzó a escribir. Edgar pudo ver que las primeras dos palabras eran su nombre, pero fue incapaz de leer el resto. La caligrafía del señor Kafsack se había vuelto nerviosa, difícil de descifrar.

—¿Qué hace? —le preguntó.

El anciano no contestó. Sólo siguió escribiendo, ensimismado. Edgar intentaba aferrarse a su sentido común, por escaso que fuera.

«Ya está, ya he cumplido mi parte. Ahora se lo diré a James, la compañía le indemnizará, o a lo mejor resulta que no tiene derecho por haberse inventado una dirección y un nombre que no existen... No lo sé, esto ya no va conmigo.» Y con ese pensamiento tranquilizador en la mente, dejó al anciano ensimismado en su frenético escribir y se dirigió hacia la puerta.

Ya había alcanzado el picaporte cuando oyó de repente la voz del señor Kafsack que le llamaba. Sonaba diferente, firme y directa.

—No, señor Kerrigan. Ya es tarde para irse. Todo está decidido.

Edgar se volvió.

—¿Decidido? ¿Qué está decidido?

Entonces golpearon a la puerta, una llamada nerviosa. Y antes de que Edgar pudiese reaccionar, ésta se abrió y dos hombres irrumpieron en la habitación.

8

—*Senatore*, todo está preparado. Le esperan.

—Gracias. Ahora voy.

El hombre volvió al interior de la lujosa suite que constituía su camarote. Su mujer le esperaba dentro, ansiosa.

—¿Te vas?

—Eso parece, querida. Paolo ya se ha llevado mi maleta...

—Bien.

—... y tú tendrías que acompañarme.

La marquesa hizo un ademán displicente.

—¿Y subirme a uno de esos aparatos? No, Guglielmo, no. Nunca los he soportado, y no lo voy a hacer ahora. Ir por el aire no es para mí.

—Cariño, me quedaré aquí contigo.

—¡No! Ni lo sueñes. Aún nos quedan dos días para llegar a Nueva York. Con un poco de suerte, estaré a tiempo para el funeral. Pero el que no puede faltar bajo ningún concepto eres tú. Ahora es cuando se va a decidir todo, y no me termino de fiar de nuestros amigos americanos.

—Morgan está de nuestro lado, lo sabes...

—Morgan está del lado que más le convenga; lo mismo que Ford, Gernsback y los otros. Por no hablar del hijo de Edison, ese botarate que te quieren imponer en la presidencia.

—¿Tom Jr.? Ése no cuenta para nada, ya lo sabes.

La marquesa suspiró impaciente, una vez más. En ocasiones como ésta, llegaba a dudar de que efectivamente su marido hubiese ganado alguna vez el Nobel.

—Tom Jr. es un cabeza hueca; lo sabes tú, lo sé yo y lo saben todos los demás. Pero tiene tres ventajas que le convierten en apetitoso para Morgan: es un Edison, es débil y es manejable. Y en el fondo siempre preferirán a uno de los suyos que les siga garantizando el control. Tú, querido, nunca dejarás de ser un extranjero; si al menos hubieses aceptado la nacionalidad estadounidense...

El hombre, con su cara siempre seria, puso la mejor expresión de dignidad de la que fue capaz.

—¿Y traicionar a mi patria, a mi rey? ¡Nunca! Además... mira de lo que les sirvió a otros.

»No, querida. La clave es estar en el juego, no intentar controlarlo. Y es lo justo: sin Thomas y sin mí, todo habría sido un despropósito, y nadie habría hecho negocio. Si esa tecnología hubiese seguido bajo el mando de aquel loco, ¡quién sabe en qué manos habría caído! Y no lo olvides: ahora me necesitan a mí tanto como antes necesitaban a Edison. Sin nosotros, no tienen legitimidad.

La marquesa esbozó la más sardónica de sus sonrisas.

—¡Legitimidad, dices! ¿Qué legitimidad crees que necesitan ya? Controlan la economía, controlan el mundo, controlan la tecnología... ¡Hasta controlan el clima, por Dios! ¿Crees que les importas mucho?

—¡Claro que sí! Thomas y yo...

La marquesa se levantó, presa de un impulso de ira.

—¡Por Dios, Guglielmo! ¡Tú no eres Edison! ¿Es que no te das cuenta? ¡No ha habido ni volverá a haber nadie en el mundo que se le parezca! El suyo era puro carisma, pura fuerza, todo eso que los norteamericanos saben comunicar. Sin modales, sí; un bruto, también. Pero precisamente por eso, la chusma le adoraba. Tú, en cambio, eres aristócrata, el rey te ha dado el título de marqués, hablas con corrección, con suavidad... No, Guglielmo, tú nunca podrás compararte ante la opinión pública con Edison. Y es por eso por lo que tienes que estar ahí en el momento en el que se hagan los arreglos finales. Te aseguro que para cuando el ataúd de Thomas Alva Edison esté recibiendo las primeras paletadas, todo estará ya acordado. Y no puedes permitir que lo hagan a tus espaldas sólo porque yo tenga miedo a volar.

El hombre se la quedó mirando. No le gustaba lo que oía, claro. No le gustaba que incluso ella, su mujer, la misma que le reía las gracias al *Duce*, fuera consciente de que él no había sido más que una pieza en un plan más complejo pactado por gente que, en su mayoría, ya estaba muerta. De hecho, ya sólo quedaba él. Al menos, de aquellos a los que la gente creería.

Había sido un golpe maestro, perfecto. Y lo mejor fue cuando tuvo la rapidez de actuar a tiempo. El trato con los americanos era claro: ellos explotarían la tecnología inalámbrica en su país y en todos los rincones del mundo que los ingleses les dejaran, pero Europa sería para él. Y eso sólo había sido posible gracias a sus reflejos para usar su estatus de héroe nacional para convencer al rey, y a través de él, al parlamento, de abandonar a Alemania y pasarse al bando de Inglaterra y Francia poco antes de que Estados Unidos entrara en el conflicto y lo finiquitara en tan sólo un mes. Gracias a él, Italia se libró de la destrucción, y eso le hizo aún más célebre ante sus compatriotas.

Esos compatriotas que, como su esposa, ahora sólo parecían tener oídos y ojos para ese Mussolini y su estúpido cargo, *Il Duce*. ¿Dónde estarían él y sus criminales camisas negras si no hubiese tenido la perspicacia de actuar a tiempo?

Llamaron a la puerta. Era de nuevo el marinero.

—Señor Marconi, el capitán le espera.

—Voy ahora mismo.

Guglielmo Marconi, para gran parte del mundo co-creador de la tecnología de transmisión inalámbrica de electricidad, primer paso en la revolución que transformó el mundo, y que luego las industrias de Edison llevarían a último término, se permitió echar una postrera mirada a su esposa mientras Paolo, su criado, le ponía el abrigo y el sombrero.

—Adiós, querida —le dijo mientras le daba un beso en la mejilla—. Te veré en Nueva York.

Marconi salió del camarote y siguió al marinero por los lujosos pasillos de primera clase. Habían pasado casi veinte años desde su primera singladura, pero el gran barco seguía siendo impresionante. Era verdad que la instauración de los oceánicos había terminado casi con el transporte de pasajeros a través del mar, pero había todavía un porcentaje suficiente de ricos interesados en mantener el espejismo de tiempos pasados. No sólo en lo que se refería a navíos como aquél, sino incluso en líneas ferroviarias como el Orient Express. Y además de ellos, tampoco había que olvidar a los que tenían miedo a volar, como su mujer. Definitivamente, ella era de otro tiempo.

Pero no se podía quejar. Cuando era un niño, apenas podría haber aspirado a casarse con una aristócrata, a convertirse él mismo en uno. Bien era verdad que nunca había sufrido estrecheces, pero ese último peldaño era muy difícil de subir en la rígida sociedad italiana.

Aunque incluso allí habían llegado los cambios: el tráfico aéreo de Roma era un puro caos, pero la costumbre no había hecho menos bello el poder contemplar el Coliseo bajo la luz de la Aurora. Las heridas que la Gran Guerra había causado al Viejo Continente, gran parte de ellas causadas por los autómatas de los norteamericanos, eran ya casi un recuerdo del pasado.

Todos esos años habían visto la reconstrucción y la extensión de la bendición inalámbrica... y el jugoso negocio que eso supuso, desde luego. El *Duce* podía vanagloriarse ahora de sus propios desfiles de autómatas con penachos y dotados de brazos capaces de hacer el saludo fascista, pero era él el que seguía controlando gran parte del negocio procedente de las industrias inalámbricas en buena parte de Europa. Aunque el Gobierno ya había puesto el ojo en sus negocios y amenazaba con nacionalizarlos para quedarse con los beneficios. Por eso era más urgente que nunca que no se quedara descolgado de los cambios que se avecinaban, para así reforzar su posición: Mussolini podía estar loco, pero no tanto como para entrar directamente en conflicto con la Edison Electrics.

Salieron a la cubierta. Un viento frío hizo que Marconi se encogiera en su abrigo. Pudo ver las grandes chimeneas del buque, ahora todas de adorno: una cosa era que hubiera gente que quisiera mantener el *glamour* de un viaje en barco, y otra que éste siguiera impulsándose con algo tan contaminante y anticuado como el carbón. No sólo las antenas o la aeropista daban cuenta de la modernización completa que había sufrido el buque: unos potentes motores eléctricos, adscritos como todo a la Red Mundial, se encargaban de mantenerlo en una ruta perfectamente segura en todo momento gracias al control del clima y la detección de cualquier masa con la que pudieran encontrarse. Nada que ver con aquel primer viaje, en el que un iceberg estuvo a punto de aguar la fiesta, pasando a una distancia imprudentemente cercana del casco. Por suerte, fue el primer navío en incorporar el primer modelo de detección de obstáculos a gran distancia, no por casualidad bautizado como «sistema Marconi».

Sí, aquel día salvó la vida de muchas fortunas, los apellidos de la única aristocracia que entendían los norteamericanos, los multimillonarios que no se habían querido perder aquel viaje inaugural. Y recordaba sobre todo a uno, John Jacob Astor IV, que se empeñaba en que le llamaran «coronel» porque había tenido la ocurrencia de participar en la guerra contra los españoles, en 1898. Lo más irónico fue que, diez años después, falleció en otro naufragio, como si su destino estuviese marcado y sólo pudiera ser aplazado, nunca suspendido.

Con una leve agitación de su cabeza, Marconi se obligó a volver a la realidad. ¿Qué sentido tenía pensar en un millonario muerto hacía casi una década? Todo eso formaba parte del pasado, y ahora sólo debía preocuparle el futuro.

Siguió al marinero hasta la aeropista. Posado en ella, pudo ver el vehículo especial enviado por Morgan, un moderno y estilizado Ford Seabird, capaz tanto de aterrizar como de amerizar. Hasta las grandes «M» que lucía en sus flancos conjuntaban a la perfección con la suavidad de sus líneas. Dos hombres le esperaban.

El capitán se adelantó hacia él; una figura digna, aunque ligeramente anacrónica, que su cálido abrigo volvía aún más imponente. Hacía ya tiempo que su labor casi se había reducido a la de ocupar la mesa presidencial en las comidas y cenas y supervisar los trabajos de quienes se encargaban de que no se interrumpiese en ningún momento el flujo de energía, pero no parecía importarle: encarnaba con entusiasmo el papel que sus distinguidos pasajeros esperaban ver.

—*Senatore*, el aéreo que le llevará a tierra está ya preparado. Y este hombre —señaló a la figura a su lado, un joven alto, rubio, con el pelo cortado al cepillo y algo más largo sobre la frente, y que iba vestido con el uniforme de la Casa Morgan— será su piloto.

El joven esbozó una sonrisa cortés.

—Será todo un placer, *senatore*.

—Muy bien, señor...

—Yadley, señor. Nelson Yadley.

—Entiendo, señor Yadley, que sabe que es de máxima urgencia que esté en Nueva York en el menor tiempo posible.

El joven pareció un poco divertido ante la sola y ligera duda de que fuese capaz de conseguirlo.

—Descuide, señor. En tres horas estaremos allí, no lo dude. Soy el piloto de confianza del señor Morgan.

«Bien —pensó el italiano—, Morgan pretende atarme en corto desde el principio, y me manda a su hombre de confianza para controlar mi llegada a Nueva York. ¿De qué me extraño?»

—¿Está ya mi equipaje a bordo?

—Mi tripulación se ha ocupado de eso, *senatore* —intervino el capitán.

—Pues muy bien, supongo que tendremos que ponernos en marcha. Capitán, lamento interrumpir mi deliciosa estancia en su barco. Confío en que mi mujer seguirá recibiendo las mejores atenciones.

—Por supuesto, es un honor para todos nosotros que la marquesa siga prefiriéndonos para cruzar el océano. Y que usted, que tanto ha hecho por que podamos conquistar el aire, también nos siga concediendo su atención. Me atrevo a decir que eso le convierte en uno de nuestros mejores embajadores.

Marconi sonrió; no tenía claro si bajo el cumplido no se ocultaría un resentimiento por considerarle culpable de que el aire le hubiese quitado la supremacía al mar. Pero optó por no prestarle más atención.

—En fin, gracias por todo, capitán. Espero verle de nuevo en mejores circunstancias.

—Sí, sí, claro que sí... Sólo una cosa más: ¿le presentará nuestros respetos a la familia Edison en el nombre del *RMS Titanic* y de la compañía White Star Line?

—Por supuesto, capitán. —«Aunque será sólo una entre las decenas de miles de condolencias que estarán llegando desde todo el mundo», añadió para sí.

Marconi tomó asiento en el pequeño pero confortable interior del aéreo. Casi sin hacer ruido, el aparato comenzó a elevarse, a la vez que el barco, aquel coloso de otros tiempos, quedaba atrás y rápidamente se convertía en una pequeña figura allí abajo, un recuerdo del pasado recortado sobre su larga y blanca estela. No dejaba de ser un anacronismo que aquel ingenio surgido de una tecnología ya obsoleta siguiera en activo: la fuerza arrolladora del cambio tendría que habérselo llevado consigo.

Pero tal vez fuese mejor así, se dijo en un suspiro, mientras su mirada se perdía en el horizonte del que, en pocas horas, surgiría el perfil de Nueva York. Allí le esperaban otros vestigios del pasado, mucho menos inofensivos, con los que tendría que lidiar para establecer cómo seguiría desenvolviéndose el futuro.

—Nelson —dijo—, no tema rebasar los límites establecidos. Si llegamos antes de lo previsto, estoy dispuesto a compensarle por la molestia.

La voz de Nelson le llegó desde el otro lado del cristal. El aéreo estaba dotado con todas las comodidades, y separado por una mampara de la cabina del piloto, del que Marconi podía ver la parte trasera de la rubia cabeza oyó su voz, resuelta, teñida de orgullo:

—No será necesario, señor. Sería imposible que nadie fuera más rápido de lo que lo voy a hacer, ni siquiera yo.

Y como subrayando sus palabras, una ligera sensación en la boca del estómago terminó por demostrar a Marconi que estaban atravesando el Atlántico a una velocidad con la que el viejo *Titanic* nunca podría ni soñar.

9

—¿Quién eres tú?

—¿Yo? El mensajero...

—¿Qué mensajero?

—El que pidió el señor Kafsack... Y ustedes, ¿quiénes son?

Los dos hombres se miraron, y luego se dirigieron al anciano.

—¿Es eso cierto, señor? ¿Qué quería enviar?

El anciano levantó por fin la vista de su escrito, se giró y sonrió al reconocer a los recién llegados, sin molestarse en responderles:

—¡Oh! ¡Qué estupenda coincidencia que estén aquí! —Cogió su bastón y se levantó de nuevo. Fue hacia ellos—. Señor Kerrigan, permítame presentarle a mis colaboradores.

—Señor, no tenemos... —comenzó a hablar el de mayor edad, visiblemente más nervioso que el otro.

—No diga nada, O'Neill. Lo primero son siempre las formas. Si se pierden, no queda nada por lo que luchar. ¿O no tiene ya suficiente dosis de descortesía con la que reina ahí fuera?

»Señor Kerrigan, le presento a John O'Neill y Kenneth Swezey. El señor O'Neill —el aludido, que llevaba bajo su brazo un portafolio, inclinó ligeramente la cabeza; su mirada esquiva tras las gafas revelaba su nerviosismo por tener que perder tiempo en formalidades— es un buen periodista, corresponsal científico en el *New York Herald Tribune*. Por su parte, el señor Swezey, a pesar de su juventud, ya lleva publicados varios libros de divulgación y cuenta con una sección propia en el *New York Sun* y un programa en la RCA.

Éste, que llevaba un traje gris claro a la moda que le sentaba a la perfección, así como una maleta que tenía todo el aspecto de costar más que el dinero que Edgar podría ganar en todo un año, iba perfectamente peinado y le dedicó una radiante sonrisa que contrastaba con el nerviosismo de su compañero:

—Encantado, señor Kerrigan.

Edgar le miró, asombrado.

—¿Es usted de verdad el Swezey del *Sun*?

—Me temo que sí —contestó el aludido con coquetería.

—¡No me pierdo ni una de sus secciones! El programa de la RCA no siempre lo puedo ver por mis horarios, pero ¡me encantan sus experimentos! Los he hecho todos. El que más me gusta es el de echar agua en una tarjeta de visita doblada en forma cóncava, y luego aplicarle una llama por debajo. ¡Todo el mundo se queda boquiabierto cuando el agua se evapora pero la cartulina no arde!

Era verdad. Un día había surgido el tema a la hora de la cena. Edgar le había pedido una tarjeta de visita a un viajante allí alojado y unas cerillas a un profesor de academia, y había hecho la demostración, tal y como le había leído a Swezey, a todos los que se encontraban alrededor de la gran mesa del comedor.

—¡Es magia! —había exclamado, divertida como una niña, la señorita Schwirtz, una enfermera que había sucumbido a la moda del rubio platino de Jean Harlow y que tenía tendencia a aparecerse en las fantasías nocturnas de Edgar.

Éste replicó, con pretendida suficiencia que más bien sonó pedante:

—No, es ciencia.

Mientras Edgar recordaba todo esto, Swezey persistía en su mala interpretación de alguien modesto, que se quitara importancia:

—Oh, son sólo física y química recreativas, nada demasiado serio. Pero confieso que me divierto mucho diseñándolos, eso sí. Y todos sirven para demostrar algún principio...

Edgar fue a responderle, pero O'Neill interrumpió la conversación.

—Todo esto está muy bien, pero deberíamos dejarlo para mejor ocasión, ¿no creen?

—¿Por qué? —preguntó el señor Kafsack—. ¿Qué ocurre?

O'Neill le miró con la urgencia reflejada en su rostro:

—Tenemos que irnos, señor. De inmediato.

El anciano reaccionó a esas palabras poniéndose aún más erguido.

—¿Cómo que irnos? ¿A dónde? De ninguna manera, pensé que había quedado claro que yo nunca huiría.

—Esta vez es serio, señor —intervino Swezey, con una voz más calmada pero igualmente llena de determinación—. Hugo nos acaba de avisar: están viniendo hacia aquí.

—¿Hacia aquí? ¿Por qué? ¿Para qué?

—Para detenerle.

Edgar dio un respingo. Volvió de golpe de su particular mundo de ensoñación a una realidad en la que no tendría que estar presente. Aquellos hombres hablaban de huidas, de detenciones... todo pintaba cada vez peor. Nuevamente, el sentido común comenzó a gritarle que cogiera de inmediato la puerta y saliera de allí. Pero sentía cómo su corazón latía cada vez más veloz y que una sensación parecida a la que le dominaba cuando surcaba el aire con su aéreo se le había aposentado en la boca del estómago. Y ésas eran sensaciones que le encantaban.

Escucharía un poco más. ¿Qué podía perder?

—¿Detenerme? ¿A mí? ¿Por qué? No he hecho nada...

—Lo sabemos, señor. Pero alguien lo ha hecho por usted —le respondió Swezey.

—¿Que lo ha hecho por mí? ¿El qué?

—John, enséñaselo —le dijo Swezey a O'Neill.

Éste abrió el portafolio que llevaba consigo, sacó de él un ejemplar del *Times*, fue hacia el escritorio repleto y lo desplegó sobre el lecho de papeles. Buscó rápidamente una página, y cuando la encontró, dejó allí el diario abierto y retrocedió un paso, señalándolo:

—Véalo usted mismo.

Kafsack se dirigió hacia el escritorio. Su mirada estaba clavada en la página inusualmente blanca que se mostraba ante ellos.

Las letras gritaban:

EDISON MUERE. TESLA VIVE.
SUYO ES EL FUTURO

Tras unos instantes de seriedad, el anciano dejó escapar una carcajada.

—¡Vaya, vaya! La prosa no es precisamente una belleza, pero el contenido no está nada mal. ¿Quién lo ha hecho?

—Nadie lo sabe con exactitud —respondió el joven.

—Pero eso no importa ahora —terció O'Neill—. Señor, lo que importa es que ellos van a creer que usted tiene algo que ver y no querrán correr riesgos, no mientras Edison esté en todas partes. Tenemos que llevarle a un lugar seguro...

«¿Edison? ¿Qué tiene que ver Edison con todo esto?», se preguntó Edgar. Miraba la página con una sorpresa no menor que la del anciano y no dejaba de preguntarse quién demonios sería ese Tesla que oponían al genio de Menlo Park.

—... pero no será fácil —completó el otro—. Un aéreo de la policía está ya en el muelle, y controlan todas las salidas a la calle.

—No pienso huir como un delincuente...

—Señor, no lo entiende —intervino Swezey—. No es ninguna broma, esta vez no. Es necesario que empaque ropa para varios días; de la comida y bebida ya nos hemos encargado nosotros. —El joven señaló la cara maleta que había traído consigo—. John y yo nos encargaremos del material sensible que todavía pueda haber por aquí.

El señor Kafsack masculló algo. Era evidente que le resultaba intolerable tener que escapar. Parecía harto.

—Y díganme, si tienen vigiladas todas las entradas, ¿cómo se supone que van a poder sacarme de aquí?

Justo en ese momento, el joven elegante clavó su mirada en Edgar.

—Dime, chico, ¿te gustaría ganarte un dinero extra?

A su pesar, Edgar sintió que el rubor ascendía por sus mejillas. La respuesta debería estar clara, y lo extraño era que no la estuviese pronunciando en ese preciso instante. Pero para su sorpresa, le resultaba imposible; no conocía al anciano, pero había algo en su excéntrico comportamiento que le atraía de manera irresistible. Y por otro lado, miraba al atildado Swezey y al nervioso O'Neill, y le costaba ver en ellos a delincuentes peligrosos. ¡Por favor, si se dedicaban a escribir sobre ciencia!

Al final, fue su convencimiento de que para cuando se encendiese la Aurora ya no conservaría su empleo, lo que le llevó a responder:

—¿Por qué no? Ya la he fastidiado de todos modos... ¿Qué tengo que hacer?

Pocos minutos después, Edgar salía del elevador que daba directamente al muelle, donde se encontró con un escenario muy diferente al de su llegada. Había un gran bullicio, y dos aéreos de policía estaban estacionados junto a la entrada. Los zumbidos de las radios se superponían, creando una extraña textura sonora. Edgar se preguntó por qué aún no habrían intervenido.

—Chico, ¿éste es tu cacharro? —le preguntó un agente que estaba poniéndose un chaleco antibalas, una precaución que a Edgar le pareció excesiva.

—Sí, señor.

—Vamos, muévelo de aquí. Necesitamos más espacio.

—Ahora mismo, ahora mismo. Ya me iba.

Edgar abrió la puerta de su aéreo y se sentó en él. Y sólo entonces cerró los ojos un segundo y respiró profundamente.

Se permitió un último momento de duda. ¿Qué demonios estaba haciendo? No lo sabía, parecía que los hechos hubieran decidido por él, como si cada acción llevara a otra, sin que tuviera ninguna opción de intervenir o decidir...

No, no era cierto. En realidad, sentía que tenía el control, que las cosas sólo aparentemente estaban cayendo en el caos. Como cuando aguantaba un picado hasta el último instante, para recuperar de repente la posición y volver a la horizontalidad... Quien le viese desde fuera podría pensar que no controlaba el aparato, que éste ya no le obedecía, pero nada más lejos de la realidad. En esos momentos, era más suyo que nunca.

Sabía que estaba poniendo en peligro muchas cosas, su carrera de piloto, un trabajo que procuraba a su madre un dinero que les era muy necesario... Y sin embargo, algo en él le empujaba a proseguir, a no detenerse. Algo que fluía de aquel anciano, aquel hombre que parecía demasiado digno, demasiado seguro de sí mismo para ser un simple chiflado. Además, si de verdad era un don nadie, ¿a qué venía ese despliegue policial? ¿Qué tenía que ver con Edison y aquel extraño texto del periódico? Muchas preguntas, demasiadas para que su curiosidad, en una parte muy íntima, no odiara que se quedaran sin respuesta.

Dos golpetazos en la puerta le hicieron abrir los ojos y girarse.

—¿Qué demonios estás haciendo, chico? —le apremió el policía—. ¡Despega de una vez!

Como saliendo de un trance, Edgar comenzó a moverse con más seguridad que nunca. Se puso el cinturón, conectó la energía del aéreo y lo elevó ligeramente para llevarlo hasta la salida. Justo cuando salía del muelle se cruzó con un vehículo negro que se aproximaba. Edgar pudo ver en el asiento del copiloto a un hombre con bigote que le lanzó una mirada curiosa.

Siguiendo las instrucciones pactadas con Swezey, Edgar se alejó unas decenas de metros, para luego girar y rodear el edificio hasta la ventana de la habitación 3327. Esperaba no equivocarse (el New Yorker era una gran masa de diferentes volúmenes cuadrangulares, y todas las ventanas parecían iguales), pero aun así agradeció que hubieran colgado una sábana desde el interior para señalarla. Y por si aún no fuera suficiente, un puñado de palomas levantó el vuelo en cuanto sintieron la masa silenciosa que se acercaba.

La ventana estaba abierta, y Edgar pudo ver la silueta del anciano, con un abrigo y con un sombrero que el mensajero no estaba muy seguro de que permaneciera en su sitio cuando su dueño cruzara a través de la ventana a la altura del piso 33.

Edgar maniobró con habilidad hasta acercar lo máximo posible el flanco del aéreo a la ventana. Sintió el ruido al deslizarse la puerta corredera y el aire fresco que penetró en el interior. Oyó voces discutiendo, y luego unos golpes más pesados que resonaron sobre el suelo del vehículo. Edgar dedujo que se trataba de las maletas, la elegante de Swezey y alguna otra que habrían llenado con papeles y ropa del anciano. A continuación, fue la cabeza de Swezey la que asomó dentro del aéreo, y después el resto de su cuerpo. Iba un poco encorvado para poder pasar por la ventana. El aéreo se balanceó ligeramente al registrar el peso adicional, pero Edgar lo estabilizó enseguida.

—Muy bien, señor. Ahora le toca a usted.

Edgar pudo oír las quejas del anciano. Le parecía una locura que alguien pensase que un hombre de su estatura y edad pudiera desenvolverse lo bastante bien como para meterse en el aéreo a través de la ventana. Supuso que sus articulaciones no debían de encontrarse precisamente en un estado óptimo. Para colmo, no parecía muy dispuesto a que nadie le ayudase:

—¡No me toque, Swezey! Yo solo me valgo.

—Pero, señor, será más rápido si...

—¡Déjeme a mí! No soy *tan* viejo.

Edgar sintió que pasaba algo parecido a una eternidad pero, finalmente, la alargada cabeza del anciano apareció con su sombrero, que contra todo pronóstico sí que había sobrevivido a la aventura. A continuación, logró estirar una pierna mientras se sujetaba al marco de la ventana. Por fin, todo el resto de la alargada figura, aunque tambaleándose, se estabilizó dentro del aéreo con una verticalidad casi irreprochable, a pesar de que la altura del techo le obligara a encorvarse. Al final, se desplomó sobre el sucio y estrecho banco de la parte trasera sin que nadie le ayudara. Sólo entonces se permitió mostrar un gesto de cansancio, cerrando los ojos y cogiéndose las manos enguantadas sobre el pecho.

Edgar volvió a estabilizar el aéreo, que acusaba el peso que iba acumulándose en su interior.

—¡Vamos, O'Neill! ¡Salte! —apremió Swezey a su compañero.

El otro gritó algo desde la habitación, que Edgar no pudo oír. Pero, fuera lo que fuera, tuvo un efecto inmediato en el más joven de sus pasajeros:

—¡Vámonos, chico! ¡Vámonos!

—Pero... ¿qué pasa con su compañero?

—¡No hay tiempo! O'Neill se queda. Vayámonos nosotros antes de que cojan también al doctor...

Y como para remarcarlo, oyó el sonido de la puerta lateral desplazándose sobre su carril y cerrándose con un

ruido metálico, seco. O'Neill había quedado definitivamente abandonado a su suerte.

El golpe metálico hizo reaccionar a Edgar, quien puso
en movimiento el aéreo, alejándose lo más rápido que
pudo del edificio e incorporándose a la corriente principal
del tráfico.

—¿Nos habrá visto alguien? —preguntó el anciano,
con la voz ligeramente alterada.

—No parece que nos sigan, señor.

—¿A dónde vamos? —preguntó Edgar.

—Hacia el este. Yo te iré guiando.

Un sonido irrumpió en el interior de la cabina.

—¡M4! ¡M4! ¿Dónde demonios estás, chico? ¡Responde! ¡Edgar! Maldita sea, ¡contesta ahora mismo o considé-
rate despedido...!

El chico miró por unos segundos la emisora, pero la
voz calmada de Swezey a sus espaldas terminó de disipar-
le cualquier tentación que hubiera podido acecharle:

—Ni se te ocurra, Edgar. Tranquilo, nosotros te com-
pensaremos.

Edgar tragó saliva. No estaba seguro de si tranquilizarse era algo que estuviera a su alcance, pero prefirió no
pensar en ese momento en ello. Se concentró en pilotar
de la manera más suave posible, sin llamar la atención,
buscando la protección de las mayores concentraciones de
vehículos.

—Vete hacia el puente de la calle 59.

Y como la mayor parte de las cosas que había hecho
aquella mañana, como si alguien hubiese decidido tra-
zarle un plan de acción con algún fin que desconocía, hacia allí se dirigió. Sin movimientos bruscos, sin llamar la
atención: el prudente y educado piloto.

10

El domingo solía ser un día muy tranquilo, por eso fue toda una sorpresa que alguien llamara a la puerta. Sobre todo si ese alguien se mostraba empecinado en tirarla abajo.

Francesca se quedó rígida, allí sentada en el sillón de la sala, donde leía una revista. Pamela salió de la cocina, secándose las manos.

—¿Quién será?

—Yo... no lo sé, señora.

Pamela vio sorprendida que Francesca se había puesto lívida. Recibía cada nuevo golpe con un encogimiento de hombros y una expresión de auténtico miedo reflejado en su rostro.

—Frances, ¿qué ocurre?

Los golpes se repitieron, ahora tan fuertes que la puerta de madera temblaba con cada uno. Y una voz aprovechaba los silencios entre redoble y redoble para gritar al otro lado:

—¡Abran! ¡Policía!

Francesca dejó escapar un leve grito y se llevó la mano a la boca. Miró entre alarmada y suplicante a la madre de Edgar. Pero ella también sentía que el corazón se le encogía en el pecho al oír los golpes: hacía diez años se habían presentado en esa misma casa, del mismo modo, para traer el aliento frío de las malas noticias. Pero Francesca, ¿por qué reaccionaba así?

Finalmente, sacando fuerzas de flaqueza, Pamela le hizo un gesto a la joven.

—No te preocupes, yo abro. Quédate ahí.

La joven asintió nerviosa, desviando sólo por un instante sus ojos de la puerta. Pamela fue hacia la entrada, descorrió los cerrojos y la abrió. Al otro lado esperaban tres hombres, dos con el uniforme de la policía de Nueva York y el tercero con abrigo y sombrero. No fue ninguna sorpresa que éste mostrara una cartera con una placa dorada y una identificación en la que podían leerse con claridad las letras FBI.

—Agente Davey, señora. Buscamos a Holger Kachelmann.

—¿Por qué? ¿Qué ha hecho? —preguntó Pamela.

—Lo siento, pero no me está permitido dar esa información. Dígame, ¿está el señor Kachelmann en la pensión?

—No sé, hoy no...

—Estoy aquí, agente.

Pamela se volvió. Francesca también, tan asombrada que se puso en pie y la revista se deslizó hasta el suelo. Lo que vieron las dejó con la boca abierta: a aquella hora, el señor Kachelmann solía echarse la siesta en su habitación. Pero esta vez estaba de pie, perfectamente vestido, con un traje que le quedaba holgado pero que no mostraba ni una sola arruga.

Ni Pamela ni Francesca recordaban haberle visto nunca con una vestimenta que no fuera el pijama o unos sencillos conjuntos de chaqueta y pantalón. Pero el cambio más importante era el de su porte: altivo, sereno, seguro de sí mismo, nada que ver desde luego con el anciano solitario que se sentaba ante el televisor, y mucho menos con el gruñón que se había pasado la noche anterior mascullando.

—¡Señor Kachelmann!

—No se preocupe, señora Kerrigan —dijo el hombre acercándose con una sonrisa. Cuando llegó hasta Pamela, le cogió la mano y se inclinó para besarla—. Todo está bien. Como siempre.

El agente Davey hizo un gesto con la cabeza y dejó pasar en primer término a los dos policías, que se situaron a cada lado del señor Kachelmann. Desde su lugar, Francesca vio que se entreabrían las otras puertas del descansillo, y ojos curiosos atisbaban desde allí.

—Señor Kachelmann, debe usted acompañarnos.

—Lo sé. Aunque me gustaría que al menos me dijera de qué se me acusa...

—Lo lamento, pero es una cuestión de seguridad. En la oficina recibirá usted toda la información que precise y que nos sea posible facilitarle.

El hombre volvió a sonreír.

—Ha tenido que morirse para que os entrara el miedo, ¿verdad? ¡Pobrecitos! ¿Quién cuidará de vosotros ahora?

—Señor Kachelmann —dijo el agente, con un tono que denotaba que estaba perdiendo la paciencia—, déjeme explicárselo de manera que no quede ninguna duda. La cosa es muy sencilla: puede venir con nosotros por su propio pie, sin dar un espectáculo a estas señoras ni a sus vecinos, o bien podemos obligarle a acompañarnos. No nos costaría nada, y lo haremos si es necesario. Pero francamente, siempre he preferido el camino fácil. ¿Y usted?

Kachelmann le sostuvo la mirada.

—Yo también —dijo finalmente.

—Pues adelante.

—¡Espere! —dijo Pamela, dirigiéndose al anciano—. Señor Kachelmann, ¿quiere que avise a alguien? ¿Necesitará usted algo? Puedo pedirle a Edgar que...

Kachelmann negó con la cabeza.

—No se preocupe, señora Kerrigan. Estaré bien, de verdad. Sólo le pido que me conserve la habitación; le recuerdo que tengo pagado todo el mes —sonrió.

—Por supuesto..., claro... —contestó Pamela, desconcertada por la tranquilidad con la que parecía tomarse la situación el anciano.

Kachelmann comenzó a ponerse el abrigo, con una cierta dificultad. Francesca se adelantó y le ayudó a introducir los brazos en las mangas.

—Gracias, hija —dijo él, dedicándole una cálida sonrisa que la joven no recordaba haberle visto nunca—. No se preocupen, pronto estaré de vuelta.

»Cuando quiera, agente.

—Después de usted. —Davey se hizo a un lado para que el anciano pasara. Los dos policías se cogieron la visera de las gorras en señal de saludo, y salieron tras él.

El agente aún se detuvo un instante a hablar con las mujeres:

—Muchas gracias por su colaboración, señoras. Que tengan una buena tarde.

—¡Espere! —dijo Pamela, poniéndole una mano sobre el brazo—. ¿A dónde se lo llevan? ¿Estará bien?

Davey miró la mano de Pamela, y luego a ella, con tal desprecio en sus ojos que ésta la apartó de inmediato. Finalmente, respondió, con aire de suficiencia:

—Por supuesto que estará bien. ¿Por qué no iba a ser así? No hay mayor garantía que estar bajo custodia del Gobierno de los Estados Unidos.

Y, tocándose el extremo del ala del sombrero por toda despedida, abandonó la casa.

Pamela cerró la puerta, mientras Francesca corría a la ventana. Atardecía, y el levísimo resplandor de la incipiente Aurora se veía a lo lejos.

Las dos mujeres vieron cómo metían al señor Kachelmann en un aéreo negro, sin ninguna señal exterior. Davey le dijo algo a los dos policías, que asintieron y se dirigieron a su patrulla. En cuanto el agente del FBI se hubo sentado en el asiento de copiloto de su vehículo, los dos aéreos se elevaron. El de la policía iba por delante y conectó las luces, aunque dejó la sirena apagada.

Cuando los perdieron de vista, las dos mujeres se miraron.

—¿Qué acaba de pasar, Frances? No entiendo nada...

—Yo... no lo sé, señora Kerrigan. El señor Kachelmann siempre ha sido misterioso, sí, pero... ¿quién iba a esperar algo así?

—Ojalá Edgar vuelva pronto... No me gusta nada esto.

—Váyase a su habitación, si lo desea. Yo... yo me ocuparé de todo...

Pamela la miró. Fuera lo que fuera lo que había asustado a Francesca, se había batido en retirada. Volvía a tener ante sí a la chica llena de determinación que ella bien conocía. Pero Pamela no podía olvidar su expresión aterrada poco antes. Por un momento, estuvo tentada de preguntarle, pero lo dejó de lado.

—¡No, no! ¿Qué haría allí? Prefiero estar ocupada... Además, los huéspedes empezarán a llegar. No, es tu día libre, aprovéchalo, haz lo que te apetezca.

La joven asintió.

—Bien... Si no le importa, entonces... me voy a mi cuarto. —Y así lo hizo, sintiendo la mirada de Pamela clavada en su espalda. Estaba convencida de que en esos momentos la mujer estaba tan sorprendida de la detención de Kachelmann como de su propia reacción, pero Francesca no podía explicarle nada. No quería recordar, no tenía sentido, todo había quedado atrás y, si hablaba, sentía que todo volvería; se lo repetía a sí misma una y otra vez, pero lo cierto era que el corazón seguía latiéndole con fuerza, como si quisiera salírsele del pecho.

Llegó a su habitación. Entró, cerró la puerta y se quedó con la espalda apoyada en ella. El nerviosismo que hasta ese momento había logrado controlar se extendió por su cuerpo. Había vivido ya situaciones límite, pero eso había sido en otro sitio, y hacía tiempo. Lo último que hubiese imaginado era que cosas así pudieran ocurrir allí, en aquella pensión, entre aquella familia. Si ahí no podía estar segura, ¿dónde iba a estarlo?

Súbitamente, tuvo la sensación, más bien la certeza, de que alguien había estado en su habitación. Miró a su alrededor, examinándolo todo. Si los policías no habían pasado del vestíbulo, ¿quién podría haber sido?

Entonces lo vio: alguien había puesto sobre su mesa un voluminoso libro, un tomo que recordaba haber visto otras veces... en manos del señor Kachelmann.

Francesca se precipitó hacia él y lo examinó con cuidado. Sólo tenía una inscripción en el lomo, un título en alemán, *Der Zauberberg*, y el nombre del autor, Thomas Mann. Pero, en cuanto lo sostuvo, notó algo extraño en él, como si tuviera algo flojo en su interior.

Posó el libro en la mesa y lo abrió. Pasó las primeras páginas, y pronto tuvo la explicación. El señor Kachelmann había cortado un espacio rectangular en el interior, con la suficiente profundidad como para alojar un cilindro de audio. Sobre él había una nota doblada; en la parte visible, podía leerse con la letra trabajada del anciano, en una caligrafía que parecía tener más de un siglo:

Para Francesca.

Ésta abrió la nota y leyó:

Querida, disculpa que haya entrado así en tu habitación, pero si estás leyendo esto, es que ya han venido a por mí. No os preocupéis, estaré bien. Pero es vital que le des esto a Edgar. Él entenderá. Por favor, no se lo muestres a la señora Kerrigan, no necesita que la preocupen aún más.
Gracias por tu simpatía. Espero volver pronto.

La elaborada firma del anciano culminaba el texto.

Francesca se quedó pensativa, nerviosa y, aunque le avergonzara, molesta a la vez. ¿«Edgar entenderá»? ¿Qué podía entender él, si sólo vivía para soñar con el aire? ¿Por qué no le contaba directamente a ella lo que necesitaba? ¿Es que la tomaba por idiota? O peor, una simple y tonta chica «simpática»...

Y aunque una parte en su interior le decía que su reacción era exagerada, no pudo contener la rabia al arrojar el libro a uno de los cajones de su escritorio.

I I

El anciano emitió una queja enérgica.

—¡Es intolerable! Tener que esconderme como una rata... ¡Yo no tendría que pasar por cosas así!

—Señor, se trata de algo provisional. Sólo hasta que pase el peligro.

Edgar miró a su alrededor. Estaba claro que hacía mucho tiempo que nadie pisaba aquella especie de gran almacén. No había mucho rastro de actividad y la basura se acumulaba por los rincones. Aquí y allá, aparatos obsoletos y muebles abandonados (mesas, sillas, unos manómetros e interruptores que no parecían conectados con ningún sitio) testimoniaban que debió de estar lleno de maquinaria. Pero ahora, aquel lugar, situado en Welfare Island, justo debajo del puente de la calle 59, era puro abandono.

—¿Qué había aquí? —le preguntó a Swezey.

—No preguntes, chico —fue toda su respuesta—. No te conviene saber más, créeme. Ya te has involucrado bastante. —Se llevó la mano al bolsillo, sacó su cartera y extrajo unos cuantos billetes, que le entregó. Aún así, pareció pensárselo durante un momento, y finalmente sacó un puñado más, que puso en la mano aún abierta de Edgar—. Por las molestias; espero que puedas ser discreto.

—¿Y si me preguntan a dónde les he llevado?

—Diles que nos dejaste en cualquier sitio, en el parque Bryant o en Penn Station. Diles cualquier lugar que se te ocurra, pero que no sea cercano.

Antes de guardarse el dinero, Edgar miró al señor Kafsack. El anciano permanecía en medio de la estancia, sin quitarse el sombrero ni el abrigo. Miraba con atención lo que parecían los restos de una máquina, una gran carcasa de la que hubieran extraído todo su contenido. Parecía abstraído, algo que debía de ocurrirle con mucha frecuencia; pero, sobre todo, el joven vio una sombra de tristeza que cruzaba por su rostro. Por algún motivo, se preguntó qué estaría viendo él en aquel preciso momento.

—¿Estará bien? —preguntó.

Swezey miró al anciano.

—Sí, no te preocupes. Yo me encargaré de todo.

—Me refiero a... su cabeza. —Edgar se señaló la sien—. Lo del envío ha sido muy raro. ¿Siempre es así?

—¿A qué te refieres?

—¿Suele hablar mucho con los muertos?

El periodista asintió ligeramente, en un gesto de comprensión.

—En los últimos tiempos su mente no anda muy bien. Siempre ha tendido a ser caótica; o mejor dicho, a parecer caótica, porque sea lo que sea lo que sucede en su interior, suele ser brillante y sorprendente. Pero desde que cumplió los setenta y cinco, en julio, algo parece haber cambiado. A veces confunde recuerdos y, sí, habla de gente que ya no existe. Parece que la edad le comienza a jugar malas pasadas...

—No ha hecho nada malo, ¿verdad?

Swezey sonrió, como si la idea le pareciera una ocurrencia.

—Claro que no. Nunca hagas caso a otra cosa, digan lo que te digan. Sólo es un anciano al que las cosas no le fueron como imaginaba...

»Ahora debes irte; ya te has arriesgado bastante.

Por algún extraño motivo, a Edgar le apenó oír eso. Pero tenía razón, allí ya no hacía nada. Debía irse y enfrentarse a lo que tuviera que pasar, ya no cabían más dilaciones. Se guardó los billetes en el bolsillo trasero del pantalón y se dirigió al anciano.

—Adiós, señor Kafsack.

Con un segundo de retraso, como si estuviera en algún lugar muy lejano, el hombre levantó la cabeza y la giró hacia él.

—Adiós, chico —y cuando parecía que ya no iba a decir nada más, añadió—: Buen pilotaje.

Edgar se tocó la visera de la gorra en señal de agradecimiento. Sonrió.

Salió del edificio. Al otro lado del río, la línea de edificios aparecía cubierta por un enjambre de aéreos. Subió al suyo, despegó y se elevó hasta sobrevolar el puente de la calle 59. La Aurora cada vez se hacía más visible sobre la luz declinante de la tarde. Puso camino, con esfuerzo, hacia Bowery. No se hacía muchas ilusiones sobre lo que le esperaría allí. Por un momento, pensó en conectar la radio, pero no se atrevió. Prefería retrasar lo más posible el momento de tener que darle explicaciones a James o, lo que era peor, escuchar lo que éste tendría que decirle.

De todos modos, apenas tuvo que esperar: nada más descender en el hangar de la Mercury Express y antes de poner el pie en el suelo, tuvo la oportunidad de ver encarnados sus temores. No necesitó ir a buscar a James. Fue él mismo el que se dirigió hacia él, antes incluso de que terminara de apagar todos los sistemas. Estaba furioso, sin libro ni aspecto de lector. Era el perfecto retrato del James que ningún mensajero quería conocer, el motivo por el que Tim confiaba en él hasta el extremo de poner en sus manos la credibilidad del negocio. Una credibilidad que, por cierto, Edgar había dañado gravemente.

—¡Kerrigan!

—Jefe, yo... puedo explicarlo todo.

—¡Me importa una mierda lo que puedas explicar o no! ¡La has cagado, chico! Llevas horas ilocalizable, y salvo que tu radio esté estropeada, no hay ningún motivo por el que pueda haber pasado eso. ¿Es que te han secuestrado los extraterrestres de camino al New Yorker?

Esto último se lo dijo con el rostro enrojecido a escasos centímetros del suyo, mientras un índice poderoso se clavaba literalmente sobre su pecho. Edgar podía sentir con claridad su aliento, una experiencia que no ayudaba precisamente a hacerle sentir mejor.

—No, señor, yo...

—¿Qué? Vamos, dime, ¿qué?

—... me avergoncé de haber perdido el paquete, eso es todo. Después de decírselo al señor Kafsack, simplemente no supe qué hacer...

Por un instante, pareció que la cólera de James amainaba. Incluso en su arrebato, parecía sospechar que allí había algo raro, como si la confianza que hasta ese momento había depositado en Edgar impidiese que aquella historia pudiera ser creíble.

—Nunca te imaginé así, chico. Creí que eras... diferente.

Edgar sólo pudo levantar los hombros y mascullar, casi con lágrimas en los ojos:

—Yo también... yo también creí ser diferente.

James mantuvo la mirada inquisitoria. Al final, simplemente levantó el índice, sacudió la cabeza y le señaló el camino hacia el vestuario.

—Vete ahora mismo de aquí. He tenido que llamar a Toby para sustituirte; bastante jaleo tenemos con los envíos. Además, no sé qué pasa con la Red, pero estamos teniendo problemas para movernos.

—¿Problemas?

—¡Sí, problemas! Desde luego, has elegido un día cojonudo para desaparecer. Puedo asegurarte que era lo último que necesitaba. Anda, vete a casa, y preséntate mañana a primera hora para ver a Tim. Ya le darás todas las explicaciones a él.

Edgar sintió toda la fuerza de aquel eufemismo. No

había explicaciones que dar; en el tiempo que llevaba allí, Tim no había aceptado el más mínimo fallo, ni siquiera en situaciones mucho más disculpables que las suyas. Edgar vio esfumarse ante él su trabajo y, lo que era más importante, aquel primer peldaño que le llevaría a poder volar.

Durante un instante estuvo tentado de contarle a James lo que había ocurrido en realidad, decir qué había hecho con el anciano del hotel New Yorker, confesar dónde podían encontrarle en ese momento. ¿Qué le importaba a él? Por lo que sabía, podía tratarse de un espía, de un enemigo... Edgar era consciente de lo ridículo que sonaba aquello, sobre todo si recordaba la estampa de aquel hombre al que la mente jugaba malas pasadas y que vivía rodeado de palomas.

No, lo mirara por donde lo mirara, aquello no tenía ningún sentido. Lo malo era que tampoco sabía encontrar otra explicación, y estaba seguro de cómo sonaría aquella historia si se le ocurriera contarla. Definitivamente, perder el trabajo podía ser poco comparado con las consecuencias que podía acarrear el haber sido cómplice en la huida de un fugitivo.

Cuando lo pensó en esos términos, sintió una repentina presión en la boca del estómago, y por un momento deseó tener la posibilidad de dar marcha atrás en el tiempo. Algo imposible que ni siquiera Swezey con sus experimentos de física recreativa podría conseguir.

Y, sin embargo, algo en su interior le gritaba que tenía que haber una razón para todo aquello. Más aún, le gritaba que, a pesar de todas las apariencias, había hecho lo correcto. Una idea irracional, sin sentido, pero lo suficientemente poderosa como para impedirle delatar al anciano.

Así que ninguna excusa que pudiera exonerarle surgió de su boca; todo lo más, un tímido «sí, jefe» que le precedió camino del vestuario, con la mirada de todos silenciosamente clavada en él. Alguien murmuró unas palabras de ánimo, e incluso quizá le dio una leve palmada en la espalda. No lo sabía seguro, era como si un extraño hubiese tomado el mando de su cabeza y le hiciera moverse y recoger las cosas de la taquilla.

Las lágrimas sólo aparecieron cuando comprobó que estaba solo y nadie podía verle. Entonces pudo golpear la puerta metálica de la taquilla, mientras sentía el sabor salado y húmedo en sus labios. Lo que más odiaba era darse cuenta de que el niño que desde hacía una década se había esforzado en ahuyentar, el niño que no tenía cabida porque se había visto obligado a convertirse en el hombre de la casa, aún habitaba en su interior y aprovechaba aquella repentina grieta para aflorar con toda su debilidad. Súbitamente le pesó la responsabilidad, el no poder permitirse ningún fallo, una autoimposición que su mente infantil fabricó justo en el momento en el que aquel policía había llamado a la puerta de la pensión para informar a su madre de que su marido había sufrido un accidente en las obras del metro y que, desde ese momento, era una viuda a cargo de un niño y sin saber muy bien qué hacer. Para cuando quiso darse cuenta de que el pequeño Edgar le escuchaba desde la entrada de la cocina con una mezcla de incredulidad y horror pintada en su rostro, ya era tarde.

Y ahora ese niño se sentía aterrado por perder su trabajo. Y lo que era peor, por dejar que unos desconocidos irrumpiesen así en el equilibrio de su mundo... ¿Es que estaba loco?

Minutos después caminaba hacia la boca de metro, sintiendo los pies más pesados que nunca, como si alguien le hubiese condenado a no volver a elevarse nunca más sobre el suelo. Un suelo que nunca fue más parecido al fracaso.

Cuando abrió la puerta de la pensión, aquí y allá algunos huéspedes que habían vuelto del fin de semana estaban sentados en el salón. Saludó con desgana al señor Knowlton, que trabajaba como representante de la AT&T, y a la señorita Schwirtz, que comentaba divertida algo con él en el salón. Ninguno de los dos le prestaba mucha atención al televisor encendido; Francesca estaba convencida de que había algo entre ellos, o que en todo caso lo había habido, pero a pesar de sus fantasías con la enfermera, en aquel momento a Edgar no le importaba lo más mínimo.

En otro de los sillones, su madre estaba cosiendo. Levantó la vista sorprendida al verle entrar.

—¡Edgar! ¿Qué haces en casa tan temprano?

—Hoy la jornada ha sido más corta, madre —contestó él, y en rigor no faltaba a la verdad. Tiempo habría para darle explicaciones, no tenía ninguna prisa en volver a ver la expresión de decepción de su rostro—. El jefe me ha dicho que podía irme.

La madre se le quedó mirando, el cejo levemente fruncido sobre sus gafas para ver de cerca. Pero no dijo nada; no al menos ante los huéspedes.

—¿Quieres que te prepare algo?

—No, no tengo hambre... Puede que luego.

Su madre estaba a punto de dejar su labor y ponerse de pie, pero el semblante de Edgar la disuadió de decirle algo más, incluso de contarle el incidente de esa misma tarde. Edgar se alejó por el largo pasillo hasta su habitación. Una vez dentro, se sentó en la cama con la mirada perdida en algún lugar del suelo. Se sentía cansado, muy cansado.

Alguien llamó a la puerta, y a continuación Francesca entró y cerró con cuidado tras ella. Edgar no se sentía con ganas de hablar, así que tímidamente intentó rechazarla:

—Frances, yo...

—¡Orville, no sabes lo que ha pasado aquí esta tarde! —le interrumpió cogiendo una silla, poniéndola ante él y sentándose en ella. A Edgar no le costó identificar uno de esos estados en los que poco importaba lo que él pudiera decirle. Cuando Frances se ponía en ese estado, se parecía a Claudette Colbert en una película que habían visto con su madre, y en la que la estrella se metía en vertiginosos diálogos imposibles con el galán, Maurice Chevalier—. Se han llevado al señor Kachelmann.

Incluso en su aturdimiento, aquello sonaba demasiado absurdo como para ser verdad. Edgar temió haber entendido mal.

—¿Qué?

—¿Es que no me has oído? ¡Que han detenido al señor Kachelmann!

Edgar se la quedó mirando, atónito.

—¿Qué dices? ¿Quién? ¿Por qué?

Francesca le contó todo lo sucedido por la tarde. La extrañeza no hizo más que crecer en Edgar, pero, de algún modo, sintió que el relato abría unos interrogantes en su interior que no parecían totalmente ajenos a lo que le había ocurrido a él.

—Pero ¿quién podría querer llevárselo? Si sólo era un viejo gruñón y aburrido...

—Que sepamos, Orville. En realidad, siempre hemos dicho que era una persona muy rara. Además, nunca hemos sabido muy bien a qué se dedicaba... si es que alguna vez ha tenido un trabajo de verdad.

—¿Tendrá que ver con su opinión sobre Edison?

Frances le miró con sus ojos oscuros muy abiertos.

—Ahora que lo dices... Es curioso, justo cuando lo detuvieron, dijo algo como «pobrecitos, ahora que se ha muerto, es cuando os asustáis...». No sé, no estoy segura de las palabras exactas.

—¿Crees que su detención puede tener algo que ver con su muerte? —Edgar recordó al curioso trío del New Yorker, reducido a dúo al dejarlos bajo el puente de la calle 59. No sabía qué le había ocurrido a O'Neill, pero supuso que también le habrían detenido.

Tenía la impresión de estar asomándose a un relato oculto, a una realidad que permanecía escondida bajo lo que todos daban por sabido. Pero ¿qué pintaba Edison en todo aquello? Combinar en un mismo pensamiento al mago de Menlo Park, al señor Kachelmann, a Kafsack, a Swezey y a O'Neill sólo parecía garantizar la aparición de un considerable dolor de cabeza. E intentar encajarle a él mismo la mayor de las locuras.

Y sin embargo, algo tenía que unirles, porque era aún más demencial suponer que todo se limitaba a una mera casualidad. Pero ¿cuál podía ser esa explicación?

—Es posible —le contestó Francesca, como si hubiera seguido su misma línea de razonamiento—. De todas maneras, puede que aquí tengamos la respuesta. —Y le tendió el grueso libro que traía con ella y al que hasta ese momento el joven no había prestado la más mínima atención.

—¿Qué es esto? —preguntó Edgar, mirando el lomo—. *Der...*

—*La montaña mágica*. Lo he mirado en el diccionario del señor Kachelmann. Pero en realidad el título es lo de menos. Como sucede tantas veces, lo que verdaderamente importa está en el interior. —E hizo un gesto hacia el libro, arqueando las cejas en una expresión de pícara seguridad.

Edgar no comprendió en un primer momento, pero como ella continuaba alzando las cejas y extendiendo la barbilla hacia el libro, cada vez más impaciente, por fin cayó en la cuenta. Abrió la tapa y se encontró con el cilindro alojado en su interior.

—Va con una nota. Bastante desafortunada, por cierto.

Edgar la leyó, con la capacidad de sorpresa que hasta ese momento creía agotada, y recibió una nueva descarga de motivación.

—¡Qué cosa más extraña! ¿Qué crees que contendrá? —preguntó, poniendo el libro sobre la cama y levantando el cilindro.

—Creo que sólo hay una manera de saberlo... —Y se cruzaron una mirada de pura sincronía y confirmación.

12

—Mi querido Edgar —la voz inconfundible del señor Kachelmann, con su característico acento germánico, se hizo audible en el altavoz del fonógrafo—, si estás escuchando esto, significa que ha ocurrido lo que tenía que pasar; la única sorpresa es por qué ha tardado tanto. Imagino que Edison ya habrá pasado a mejor vida (si es que puede esperarle una mejor que la que ha disfrutado aquí, claro está) y que unos tipos elegantes pero no muy corteses se habrán plantado en la puerta de la pensión para pedirme que les acompañe. Sí, Edgar, aún no has vivido lo suficiente, pero, cuando lo hagas, descubrirás que cabe esperar pocas sorpresas en este mundo.

»Sin embargo, en ocasiones, sí que queda hueco para lo inesperado, para las cosas capaces de cambiar el rumbo de lo ya conocido. Instantes en que aquello que creíamos saber de repente se convierte en una gran duda, y la historia decide tomar un camino imprevisto. Y si uno además tiene la ocasión de ser testigo de ello, se convierte en un privilegiado. A mí me pasó, Edgar, hace muchos años, cuando no era mucho mayor que tú. Como tus padres, como tantos, yo también vine a América con sólo dieciocho años, y en mi cabeza anidaba una única obsesión: conocer a Edison. Desde que era un niño que mataba las horas en las calles de Jena, había devorado todas las historias que los periódicos de mi país publicaban sobre él, sobre sus hazañas, sobre sus aparatos y su personalidad capaz de labrarle un camino de inventor a pesar de carecer prácticamente de estudios.

»Con todas esas ideas bullendo en mi cabeza, en 1883 puse el pie por primera vez en suelo norteamericano. Me bajé del barco y recorrí las calles, que eran un hervidero de zanjas, obras y proyectos. Nueva York se comenzaba a transformar, era un momento irrepetible. El país entero estaba terminando de construirse, y en torno a la desembocadura del Hudson convergían todas las corrientes, todas las ansias, todas las esperanzas de una nación joven que había dejado atrás la guerra de Secesión y encaraba una promesa de prosperidad sin precedentes. Cualquier cosa parecía posible, lo mejor y lo peor, y todo porque los norteamericanos mantenían una fe inquebrantable en las posibilidades de la tecnología. Nos habíamos metido en un carrusel de maravillas en el que el ferrocarril había abierto la puerta al telégrafo, y éste a la luz eléctrica, precisamente el campo al que el mago de Menlo Park estaba dedicando sus mayores esfuerzos.

»Finalmente, tuve la oportunidad de conocer a mi ídolo. Conseguí un trabajo en la estación de Pearl Street, el epicentro de la instalación eléctrica de Nueva York, como chico para todo, desde fregar el suelo hasta hacer recados. El sueldo era pequeño, porque Edison no era precisamente famoso por su generosidad, pero yo me consideraba más que pagado únicamente por tener la oportunidad de verle trabajar. Aquello era un hervidero de gente, y el hombre se movía de un lado para otro, sin chaqueta, arremangado, siempre con una broma ruda en la boca. Aunque, para ser sinceros, no solía estar de buen humor...

—Pues sí que ha cambiado su opinión sobre Edison... —dijo Francesca.

—Sssssh —la mandó callar Edgar, que no quería perderse ni una palabra. Aunque él también estaba realmente sorprendido de oír que Kachelmann fuese tan devoto admirador de Edison. ¿Qué le había pasado por el camino?

Mientras tanto, la voz del anciano continuaba imperturbable su narración mientras el cilindro giraba y una aguja iba leyéndolo. De vez en cuando se encontraba con algún punto donde la incisión no era lo bastante profunda y la voz parecía perderse, pero aun así el relato era fácilmente entendible:

—... razones no le faltaban. Un año antes, había conseguido un enorme éxito al llevar la luz eléctrica a la casa del mismísimo J. P. Morgan padre, el hombre más rico e influyente del país. Pero pronto comenzaron los problemas porque Edison estaba empeñado en levantar un sistema eléctrico basado en la corriente continua, caro e ineficiente. De hecho, para disimular sus debilidades, fue necesario instalar un generador en el jardín de Morgan, que se convirtió así en el refugio preferido de los gatos del barrio por el calor que desprendía. Y para colmo, hubo un incendio en su biblioteca que no ayudó precisamente a facilitar las cosas. Pero como el financiero tenía puestas todas sus esperanzas en el trabajo y el sistema de Edison, el hecho fue tratado con discreción por la prensa.

»Todo aquello provocó que la situación del inventor fuera muy delicada. Había empeñado todo su crédito y dinero en sacar adelante la iluminación eléctrica después de que consiguiera un gran éxito en 1879 con su bombilla, ese momento que ahora tanto nos machacan desde la televisión, y Nueva York, la ciudad en la que todo el mundo tenía puestos los ojos, era el escaparate perfecto para completar su triunfo. Sin embargo, lo cierto era que su sistema resultaba débil y poco práctico, y necesitaba que se instalara una estación eléctrica cada pocas manzanas para compensar la rápida pérdida de potencia. Y además, obligaba a tender todo un entramado de cables sobre las calles y a abrir más zanjas de las que los neoyorquinos podían soportar. Todo ello hacía que resultara difícil convencer a la gente para que dejara el gas y se pasara a la electricidad.

—¿De qué está hablando? —Edgar ya no pudo contenerse más—. Eso no fue así. Edison no usó corriente continua, ¡qué disparate! Todo el mundo sabe que comenzó con la alterna...

Francesca le miró, pero no dijo nada. En parte, porque la historia de Kachelmann daba un giro interesante:

—Y entonces apareció él. Aún recuerdo el primer día que atravesó la puerta, porque yo estaba allí. Era uno más de los que se acercaban hasta el taller de Edison para pedirle trabajo, otro más de los cientos de miles que cada año se bajaban de un barco venido desde Europa, como yo mismo había hecho el año anterior. Pero él tenía algo diferente, algo que podías notar a primera vista. Era alto y, aunque vestido con ropa ordinaria, desprendía una especie de elegancia natural. También ofrecía un aire de fragilidad, aunque sus ojos, penetrantes y certeros, se encargaban de desmentirla.

»Se llamaba Nikola, Nikola Tesla...

—¡Tesla! —murmuró Edgar—. ¡Ese nombre otra vez!

—¿Lo conoces?

—No, pero no es la primera vez que lo oigo...

A Francesca le hubiese gustado preguntarle más detalles, pero la voz seguía sin interrupción:

—Tesla provenía, como yo, de un lugar remoto del continente. En su caso, de una pequeña aldea de lo que hoy es Yugoslavia. Se presentó ante Edison, a quien, como luego me diría, admiraba por la misma razón que yo, por las historias casi fantásticas que contaban los diarios de su tierra. De hecho, decía que eran esos relatos, y los libros de Mark Twain, los que le habían salvado cuando una enfermedad le había tenido postrado durante meses, incluso con riesgo de morir: «En ellos encontraba la demostración de que con fuerza de voluntad era posible salir de cualquier situación», me decía.

»También él era inventor, y venía dispuesto a demostrárselo a su héroe, a quien ya había conocido en París, donde había trabajado para una de sus filiales. Edison le puso a prueba inmediatamente, y aquel joven pronto demostró su valía. Consiguió minimizar en gran parte los problemas del sistema de corriente continua, pero no desaprovechaba cualquier ocasión para tratar de convencer a su patrón de las bondades del suyo propio, que había desarrollado a lo largo de varios años y que, a diferencia del de Edison, funcionaba con corriente alterna y era infinitamente más eficiente para producir y transportar energía eléctrica. Según él, permitiría generar la electricidad a gran distancia, y luego enviarla para su aprovechamiento en la ciudad. Además, había ideado un motor revolucionario, polifásico, que serviría para hacer funcionar cualquier aparato imaginable.

»Pero, para su frustración, Edison no quería ni oír hablar de sus ideas. La corriente alterna era peligrosa, decía, y nadie querría tenerla en sus casas. Y así, de una manera dolorosa, Tesla descubrió que su ídolo le había fallado; le recuerdo sentado en uno de los bancos del taller, con su chaleco y la camisa descolocados tras haber trabajado 24, o quizá 36 horas seguidas, llevándose la mano a su pelo negro y con una expresión de cansancio que iba más allá de lo físico. "No lo entiendo, Kachelmann —decía—, ¿cómo es que no lo ve? Él, de entre todos los hombres, tendría que ser capaz de comprender la evidente superioridad de mi sistema".

Edgar sintió que un puño le apretaba la boca del estómago. Kachelmann estaba negando lo que todos los libros de historia, lo que las lecciones del colegio, repetían una y otra vez: que Edison había desarrollado el sistema basado en la corriente alterna que permitió la rápida electrificación del mundo, el primer paso en la revolución que acabaría trayendo un mundo sin cables. ¿De verdad estaba diciendo que todo era una mentira, que había sido el tal Tesla el verdadero inventor?

Si era así, ¿por qué nadie había oído hablar de él? No tenía sentido...

—Tesla —continuaba Kachelmann— no entendía que él mismo había dado con la clave de lo que ocurría: difícilmente el gran Edison, al que los periodistas consultaban como un oráculo incapaz de errar, podría admitir que sus ideas estaban equivocadas, que la gran cantidad de dinero invertido en realidad se había desperdiciado. Y mucho menos consentiría que un don nadie bajado de una montaña perdida en Europa le dejara públicamente en ridículo.

»Así, ocurrió lo que tenía que pasar. Tesla se hartó y se fue. Durante un tiempo no supimos nada de él; por entonces, yo había tenido la oportunidad de demostrar que no se me daban del todo mal las matemáticas, y así logré entrar en el departamento de contabilidad de la Edison Illuminating Company, una más de las muchas que tenía Thomas y que terminó integrada en el gran conglomerado de Edison Electrics.

»Pasé un tiempo sin ver a Tesla. Pero un día, caminando por la calle, me lo encontré. Salía del Astor House, un lujoso hotel que fue un antecedente del Waldorf Astoria, y parecía feliz. Me quedé impresionado; iba vestido con ropa elegante, y era imposible no fijarse en él. Y bajo su bigote perfectamente recortado, su boca perfilaba una sonrisa que le iluminaba los ojos.

»Se alegró de verme, o al menos eso me pareció. De hecho, me invitó a comer en Delmonico's, lo que no dejaba de ser sorprendente. Tenía que irle muy bien, porque ya por entonces era uno de los restaurantes más caros de la ciudad.

»Jamás olvidaré la experiencia porque, en puridad, Tesla no comió. Apenas tocó la sopa y un poco de carne, y eso sólo después de que el camarero le hubiera traído un número increíble de cubiertos. Los camareros parecían, además de grandes profesionales, conocerle bien, porque ninguno hizo el más mínimo gesto de sorpresa ante sus demandas de dieciocho servilletas para limpiar él mismo cada pieza de su cubertería. O ante el hecho de que se sirviera directamente de una petaca que llevaba con él y que, según me explicó, estaba llena de agua que él mismo había hervido.

»Durante la comida, prácticamente sólo habló él. Estaba exultante. Me contó que George Westinghouse, el industrial, había comprado sus patentes, que estaba comenzando a desarrollar su sistema y que, si todo iba bien, ganarían la concesión para iluminar la Exposición Colombina de Chicago. Pero no fue eso lo que más me deslumbró, si me permites el juego fácil de palabras. No, lo que más me sorprendió fue su retahíla de nuevas ideas. Acababa de estar en París, donde había conocido los descubrimientos de Hertz, que había aplicado el modelo matemático de Maxwell para producir y detectar ondas electromagnéticas. Y estaba realmente embriagado: según él, esas ondas, que como bien sabes son capaces de transmitir energía, abrían todo un mundo de enormes posibilidades. Dejó entrever, incluso, que el mismísimo John Jacob Astor IV, el multimillonario que reinaba en la vida social de la ciudad y que desapareció hace unos años en un naufragio, había expresado su interés por financiar sus experimentos.

»Edgar, ahora no te sorprenderías por nada de lo dicho por Tesla en esa comida, porque es el mundo que desde muy joven has conocido. Pero, en aquel momento, a mí me sonaba como el retrato maravilloso del futuro por venir. Me habló de la posibilidad de transmitir la electricidad de manera inalámbrica, de utilizarla para impulsar vehículos, para controlar el clima... incluso para iluminar las ciudades desde el cielo. Y por supuesto, los autómatas: su genialidad abriría las puertas a su fabricación y utilización en nuestra vida diaria. Incluso, ¿por qué no?, podrían llegar a convertirse en seres perfectamente conscientes y autónomos. Sí, en aquella comida Tesla trazó lo que vendría décadas después... cuando todavía nadie podía siquiera soñar con ello. ¿Qué te parece?

»No volví a verle durante mucho tiempo pero, sorprendentemente, en 1901, Marconi comenzó sus transmisiones de radio y, diez años después, Edison y él hicieron el gran anuncio de lo que en el futuro sería la Red Mundial. Poco más tarde, la Gran Guerra supuso la irrupción en la sociedad de los autómatas, y quince años después la Aurora comenzó a iluminar el cielo.

»Sí, esta parte la conoces de sobra... salvo por el detalle de que nos ha sido escamoteado quién fue el verdadero creador de tanta maravilla. Y te preguntarás: "¿De qué habla? ¿Quién es ese Tesla? ¿Por qué nunca he oído su nombre?". Porque, simplemente, desapareció. De rivalizar con Edison en las páginas de los periódicos pasó a la inexistencia más absoluta. El mundo nacido de su mente prosperó a la vista de todos, pero nada en él permitía rastrear su origen.

»Todo estuvo perfectamente organizado: los financieros y los industriales como Morgan y Henry Ford pusieron los recursos económicos, mientras que Edison se quedó con las patentes de todo lo referido a los diversos usos de la energía eléctrica, y Marconi con las de la transmisión de la información. Todos los que conocieron a Tesla terminaron dándole la espalda, salvo Westinghouse, quien vio cómo le quitaban el control de su empresa. Incluso Hugo Gernsback, un joven admirador suyo que pretendía dar a conocer la verdadera historia de Tesla en sus revistas, acabó dándole la espalda. Ahora, qué casualidad, preside la todopoderosa RCA y controla el negocio televisivo.

Esta vez Edgar no pudo resistirlo más y detuvo la reproducción.

—¿Qué haces? —le preguntó Francesca—. ¡No ha terminado!

—¡Me da igual! Es todo una mentira, ¿es que no lo ves? ¡El señor Kachelmann chochea! ¿Cómo puede ser cierta una historia en la que Edison es un villano? Es... ¡es un insulto! Y decirlo hoy, cuando están a punto de abrir su velatorio, todavía más...

Francesca, al ver la alteración de Edgar, procuró medir sus palabras en la respuesta:

—Pero él les conoció, les conoció a los dos...

—¿Qué sabemos? Él dice que sí, pero podría estar mintiendo, ¡podría estar mintiendo en todo! Si Edison era un villano, ¿por qué nadie lo ha dicho hasta ahora?

Se quedaron en silencio. Edgar sentía un torbellino en su interior y las palabras se le agolpaban en la boca; Francesca no quería alterarlo aún más. Estaba realmente sorprendida: sabía de la admiración de Edgar por Edison, le había aguantado horas enteras en las que le contaba la vida, obra y milagros del inventor. Pero nunca habría imaginado que su devoción pudiese llegar a tal extremo.

El mismo Edgar estaba atrapado entre dos impulsos contradictorios. Por un lado, no quería oír nada más; pero, por otro, sabía que algo se había roto, que las palabras de Kachelmann habían iniciado un camino sin retorno en el que nada volvería a ser igual. El anciano alemán había puesto una semilla de duda en sus convicciones que ya no podría expulsar.

En realidad, no tenía otra opción.

—Terminemos de escucharlo... acabemos cuanto antes.

Francesca asintió, insegura. Edgar pulsó de nuevo el botón, el cilindro retomó su giro y la voz arrancó de nuevo, durante un instante pesada y lenta, para coger enseguida la velocidad correcta:

—No sé por qué, aquello empezó a obsesionarme. En cierta forma, me sentía estafado por la atención que en una época de mi vida le había prestado a Edison. Además, nunca me casé, así que lo que me sobraba era tiempo.

»Llegó un momento, no sabría decir cuándo ni exactamente por qué, en que aquello se convirtió en algo personal. Comencé a escribir bajo seudónimo a los periódicos para desmentir cualquier noticia que cantara las alabanzas de quien ya se había vuelto un símbolo de América. Pero, de alguna manera, mi autoría se descubrió y eso no me convirtió, como te puedes imaginar, en la persona más querida del emporio Edison. Así que decidieron adelantar el momento de mi jubilación; eso sí, se ahorraron la placa agradeciéndome los servicios prestados. Salí de la sede de Edison Electrics con lo que podía llevar en una caja; nadie vino a despedirse.

»Así que ya lo sabes, Edgar. Vivimos en una gran mentira. Nos dicen que tenemos que agradecérselo todo a una persona que ni siquiera tuvo la capacidad de ver el futuro cuando lo tuvo ante sus ojos, y todo por una miserable obcecación orgullosa. Y eso es lo que tienes que hacer que entienda la gente de tu generación. La Red Mundial es el mayor avance de toda la historia de la humanidad, sí; pero mientras siga descansando sobre un robo y un ocultamiento, no nos traerá nada bueno, porque está manchada en su origen. Y ahora que Edison ya no está, quizá ha llegado el momento de gritarlo a los cuatro vientos.

»Durante muchos años me pregunté qué habría sido de Tesla. Sólo le vi una vez más, fugazmente. Fue hace un par de años, yo estaba dando un paseo por Manhattan, y llegué hasta las inmediaciones de la Biblioteca Pública. Muchas personas se sentaban en los bancos del parque y pasaban la tarde. De repente, me fijé en un hombre alto, que destacaba entre todos con su sombrero y un traje pasado de moda. Aunque al principio le vi de espaldas, así y todo me pareció conocido.

»Me acerqué un poco, lo suficiente para verle mejor. Estaba dando de comer a las palomas. ¡Edgar, no te puedes imaginar cuántas palomas había allí!

Edgar sintió que se le secaba la garganta.

—Muchas estaban a sus pies, picoteando la comida que él les tiraba desde un pequeño saco que llevaba consigo. Incluso las había que se le subían por encima; sobre los hombros, en su sombrero. Movían las alas, zureaban, parecían estar muy cómodas con aquel hombre. Incluso podría decirse, si no sonara rematadamente ridículo, que aquellos pájaros le querían...

»Aquello me hizo dudar, porque el Tesla que yo había conocido era un obsesionado por la higiene que difícilmente se habría acercado a unos animales tan sucios y propagadores de enfermedades. Pero cambié mi posición para verle la cara y no tuve ninguna duda: era él. Más viejo y sin su cuidado bigote, pero con la misma mirada profunda y estremecedora, sus mismos largos dedos ahora manchados de semillas y trocitos de fruta. Y sobre todo la sonrisa, siempre apenas insinuada, una sonrisa tranquila, serena, la que le había visto mil veces en Pearl Street y que se había hecho aún más permanente cuando me hablaba del futuro por venir durante nuestra cena en Delmonico's, allá en lo que parecía otro mundo.

»Sé que te sonará ridículo, Edgar, pero no pude hablarle. Desde entonces, me he recriminado muchas veces el no haberlo hecho, me tenía que haber acercado para decirle que al menos había alguien que sabía quién era, lo que había hecho, lo que le debíamos... Pero, por alguna razón, no quise interrumpir el momento de verdadera paz que irradiaba su rostro, mientras las aves alzaban su cabeza orgullosas de posarse sobre los hombros de aquel gigante...

»Aquella noche, ya en la habitación de mi pensión, después de dar vueltas y vueltas sin poder dormir, me levanté, cogí pluma y papel y comencé a escribir cartas a todos los diarios, contando una vez más la verdadera historia de nuestra tecnología y del hombre borrado de los libros. Las envié a la mañana siguiente, pero por supuesto ninguna de ellas se publicó.

»No me rendí y continué haciéndolo semanalmente, incansable, hasta ahora. Cuando esta mañana vi la doble página del *Times*, supe que tomarían medidas para evitar que nadie se fuese de la lengua y pusiese en problemas la despedida de padre de la patria que planean para Edison. Y si estás escuchando esto, es justamente lo que habrá ocurrido: no sé si habrá muchos teslianos allá fuera, pero no creo que de todos tengan los datos de residencia tan actualizados como los míos.

»En fin, aquí lo dejo. Edgar, sé que tú eres un profundo admirador de Edison. Pero sé también, porque lo he visto muchas veces en las historias de las que hablas, en los libros que lees o los programas que ves, que eres alguien que cree en los que son capaces de descubrir mundos nuevos. Y no ha habido otro como Tesla. Sé que apenas hemos hablado, pero la ventaja de ser un anciano es que nadie tiene prisa por escucharte, y eso te permite contemplar las cosas con tranquilidad. Y hay algo en ti, Edgar, que me dice que eres la persona indicada para guardar esta historia. Porque si tú la aceptas, si eres capaz de repetirla, Tesla no habrá desaparecido del todo.

»Eso sí, te lo advierto: no te lo van a poner fácil. Nadie quiere que la versión oficial, tan bonita y tan conveniente para todos, se estropee. Así que ya sabes...

»Sólo te pido una cosa: destruye, por favor, esta grabación en cuanto Francesca y tú (porque imagino que estará ahí a tu lado, como buena cotilla que es) la hayáis escuchado. No tengo miedo a la verdad, pero tampoco quiero ponérselo demasiado fácil al FBI...

13

Edgar y Francesca se quedaron mirando el fonógrafo incluso después de que la grabación hubiera llegado a su fin. Durante más de un minuto permanecieron en silencio, y el murmullo de la aguja recorriendo la parte sin grabar del cilindro parecía el eco distante de las palabras de Kachelmann.

—¡Qué disparate de historia! —dijo finalmente ella—. ¿Crees que se la habrá inventado?

Edgar aún tardó un tiempo en encontrar la forma de responder. Le habría gustado no reconocerlo, negarlo, pero ahora lo sabía. Había cosas en el relato que habían golpeado su certeza como una bola de demolición destroza una pared:

—No, no se la ha inventado. Es cierta.

Francesca hizo un amago de carcajada, pero debió de ver algo en la expresión entre abatida y ensimismada de Edgar que le hizo pensárselo mejor.

—¿Qué dices, Orville? ¿Cómo puedes decir eso? No tiene ni pies ni cabeza...

—Porque... porque hoy he conocido a Tesla.

Se sorprendió de que, al pronunciar aquellas palabras, la idea dejara de ser disparatada para convertirse en la única explicación plausible. Sí, por más que ella le estuviera mirando con los ojos y la boca bien abiertos, preguntándose quizá si no estaría delirando, no podía ser de otro modo. ¿A qué venía si no que el FBI, la policía o quien fuese buscase a dos ancianos como Kafsack y Kachelmann? Para Edgar, estaba claro que el primero era un nombre falso, y si el relato era cierto, desde luego no le faltaban razones para vivir de incógnito en un hotel. Si a alguien con una relación tan tangencial como el señor Kachelmann se lo habían llevado detenido, ¿qué podía esperar el hombre que, al parecer, ocupaba el centro de aquella trama?

Además, había más detalles que encajaban. No costaba nada reconocer a un joven señor Kafsack en la descripción que Kachelmann les había dado del recién llegado a Pearl Street o del que años más tarde le habría invitado a almorzar en Delmonico's. Su mirada, su elegancia, su estatura, incluso sus manías encajaban a la perfección en el retrato del hombre del New Yorker. Como no podía ser tampoco coincidencia la aparición en ambas historias del nombre de Mark Twain.

Y sobre todo, estaban las palomas. ¿Cómo podría saberlo el señor Kachelmann para haberlo incluido en la historia? No, sólo cabía una explicación, por absurda que fuese.

Así se lo contó a Francesca.

—Orville, ¿en qué lío te has metido?

—En ninguno que yo buscara, eso te lo puedo asegurar. Todo esto me lo he encontrado. Y no sabes lo peor...

—¿El qué?

—Que le he ayudado a huir...

Ahora sí que Francesca encontró la forma idónea de reaccionar. Estaba indignada.

—¿Qué dices? ¡No me lo puedo creer! Orville, ¿de verdad has ayudado a escapar a alguien que puede estar en el centro de una conspiración? ¡Maldita sea! Esto no es uno de tus libros, esto es la vida real... ¿Para qué tienes la cabeza, si eres incapaz de utilizarla?

Lo malo no era que Francesca se expresara con claridad. No, lo peor era que parecía la única persona racional que en ese momento estaba en esa habitación.

—¡Por Dios, Orville! —continuaba ella—. Tú idolatras a Edison... ¡Recuerda cómo te molestaban las insinuaciones del señor Kachelmann! ¿Cómo puedes aceptar sin más esa historia tan... tan delirante?

En realidad, Edgar no tenía respuesta para aquella pregunta.

—No lo sé. Simplemente, ocurrió.

De repente, ella se detuvo en sus recriminaciones, pareció caer en la cuenta de lo que Edgar acababa de decirle:

—¿Dices que le ayudaste a escapar? ¿De quién? ¿Del FBI, de la policía?

Edgar asintió.

—Entonces, sabes dónde está...

Edgar la miró, escandalizado.

—¡Frances!

—¿Qué?

—No me pidas eso.

—¿El qué?

—No me pidas que le entregue...

De forma sorprendente, ella suavizó su expresión. Parecía que aquello era exactamente lo que quería oír.

—Yo no te pido nada, Orville. Pero te conozco... ¿Qué vas a hacer tú con un secreto tan grande? No tienes cabeza suficiente para manejarlo tú solo.

—¿Y de qué te serviría a ti?

—Puede... —añadió ella con aire enigmático— ... puede que se me dé mejor que a ti guardar un secreto.

—¿Qué? —Edgar empezó a pensar que aquella conversación le sobrepasaba.

—Escúchame... Sólo digo que puede venirte bien compartirlo. Me parece ridículo que alguien pueda hablar de Edison como de un villano, pero lo cierto es que tampoco he sentido esa devoción tuya por él. Siempre me pareció una persona lista, eso es todo. E incluso, aunque fuera verdad lo que cuenta el señor Kachelmann,

¿en qué nos afecta a nosotros? Son sólo disputas entre ricachones, ¿qué más nos da quién tenga razón? ¿Es que nuestro día a día cambiaría si en lugar de Edison todo el mundo idolatrara a ese Tesla?

»No, Orville, seguiríamos teniendo que buscarnos la vida. Así que, ¿para qué molestarse?

Edgar se sorprendió al oír aquello. Siempre pensó que, en caso de correr una aventura, Francesca sería la compañera ideal. Pero lo que oía ahora le pintaba a alguien muy diferente.

Prefirió retomar la conversación y explicarle por qué no era buena idea que le dijera a dónde había llevado a Tesla:

—Piénsalo, Frances. Si llegan a enterarse de que yo le he llevado a algún sitio, vendrán a por mí. Y si no me encuentran, os preguntarán a ti o a mi madre. Es demasiado peligroso...

—¿Peligroso por qué? Puedes buscar mil excusas para lo que has hecho. Al fin y al cabo, puedes decir que no sabías quién era... No pueden acusarte de nada.

—Frances, sabía que iban a detenerle y le ayudé a escapar. Es suficiente delito.

—Sí, pero ¿y qué? En todo caso, sería algo menor, no te podrían acusar de conspiración ni nada por el estilo...

—Pero, ¡perderé mi licencia! Ya es bastante duro haberme quedado sin trabajo...

Ahora fue ella la verdaderamente sorprendida.

—¿Que te has quedado sin qué...?

La odiaba. Odiaba cuando hacía demostración de su superioridad femenina, de su pasado misterioso y, más aún, del hecho de ser mayor que él, cuando utilizaba triquiñuelas de estrella de cine para mostrar una seguridad aplastante. Y ése era justamente el tono que tenían sus palabras en ese preciso momento. ¿Es que ella habría podido conservar el trabajo si hubiese estado en su lugar, si hubiera hecho lo que él?

—Tengo que presentarme mañana por la mañana, y Tim decidirá. Pero, con delito o sin él, me he ausentado del trabajo, y eso no es algo que perdonen con facilidad.

»Además, si no aparezco, estaré reconociendo implícitamente que soy consciente de la auténtica gravedad de lo que ha pasado. Y eso sería aún peor...

Francesca se levantó y dio unos pasos a un lado y a otro de la habitación. Lo hacía con tanto nerviosismo que su cabeza chocó contra la reproducción del *Flyer I* que colgaba del techo.

—¡Eh, ten cuidado!

—¡Lo siento! —respondió ella, demostrando que también estaba alterada, lo que le concedió a Edgar una pequeña e íntima satisfacción; al fin y al cabo, y por encima de su empeño en demostrar que jamás perdía el control, Frances era tan vulnerable como él. En un impulso, ella se detuvo, se agachó y le cogió de las manos—: Orville, definitivamente tienes que decirme a dónde le has llevado.

—¿Por qué?

—Porque, ¿quién le avisará si te detienen?

Edgar frunció el ceño.

—¿Qué te importa a ti? Creí que no tenías intención de mezclarte en esta historia...

—¡No tengo ni idea de qué es lo que pienso de esta historia! Si le dedico más de dos segundos, me parece todo un completo disparate. Pero también es verdad que se están tomando muchas molestias para tratarse de un loco, ¿no crees?

Edgar no sabía muy bien qué responder a eso...

Alguien llamó a la puerta.

—Chicos, venid —dijo su madre abriéndola. Durante un momento, pareció sorprendida al encontrarla a ella agachada ante él y cogiéndole las manos entrelazadas, pero no dijo nada. Parecía que en ese momento algo le preocupaba más—: Ocurre algo con la Aurora.

Edgar y Francesca se miraron, extrañados y ligeramente cohibidos, como si les hubieran sorprendido haciendo algo ilícito. Pero también se sintieron aliviados por poder dejar de darle vueltas a aquella locura, así que se levantaron y siguieron a Pamela hacia el salón.

—¿Qué pasa, madre?

—No lo sé. Acercaos, es muy extraño...

La gran mayoría de los huéspedes estaban de pie en el salón, frente al ventanal. No parecía que nadie extrañara todavía a Kachelmann, una ventaja de haber llevado una existencia discreta. Su madre había descorrido las cortinas y atenuado las luces para ver mejor, y ya desde la distancia era evidente que algo pasaba con la luminosidad nocturna, que debería ser constante, suave y sin interrupciones.

Pero aquella noche no era así en absoluto, y los huéspedes hablaban entre ellos, nerviosos, buscando explicaciones:

—¿Qué habrá pasado? Aún no es 21 de octubre...

—¿Qué dices? Esto no se parece en nada al Veintiuno de Octubre.

—Es... —dijo la señorita Schwirtz, la enfermera— ...extraño. ¿Se habrá estropeado?

El señor Knowlton, el representante de la AT&T, sacudió la cabeza, como si hubiese oído una idea disparatada.

—¿Qué dice? ¿Estropearse la Aurora? ¡Eso es imposible! Está claro que es en homenaje a Edison... Quieren recordarnos lo que el mundo era sin él, o algo así.

Edgar sintió una especie de nudo en su interior. Finalmente, él y Francesca se abrieron paso hasta el ventanal.

Ante ellos apareció un espectáculo sorprendente. Si podía describirse de alguna manera, se parecía a cuando el televisor tenía problemas para recibir la señal y la imagen temblaba. Algo así era lo que sucedía sobre sus cabezas, la Aurora aparecía recorrida por ondas que se deslizaban sobre su superficie, produciendo fluctuaciones en su brillo e intensidad, e incluso había instantes en los que se apagaba por completo. Daba la sensación de estar fallando, sí, y de que en cualquier momento dejaría de funcionar.

Alguien en la subsección de la Red Mundial debió de pensar lo mismo porque, inopinadamente, y por primera vez desde que la Aurora había entrado en funcionamiento, las luces de las farolas se encendieron antes de tiempo. La reacción del pequeño grupo humano que miraba por el ventanal fue unánime, una especie de leve gemido apagado. Edgar podía sentir el miedo, el descubrimiento de que nada era infalible, de que la seguridad en la que vivían cada día era sólo aparente, que el sistema supuestamente perfecto era vulnerable y que, en realidad, no estaban tan protegidos como creían. Una sensación que, a pesar del relativo poco tiempo que llevaba implantada la Red, parecía desconcertantemente nueva, imprevista.

Su inquietud se disipó en parte cuando sintió a Francesca agarrándose de su brazo. Se giró para verla. Era sorprendente que ella, siempre tan segura, también contemplara sobrecogida y boquiaberta el espectáculo; y pensó que era curioso que hubiera hecho falta que la Aurora fallase para poder sentirla tan cerca y darse cuenta de lo hermosa que era.

14

No era noche profunda, pero Shear nunca había visto una más oscura. Desde la terraza de Matinecock Point, la lujosa casa de campo de los Morgan, podía ver al otro lado del East River la ciudad, pero en aquel momento su mirada, como la del criado que le acompañaba, estaba clavada en el cielo. Allí, resultaba aún más espectacular lo que estaba ocurriendo con la Aurora. El firmamento entero crepitaba; como si una transmisión divina estuviese siendo interferida desde algún lugar remoto.

—Al señor Morgan no le va a gustar. No le va a gustar nada...

—¿Qué está pasando, señor Shear?

Éste tiró al suelo el cigarrillo y lo pisó.

—Alguien debe de estar divirtiéndose de lo lindo, chico...

Recortada sobre la claridad que devolvía el río, podía verse la gran sombra del *Corsario*, la nave emblema de la flota Morgan, el vehículo personal del dueño de la gran firma financiera de la que dependía, directa o indirectamente, todo lo que se importaba en América. Desde la terraza podía distinguir las siluetas de los autómatas situados en puestos estratégicos de la cubierta, vigilando todos los puntos de aproximación. Aquellos seres metálicos y llenos de válvulas y mecanismos tenían una conveniente apariencia amenazadora, con su silueta vagamente humanoide y, sobre todo, las grandes ametralladoras que hacían las veces de brazos. Y éstos no eran los únicos métodos de defensa en la nave insignia de la flota del financiero.

Sí, se suponía que vivían en tiempos de paz prácticamente perpetua, pero por fortuna Jack Morgan era consciente de hasta qué punto todo era mucho más frágil de lo que la gente pensaba. Frente a tantos que se habían acomodado en la seguridad de las últimas décadas, amenazada apenas por un ligero constipado bursátil hacía dos años, Morgan se había negado a bajar la guardia. Puede que Estados Unidos lograra ganar la guerra por su superioridad tecnológica, pero la paz que había sobrevenido era más un delicado equilibrio que una sólida realidad.

Y por si aún podía caber alguna duda, las últimas veinticuatro horas no habían hecho otra cosa que demostrarlo. La aparición de la página incrustada en el *Times* había sido todo un golpe de efecto, era cierto, pero sin mayores consecuencias. Sin embargo, lo de la Aurora ya era otra cosa. Que el alcalde Walker hubiese ordenado el adelanto de la iluminación terrestre había sido algo demasiado precipitado que no hacía más que subrayar la gravedad de lo ocurrido; sería conveniente hacerle una visita al día siguiente en su despacho para recordarle cómo debían hacerse las cosas. Aunque tenía que reconocer que el asunto era grave: que hubiera alguien capaz de interferir en la Aurora acumulaba, desde luego, suficientes méritos como para intranquilizarles. Porque la pregunta evidente ante algo así era: si ese punto de la Red era vulnerable, ¿qué otros no lo serían?

En aquel momento, más de cien personas, los más preparados ingenieros de la RCA, la concesionaria del mantenimiento de la Red, estaban rastreándola en busca del origen de la incursión, pero por ahora todos sus esfuerzos habían sido en vano. Los informes que le enviaban cada hora a Shear eran invariables: en teoría, el sistema seguía siendo seguro y, lo que era más importante, mantenían el control. Si no fuera por lo que sus ojos estaban viendo en ese momento sobre el cielo de Nueva York, nadie se hubiese planteado siquiera la posibilidad de que tal consideración pudiera resultar errónea. Entonces, ¿por qué no habían encontrado la menor pista sobre el origen de las interferencias? Era frustrante. Las infiltraciones eran tan sutiles, estaban tan disfrazadas, que hasta ese momento se habían revelado como indetectables e imprevisibles.

Un rumor sobre él le hizo levantar la cabeza, justo a tiempo de ver un aéreo que se aproximaba, constante y silencioso, hacia el punto de descenso marcado en la aeropista adyacente a la casa. Shear no necesitó ver la identificación del vehículo para saber que era Nelson, que volvía tras dejar a Marconi en el nuevo Waldorf-Astoria, recientemente inaugurado.

Shear entró en la casa y se dirigió hacia el despacho de su jefe. Se detuvo unos instantes en el cuadro de la pared izquierda, a la entrada. Se trataba de una de las joyas de la colección de la familia Morgan, *Mujer de amarillo escribiendo una carta*, de Johannes Vermeer, una de las obras que el padre de Jack, John Pierpont Morgan, el fundador de la dinastía, se había quedado cuando cedió la mayor parte de su impresionante colección de arte al Metropolitan. El afán coleccionista del hijo, sin embargo, se centró en otro tipo de piezas, y el inventario de manuscritos, incunables y libros raros hacía de su biblioteca una auténtica cueva del tesoro.

La mujer del cuadro miraba hacia un lado con una sonrisa cómplice, como si no terminara de tomarse en serio lo que veía o lo que estaba escribiendo. Una actitud algo imprudente porque su mirada parecía cruzarse con la mucho más dura de otro retrato mayor, colgado sobre la gran mesa de Morgan, que parecía reprocharle su ligereza. Desde la pintura, John Pierpont I observaba todo lo que sucedía en aquella estancia con la poderosa determinación que le había hecho famoso, y que en la vida real se veía acentuada por una nariz bulbosa y deforme que todos los retratos oficiales maquillaban. Shear recordaba perfectamente haber conocido al viejo en persona; aquel retrato captaba sólo una pequeña parte de su capacidad intimidatoria, pero aun así era suficiente para incomodar a quien estuviera ante ella. Suponía que por eso su hijo lo mantenía allí.

Éste, de pie en ese momento mientras hablaba por teléfono, justo bajo el retrato, no aparentaba haber heredado esa complexión amedrentadora y lucía unas maneras más suaves, pero Shear sabía por experiencia que se trataba de un puño de hierro envuelto en un guante de seda. Al fin y al cabo, no podía ser de otro modo: resultaba imposible dirigir un imperio como el de los Morgan si eras pusilánime o incapaz de tomar decisiones audaces; si así fuera, de ninguna manera podrían manejar situaciones como la que en ese momento enfrentaban.

Morgan terminó su conversación telefónica y colgó.

—Nuestro amigo italiano teme quedarse fuera —dijo.

—Y razones no le faltan. Viajar en el *Titanic* no es la única cosa que le define como una antigualla.

—Sí, quizás... —Jack Morgan se sentó en el gran sillón, el mismo desde el que, años atrás, su padre solía mirar con ojos feroces, a través del humo de su puro, a todo el que era invitado a la casa familiar para hablar de negocios, unos negocios que muchas veces eran acordados en medio del río, a bordo del primigenio *Corsario*, el yate que tanto gustaba a Jack cuando era niño—. Pero, antes de dar ningún paso, deberíamos estar seguros de que tenemos efectivamente el control. Y lo cierto es que sigo sin sentirme demasiado cómodo sobre ese punto...

—¿Qué le ha dicho Curtis? —Shear sabía que, antes de hablar con Marconi, Morgan había recibido una llamada del vicepresidente.

—Ciertamente, nada que nos pueda ser útil. El FBI se ha esmerado en localizar y retener a todos los teslianos que tiene fichados, pero no parece que ninguno de ellos tenga relación con lo que está sucediendo. Y tenemos el problema añadido de que Tesla ha desaparecido, y que nadie sabe dónde se esconde.

—Eso debería preocuparle lo justo. Sabemos que escapó en el aéreo de un mensajero...

—... ante las narices de tu hombre.

Shear calló unos instantes. Le sulfuraba, pero no podía replicar nada a eso. Goodstein le había fallado: no debería haberle confiado una misión como aquélla. Lo suyo era patearse los bajos fondos, amedrentar a pillos y tratar con delincuentes de poca monta; detener a un viejo de casi ochenta años parecía no contar entre sus habilidades.

—Dime, Michael. ¿Has podido ver a O'Neill? ¿Qué te ha dicho? ¿Sabe dónde está nuestro hombre?

Shear negó con la cabeza. Habían detenido al periodista cuando estaba a punto de saltar al aéreo en el que estaba huyendo Tesla, pero eso fue un error, porque les distrajo el tiempo suficiente para que éste pudiera alejarse y desaparecer en el denso tráfico neoyorquino.

—No, O'Neill no sabe nada.

—¿Y podemos creerle?

—Creo que sí. Sea quien sea el que está detrás de los sabotajes, no parece que trabaje a las órdenes de Tesla.

—Pero sí que tiene acceso a la tecnología necesaria para hacerlo. Eso debería cerrar mucho las posibilidades. ¿Podemos descartar la pista extranjera?

Seguridades. Morgan siempre quería seguridades, no probabilidades, y le pagaba para que se las diese. Pero esta vez no tenía nada que ofrecerle.

—Ninguno de nuestros enlaces en otros países nos ha notificado que haya alguien interfiriendo desde sus territorios.

Morgan se quedó mirándole. Shear vio la decepción en sus ojos.

—Esto es frustrante, Mike —dijo finalmente, recuperando el odioso diminutivo—: Se supone que somos la empresa más poderosa del mundo. Es más, somos mucho más que una empresa, somos la institución central del país. Controlamos el mayor símbolo de poder que haya soñado nunca Estados Unidos, el presidente nos coge el teléfono, Hindenburg y Mussolini también, llamamos al rey de Inglaterra por su nombre de pila... ¡hasta Trotski nos tiene en cuenta! ¿Y lo que me sugieres es que me quede aquí sentado a esperar a ver qué hace alguien que ni siquiera sabemos quién es? ¿Es así?

Shear se mordió el labio inferior.

—Me temo que sí, señor. Pero estoy convencido de que en breve...

Morgan pulsó un botón de su escritorio.

—¿No sabemos siquiera qué es lo siguiente que podemos esperar?

—Técnicamente, podría ser cualquier cosa. Si han podido interferir en la Aurora o en los periódicos, nada podría evitar que...

—No digas «nada», Michael. Espero que se localice inmediatamente la fuente de la interferencia y que se actúe en consecuencia. Ése será tu principal cometido. Si es necesario que te vayas a vivir a la Torre Uno hasta que eso suceda para estar sobre los técnicos de Gernsback, no me importa. Y si es necesario despedirlos a todos y traer de la mismísima Rusia a gentes más capaces, también. Me trae sin cuidado, pero quiero que lo soluciones ya.

—No hay nadie más capaz que los hombres de Gernsback, señor...

—Discrepo. —Una reminiscencia de la mirada de su padre pasó por un momento por la de Morgan—. Parece evidente que hay alguien que sí.

Shear no respondió a aquello. ¿Qué otra cosa podía hacer? En su lugar, prefirió preguntar:

—Y, ¿qué pasa con Tesla?

—Creo que, dado nuestro fracaso para encontrarle, habrá que pensar en un plan alternativo.

Alguien llamó a la puerta.

—¡Adelante! —gritó Morgan.

Nelson entró en el despacho. Nadie podría haber dicho que acababa de llegar de un vuelo sobre el océano, porque su uniforme, como siempre, estaba impoluto, como si acabase de empezar el servicio. Su pelo rubio, peinado escrupulosamente con un cuidado flequillo hasta la mitad de la frente, ofrecía una apariencia no menos impecable.

Shear volvió a tener la incómoda certeza de que, a pesar del caro traje que llevaba, pagado con los generosos emolumentos que le abonaba Morgan, cualquier prestancia en su aspecto quedaba eclipsada por la rabiosa juventud, energía y determinación de aquel joven. Era tan perfecto que en ocasiones se descubría preguntándose si no se trataría de algún tipo de autómata hiperavanzado.

—¿Me llamaba, señor Morgan?

—Sí, Nelson. Tengo una misión para ti.

—Como usted diga, señor.

El financiero se dirigió a Shear.

—Michael, dale a Nelson una copia del informe de la policía sobre lo ocurrido en el New Yorker. Nelson, quiero que hagas una visita a ese piloto que, al parecer, consiguió que nuestro huésped, después de tantos años de atentos cuidados, se evaporara casi delante de nuestras narices.

—No es un piloto, señor —contestó Nelson, visiblemente molesto porque se le atribuyese a aquel chaval semejante condición—. Sólo es un mensajero.

—Lo que sea, pero encuéntralo.

—¿Y qué quiere que haga con él cuando lo tenga?

—Nada. Nada en absoluto. Él no me importa; a quien quiero es al viejo. Que te diga adónde se lo llevó, y que lo haga cuanto antes.

—Entendido. Mañana lo tendrá, señor.

Morgan sonrió.

—Me agrada mucho tu actitud, Nelson. Puedes irte. Michael, encárgate de que tenga toda la información necesaria.

Shear suspiró y se levantó.

—Por supuesto, señor Morgan. —Le pareció ver una media sonrisa irónica en el rostro del joven prodigio, pero tal vez fuese sólo su imaginación—. Nelson, sígueme.

Antes de abandonar el despacho, Shear dedicó una última mirada al retrato de Morgan padre. Le pareció que estaba especialmente enfadado y que sus ojos se clavaban directamente sobre él. Por un momento, dio gracias a que fuera su hijo el que ahora ocupaba aquel despacho; no quería imaginarse cómo habría sido aquella conversación si el viejo aún estuviese vivo.

15

Edgar no había dormido en toda la noche. Su cabeza era un maremágnum de ideas, de pensamientos. De repente, su sed de aventuras, su necesidad de encontrar algo que le sacara de la rutina diaria, se había visto más que satisfecha. Su mente no hacía otra cosa que añorar los tiempos en los que devoraba las páginas de *Amazing Stories* o *Flying Aces*, las revistas llenas de historias absolutamente lejanas a su rutina. Parecían tan limpias, tan exentas de riesgo. En ellas todo era legal y nunca había dudas sobre lo que se tenía que hacer. Ninguno de los héroes que poblaban sus trepidantes aventuras se planteaba la posibilidad de que sus acciones pudieran conducir a que, por ejemplo, su madre no pudiera seguir manteniendo su casa. Nunca había consecuencias negativas de sus acciones; derrotaban a los malos y se quedaban con la chica, no importaba si se enfrentaban a alienígenas invasores, a los alemanes de la Gran Guerra, científicos chiflados o máquinas locas. O si las había, les ocurría sólo a ellos y traían consigo muertes o sacrificios heroicos, nunca cosas tan prosaicas como perder un trabajo de mensajero.

La verdad era que no sabía qué era lo que se suponía que tenía que hacer. Hacía escasamente cuarenta y ocho horas, Edison era uno de sus faros, la luz que le decía que era posible labrarse un camino que se despegara de las imposiciones de la realidad. Ahora, todo parecía haber cambiado. Y sobre todo, tenía la incómoda sensación de que aquello que formaba la piedra angular de su personalidad, su ansia por volar, por seguir una carrera que le llevara a donde quería llegar, se sustentaba en una mentira: todos sus héroes eran falsos salvo, quizá, Orville Wright. Mientras daba vueltas sin poder dormir en su cama, rezaba para que al menos él se librara de la ignominia.

Y lo peor de todo no era eso, sino ser consciente de que había perdido pie en el relato que guiaba su vida. Para empezar, estaba convencido de que se había quedado sin empleo, aquel primer paso que le abriría las puertas de la Aeroescuela y, más tarde, las de la Academia de Pilotos. Si además terminaba involucrado en una organización criminal, o siquiera lejanamente relacionado con un delito, sus posibilidades de algún día ponerse a los mandos de un oceánico serían ya casi nulas.

Una parte de él le decía que lo más fácil era revertir todo eso yendo a confesar a la policía. Al fin y al cabo, y aunque no había sido exactamente forzado, no le costaría mucho alegar que la posibilidad de ganar un dinero extra, el desconocimiento de la importancia real de lo que estaba haciendo, y la inmediatez de los acontecimientos le habían terminado poniendo en esa posición. Además, podía justificarse diciendo que, hasta ese momento, su conducta era intachable y su expediente impoluto; todos sus jefes podrían confirmarlo.

Un razonamiento impecable, y probablemente la opción más lógica, la que escogería cualquiera. Salvo por un pequeño detalle: que tendría que delatar a Tesla y decir dónde se escondía. Y ése era un paso que, por algún motivo, por algo que había visto en el anciano, o quizá por la historia que les había contado Kachelmann, se le resistía. Quizá porque resultaba difícil, por no decir ridículo, ver en aquel hombre y en sus dos secuaces (hasta esa palabra, aplicada a dos hombres con aspecto más bien de empollones como O'Neill y Swezey, le parecía absurda) el centro de conspiración terrorista alguna.

Y sobre todo, tenía el corrosivo convencimiento de que, si lo que el señor Kachelmann les había contado era cierto, lo que le había ocurrido a Tesla era una terrible injusticia. Tendría que ser él el que recibiera el tratamiento exhaustivo de los medios, suya la historia que se enseñase en los colegios, el ejemplo al que todo el mundo recurriese cada vez que las fuerzas flaqueasen. Tendrían que saber detalles de su vida, de su infancia, de cómo llegó a dominar la electricidad. Tendría que ser él quien fuese reconocido como el padre de la nueva civilización tecnológica que había traído el siglo XX.

Con semejante barahúnda en su cabeza, no era extraño que le hubiese sido imposible conciliar el sueño en toda la noche. Y el remolino que era su mente persistía mientras se desplazaba en el interior del vagón de metro, mucho más lleno esa mañana de lunes que el día anterior. Su madre le había visto la cara, las ojeras, pero no le había dicho nada. Tiempo tendría para comunicarle que se había quedado sin trabajo, no tenía sentido preocuparla antes de tiempo. Francesca no tenía mejor aspecto, aunque parecía más decidida.

—Llámame en cuanto sepas qué pasa en el trabajo —le había dicho—. No te preocupes, estaré atenta para coger el teléfono. Y ten cuidado con lo que dices: no sabemos si habrá alguien escuchando.

Edgar había asentido. Eso sí, antes de irse, había puesto en su mano el dinero que le había dado Swezey el día anterior.

—No preguntes. Sólo guárdalo para dárselo a mi madre si me pasa algo.

Francesca cerró el puño y se guardó rápidamente el dinero. Le dio un rápido beso en la mejilla.

—Ten cuidado, Orville.

Así que ahí estaba ahora, dentro de un túnel que le dejaría en Manhattan, con la deprimente sensación de que estaba haciendo por última vez aquel trayecto, e incluso con la duda de si más tarde lo haría en sentido inverso o terminaría la jornada en alguna sucia celda.

Cuando salió a la superficie en Bowery, echó un vistazo al quiosco. Los titulares que recorrían su pantalla seguían dando cuenta de la confusión que se había generado la noche anterior:

SOLUCIONADOS LOS PROBLEMAS CON LA AURORA, AFIRMAN LAS AUTORIDADES
ENCENDIDO DE FAROLAS SÓLO MEDIDA PUNTUAL, DECLARA ALCALDE WALKER

Edgar tenía serias dudas de que eso fuera cierto. No sabía qué estaba pasando con la Aurora, pero en su estado, en el que todas las certezas se habían visto sacudidas, algo le decía que no era ajeno al resto de noticias que iban irrumpiendo. ¿Estaría Tesla detrás de esos sabotajes? Por lo que había visto en el New Yorker, no parecía que supiera gran cosa, pero ¿hasta qué punto podía él estar seguro de ello?

Nada más dar la vuelta a la esquina de la calle que le llevaba al trabajo, se detuvo en seco y retrocedió, lo que le hizo chocar contra un hombre que iba detrás de él y pisarle.

—Lo siento...

El hombre masculló una maldición y siguió su camino. Edgar se quedó mirándole, suspicaz. Si de verdad le estaba siguiendo, no hizo nada que lo demostrase.

Pegado a la pared, asomó despacio la cabeza por la esquina y observó la entrada del hangar de la Mercury. Dos aéreos de policía estaban estacionados a la puerta, y a Edgar no le cupo ninguna duda de que en ese momento estarían hablando con Tim. Dos agentes permanecían de pie, con expresión levemente aburrida, ante la entrada.

Presa de un repentino ataque de pánico, se dio la vuelta y echó a andar con paso rápido en dirección contraria, pasando ante las tiendas abiertas y la animación de las furgonetas que se detenían para descargar material. En ese momento, a Edgar le pareció que había un tráfico mayor de lo habitual, e involuntariamente su mirada se dirigió hacia arriba, temiendo que alguno de los vehículos se separase de repente del flujo del tráfico, hiciese sonar su sirena y aterrizase justo ante él para detenerle. Quizá otro hiciese lo mismo, cortándole la retirada. En su mente se trazaron en un segundo mil formas en las que podrían cogerle, y eso hizo que el corazón le latiese a tal velocidad que amenazaba con salírsele del pecho. Incluso la silueta de un oceánico que, a mayor altura, sobrevoló la calle camino de la Terminal, arrojando una sombra alargada que se confundió con las más pequeñas de los aparatos voladores, le pareció especialmente ominosa al pasar sobre la calzada.

Cuando se quiso dar cuenta, sus pasos le estaban llevando hacia Broadway. Gotas de sudor perlaban su frente y caminaba con celeridad, dudando si mirar continuamente a su alrededor o mantener la vista fija ante él. Hasta que se dio cuenta de que no sabía hacia dónde iba, ni tan siquiera qué hacer. Deseó que Francesca estuviera con él para ayudarle a pensar, pero estaba solo, más solo que nunca.

Se detuvo en la esquina con Grand Street y se quedó contemplando la actividad de aquella zona, en plena ebullición a esa hora. Su mente ansiaba una distracción, y sus ojos se fijaron en lo que en otras ocasiones no habría llamado su atención porque era la rutina de la vida diaria, y que ahora le parecía extraño y novedoso: el autómata de tráfico situado en la intersección, uno de los miles que se ocupaban de aquella tarea rutinaria y aburrida; los aerotaxis con su característico color amarillo, incluso un autobús aeroterrestre vacío, que seguramente se dirigía a la zona de los teatros para iniciar las rutas que miles y miles de turistas hacían para conocer la ciudad desde todos los niveles posibles. Sus ojos leyeron incluso el cartel que en un lateral anunciaba la serie de conciertos que el clarinetista Benny Goodman estaba dando en el Madison Square Garden con su innovadora orquesta que combinaba instrumentos tradicionales con otros eléctricos, y que contaba incluso con un par de números con Léon Theremin y su increíble instrumento, el único que no se tocaba físicamente porque traducía la posición de las manos que detectaba a través de ondas electromagnéticas. *He's Not Worth Your Tears* sonaba a todas horas en las radios y era el éxito del momento.

La vida seguía su curso, y de repente Edgar ya no ocupaba ningún lugar en ella.

Vio una cabina de la Bell. Se dirigió hacia ella. Cerró la puerta de cristal y cogió el auricular, con un respingo cuando dos aéreos de la policía pasaron, sobrevolando muy bajo y con las luces y sirenas encendidas, en la dirección de la que había venido. No parecía que estuvieran buscándole, pero aun así no pudo evitar encogerse.

Cuando el sonido se hubo perdido en la lejanía, marcó el número de su casa. Oyó los zumbidos, rezando para que efectivamente fuera Francesca y no su madre la que descolgara.

Un chasquido delató que alguien había cogido el teléfono. Una voz femenina contestó:

—¿Sí?

Edgar no pudo evitar suspirar de alivio. Era ella.

—Frances, no sé qué hacer. He ido al trabajo y están allí. No me he atrevido a acercarme...

Francesca no pareció alterarse. Le contestó con una voz calmada, inalterada:

—Tenemos que vernos, Edgar. Ahora.

—¿Ahora? Sí, pero... ¿cómo vas a hacer para dejar la casa? Debéis de estar en pleno zafarrancho de los lunes... —Edgar sabía que las mañanas de ese día su madre organizaba un horario especialmente intenso, como si quisiera sacudirse lo que quedara de la pereza del fin de semana.

—No te preocupes por eso. Sabré... sabré cómo hacerlo. Dentro de una hora en Grand Central Station, ¿de acuerdo?

—De acuerdo. ¿Dónde?

—En el punto de información del vestíbulo. Ahora te tengo que dejar, ¡adiós!

Un fuerte chasquido le hizo comprender que había colgado. Edgar colocó el auricular sobre el soporte y se tomó unos segundos para tranquilizarse y recapitular.

Francesca estaba preocupada, eso era evidente. Y por algún extraño motivo, eso le asustaba aún más. Por primera vez, se dio cuenta de hasta qué punto ella era para él una referencia sólida, la persona que nunca vacilaba y siempre estaba ahí. Lo desconocía casi todo sobre ella, a qué situaciones se habría podido enfrentar: pero Francesca siempre tenía una respuesta. De ahí que su tono inquieto en el teléfono le resultara tan poco tranquilizador.

Sin embargo, estaba harto de vagar sin saber qué hacer. Ir a casa no era una opción, al menos no por ahora. Si iban a detenerle, no quería que fuera delante de su madre, y más después de lo del señor Kachelmann. Pero tampoco podía estarse quieto, así que comenzó a caminar con paso rápido hacia el metro que le llevaría a Grand Central Station.

16

—Señor Gernsback, yo...

El hombre se quedó inmóvil, sin saber si podía entrar o no. De pie, apoyado en la mesa de su despacho, Hugo Gernsback, presidente de la poderosa RCA, que controlaba la radio y la televisión y tenía la concesión del mantenimiento de la Red, antiguo editor e inventor, y uno de los empresarios tecnológicos más importantes del mundo, se probaba uno de los últimos desarrollos de su empresa, las telegafas, un invento que, según él, traería de manera definitiva la televisión portátil. Ante él, dos ingenieros, con sus correspondientes batas blancas, aguardaban con expectación oír a su jefe. Gernsback había hecho de ese proyecto una de las líneas fundamentales de investigación de sus laboratorios, pero no terminaba de dar con un diseño que recibiera el visto bueno del departamento comercial. Y bastaba ver el aspecto del hombre, con una especie de caja rectangular cubriéndole los ojos, llena de mandos de contraste, brillo y sintonía y con dos largas antenas surgiendo a los lados del artilugio, para entender por qué. El joven se preguntó si habría una sola persona en toda Nueva York que estuviese dispuesta a salir a la calle con ese aspecto.

—¡Nossiter! Creo que nos vamos acercando... Dígame, ¿qué aspecto tengo?

—Diría que... interesante, señor Gernsback.

—Aún pesan demasiado, Walter —añadió éste, dirigiéndose hacia uno de los ingenieros.

—No es posible hacer mucho más con los materiales de que disponemos, señor —respondió el aludido.

—Y siguen teniendo un problema de sintonización. Si muevo la cabeza de manera demasiado abrupta —Gernsback giró a un lado y a otro la suya, y un chasquido fue audible en el despacho, pero el empresario e inventor apenas realizó un atisbo de mueca— la señal tiembla, e incluso la pierdo. —Cogió las telegafas con ambas manos y se las sacó por la cabeza, la rígida cinta despeinándole hacia arriba—. ¿Cómo llevamos el tema de los auriculares?

—Aún no hemos encontrado la manera de miniaturizarlos, señor. La amplificación no es eficiente.

Gernsback miró el marciano aparato que sujetaba en su mano y lo sacudió ligeramente, como si estuviera calibrando su peso.

—Señores, muy pronto cada ciudadano norteamericano tendrá uno de éstos. Todos lo necesitan; el único problema es que aún no lo saben. Éste es el invento que nos dará la baza definitiva en el mercado, la introducción de la electrónica de consumo a título individual. Nadie lo ha conseguido hasta ahora como nosotros lo haremos. Tráiganme noticias pronto.

Los dos hombres asintieron y cogieron el prototipo que les tendía Gernsback antes de salir del despacho, visiblemente aliviados de poder hacerlo.

—¡Ah, lo estoy viendo, Nossiter, lo estoy viendo! —Gernsback se dirigió hacia el ventanal que ofrecía una visión perfecta del Empire State, a unas manzanas de allí. El edificio era el único de toda el área de Nueva York con capacidad para el atraque de oceánicos de tamaño medio, como uno que en ese momento permanecía suspendido sobre él, su bruñida superficie devolviendo los destellos del sol, y los anclajes perfectamente visibles—. Al final será como siempre, tendré que ocuparme yo de los últimos detalles del diseño. ¿Por qué estaré rodeado siempre de gente incapaz de seguirme el ritmo, por qué?

—Me... me pregunto a qué se deberá, señor.

Gernsback suspiró. ¡Qué distintos eran los viejos tiempos, cuando Estados Unidos estaba lleno de genios en potencia a los que podías contratar por muy poco! Las mejores mentes del mundo, muchas de ellas llenas de un talento intuitivo, suspiraban por encontrar trabajo en una empresa como la que él, por azares del destino (o mejor dicho, por haber sabido jugar bien sus cartas a tiempo, desmarcándose de quien tenía todas las de perder), había terminado presidiendo.

—En fin, cuénteme. ¿Ha podido ver a O'Neill?

—Sí, señor. Ha sido un poco complicado, pero finalmente su llamada tuvo el efecto previsto. Pude entrevistarme durante diez minutos con él, a pesar de que en teoría le han aplicado la Ley Anticonspiración.

—¿Cómo se encuentra?

—Bien, y además en silencio. No ha dicho nada al FBI, por la sencilla razón de que no sabe a dónde ha llevado a Swezey a Tesla.

Gernsback se llevó la mano al mentón. Él era el que había dado el aviso a Swezey de que iban a por el viejo. Una de las ventajas de tener la concesión del mantenimiento de la Red era que también podía permitirse ciertos trucos. En el taller de su casa, y como uno de los kits de construcción de radios de juguete que le habían hecho ganar su primer millón de dólares, había fabricado un par de pequeños intercomunicadores capaces de transmitir cortos mensajes cifrados. No eran indetectables (nada lo era en aquel sistema), pero sí lo suficientemente pequeños como para camuflarse en flujos de información más grandes para pasar desapercibidos... a no ser que supieses de su existencia y los buscases. Además, en lugar de seguir el camino más recto entre emisor y receptor, la señal recorría miles de kilómetros, aunque ambos aparatos estuvieran frente a frente. Una cautela añadida que dificultaba aún más su detección.

Pero lo más importante era que aquellos aparatos se utilizaban sólo en contadas ocasiones y por razones de emergencia. Hacía año y medio que le había dado a Swezey la pareja del que guardaba en la caja fuerte de su despacho, y hasta el día anterior nunca había tenido que usarlo. Durante dos décadas había conseguido una posición única, lo más parecido a un verso suelto que pudiera encontrarse en el panorama del poder económico y político del país. Aunque al llegar a Estados Unidos había sido un profundo admirador de Tesla, con el que había mantenido una relación constante, había sido lo bastante hábil como para entender que no sería él el que lograría hacer realidad su mundo inalámbrico. Gernsback cambió a tiempo de caballo y llegó a una especie de tregua con la gente de Morgan.

Lo mejor es que tenía una ventaja con respecto al financiero. A diferencia de él, Gernsback era inventor, y entendía las implicaciones y los detalles de la nueva tecnología a un nivel al que Morgan nunca podría llegar. Ésa era la razón por la que se le encomendó la creación de la RCA, la empresa que se encargaría del flujo de la información creada por iniciativa presidencial en 1919, y que contaba además con el ejército de ingenieros que tenía encomendado el mantenimiento de la Red. Fue un acuerdo muy ventajoso, especialmente para Gernsback, que terminó convertido en uno de los empresarios más poderosos de América.

Lo que más le gustaba era ser el excéntrico de la élite. Pequeño de estatura, con una eterna sonrisa y esa pajarita imposible, era la viva estampa de un duende. A Gernsback le encantaba darse cuenta de hasta qué punto los otros parecían no entenderle. Más bien le toleraban, y esa sensación de que no era del todo como ellos aliviaba en parte la culpa que aún sentía por haber abandonado a Tesla. La otra parte la silenciaba intentando que, al menos, la existencia del anciano fuera algo menos rigurosa.

Y es que, en el fondo, estaba convencido de que, con el tiempo, Tesla sería reivindicado, pero eso no ocurriría hoy, ni mañana. En secreto, Gernsback había estado haciendo acopio de todos los materiales que, pensaba, serían útiles en un futuro para reconstruir la figura y la obra del inventor. Si no lo hiciera, entonces sí que su nombre desaparecería de manera definitiva.

—¿Vio a alguien más?

—No, señor. Pero nuestro contacto en el FBI habla de más de un centenar de detenciones, la mayoría aquí en Nueva York.

—Y pensarán que tienen al que haya puesto en marcha esto...

Por supuesto, Gernsback había recibido el día anterior una llamada de Shear, el perro faldero de Morgan, preguntándole de manera directa si él estaba detrás de los sabotajes de la Red.

—Me sorprendéis, Mike —le había contestado; sabía que Shear odiaba que le llamaran por su diminutivo—. ¿Qué iba a ganar yo toqueteando la Red? Me quitaríais mis juguetitos, y francamente me encuentro muy a gusto con ellos. Me costaría mucho hacerme con otros.

—¿Quién está detrás de esto entonces, Hugo? ¿Tesla?

—¡Por favor! Lleva décadas casi sin salir de su habitación, y las pocas veces que lo hace os ocupáis de seguirle y pasar un informe detallado de cada uno de sus pasos. Francamente, no se me ocurre cómo sería capaz de coordinarse con nadie para cometer un golpe tan audaz.

—¿Quién entonces? ¿Swezey?

—¿Con qué dinero?

—Puede que provenga de algún enemigo de Estados Unidos...

Gernsback prorrumpió en una carcajada.

—¡Estados Unidos tiene tantos enemigos que eso es como no decir nada! Sí, sí, ya sabemos que hemos traído la paz mundial, el avance de la humanidad, bla-bla-bla.

Pero no parece que a gente como Trotski nuestros discursos le emocionen especialmente. Y en cuanto a Alemania, bien... digamos que yo no les quitaría el ojo de encima.

»No, Mike. No hay ninguna potencia extranjera con la capacidad, hoy por hoy, de violar nuestro espacio eléctrico. Tenéis que buscar a alguien más pequeño, alguien con capacidad de concentrarse en un punto del sistema. Alguien que, por supuesto, lo conozca a la perfección, pero que no sea tan grande como para llamar la atención. Si estuvierais siendo saboteados desde Rusia o desde cualquier otro país, ya lo sabríais.

Hubo un silencio al otro lado.

—Eso espero... En fin, gracias, Hugo. Espero que podamos seguir contando con tu gente.

—Podéis, ya lo sabes.

Shear había colgado el teléfono. No le preguntó a Gernsback si había sido él el que había avisado a Tesla. Era una posibilidad, pero mientras no pudieran probarlo no se atreverían a hacer nada. Menos aun mientras su cuerpo de ingenieros, la auténtica élite del sistema, permaneciera desplegado en la Torre Uno y en varios otros puntos del sistema en busca del origen de la interferencia.

—No, Nossiter. Ninguno de ellos es la persona que buscan.

—¿Cómo lo puede saber, señor? Si acabo de conseguir la lista de detenidos y...

—No necesito verla. No, tiene que ser alguien que tienen totalmente fuera de foco, alguien que no haya hecho antes nada que pudiésemos haber detectado. Alguien con recursos y con medios.

—¿Se ha puesto en contacto Swezey con usted?

Gernsback negó con la cabeza.

—No. Y hace bien. No puede arriesgarse tanto. —Al principio se había planteado si la interferencia vendría de un sistema como el suyo para comunicarse con el periodista, pero lo desechó rápidamente: manipular la Aurora requería de una gran cantidad de energía, algo imposible de camuflar con un método tan simple—. Debe de estar todavía en Nueva York, porque si hubiera intentado salir de la ciudad le habrían detenido. Pero no debería permanecer quieto mucho más tiempo. Pronto el FBI habrá atado cabos y averiguará dónde se encuentra. Si es que no lo ha hecho ya.

—Pero, si no es Tesla el que está ocasionando esto, ¿qué más da que le detengan o no?

—Quieren utilizarlo como un rehén. Y eso es algo que, en la medida en que yo pueda evitarlo, no va a ocurrir. No, el viejo no es ningún peligro, y no merece que le hagan eso. Hay alguien más detrás de esto, alguien poderoso...

En ese momento, zumbó el interfono de la mesa.

—Señor Gernsback, debería venir a la sala de control.

—¿Qué ocurre?

—No lo sabemos muy bien, pero está pasando... está pasando algo.

Gernsback miró a Nossiter.

—Voy ahora mismo. Vamos, Nossiter. Parece que no nos va a faltar el entretenimiento...

17

Entrar en Grand Central Station siempre le producía a Edgar un ligero vértigo. A pesar de que en la última década había sido objeto de una gran remodelación para acoger los nuevos y vertiginosos trenes bala eléctricos que alcanzaban las principales ciudades del país, seguía conservando la arquitectura que la había convertido en una de las edificaciones más emblemáticas del Nueva York de principios del siglo XX.

Como una inquietante señal, lo recibió en la entrada una profusa bandada de palomas, que espantó con gesto enérgico. Tanto que tuvo que disculparse con un balbuceante perdón a la mujer que las alimentaba. Ésta le devolvió una mirada fulminante. Definitivamente, no estaba teniendo la mejor de las suertes con esas aves.

Bajó las imponentes escaleras, intentando controlar lo que ocurría a su alrededor, algo prácticamente imposible, tan grande era la multitud que circulaba por la estación, y accedió al gran vestíbulo. En otras ocasiones habría levantado la vista para contemplar las constelaciones dibujadas en el techo, que por algún motivo no suficientemente explicado estaban invertidas (como si representaran lo que Dios veía desde el cielo cuando miraba hacia abajo, a la Tierra, había explicado de una manera poco convincente su impulsor, Vanderbilt). Sin embargo, en ese momento estaba más preocupado por cosas más terrenales, como los policías que aquí y allá cubrían posibles vías de escape. Empezó a dudar de si había sido buena idea citarse justo allí.

Se detuvo en el centro del vestíbulo, cerca del puesto de información. Los carteles luminosos desgranaban la continua lista de destinos y de llegadas, una cascada que alimentaba las venas de un país en el que la movilidad había prácticamente abolido las distancias. Para viajes largos eran mucho mejores los oceánicos, por supuesto, pero para distancias medias los trenes seguían disfrutando de muchos partidarios. Sobre todo si, desde Nueva York, podías estar en Chicago en cinco horas o en Washington en hora y media.

Miró a un lado y a otro, pero no vio a Francesca. El reloj de cuatro esferas le indicó que había llegado con algunos minutos de adelanto; era probable que ella aún no estuviera allí. Incapaz de estarse quieto, deambuló por la zona, entre flujos de gente que seguían la cadencia con la que iban saliendo y llegando los trenes. Observó una gran pantalla, en la que podía verse la imagen de la iglesia que, dos días después, acogería el funeral de Edison. A continuación, una imagen grabada recuperó el momento en el que Henry Ford le daba el pésame a Mary, su viuda, y a sus hijos. A quien más tiempo dedicó la cámara fue a Tom Edison Jr., el primogénito, con quien el inventor había tenido sus más y sus menos, pero al que ahora todas las quinielas situaban como favorito para suceder a su padre en la presidencia de Edison Electrics. Unos instantes después, era Marconi, con un traje cruzado con una banda diplomática y un llamativo monóculo, quien ceremoniosamente besaba la mano de Mary Edison.

Edgar apartó la vista. Hacía no demasiado tiempo, se habría quedado embelesado viendo la retransmisión, consciente de estar contemplando un momento histórico. Pero ahora todo le parecía mal teatro, una representación de aficionados en la que en cualquier momento el decorado podría venirse abajo. En su lugar, prefirió detenerse ante la gran reproducción de Marte expuesta en un rincón, y que anunciaba la gran muestra que sobre el planeta rojo estaba causando furor en el Museo de Historia Natural. Se trataba de la actividad principal de un programa que buscaba dar soporte al objetivo de poner el pie allí antes de 1950, una iniciativa lanzada por el expresidente Coolidge (un panel luminoso recordaba constantemente su celebrada frase: «Creo que esta nación debe asumir como meta que un hombre vaya a Marte y regrese a salvo a la Tierra antes de que acabe la primera mitad del siglo»), que su sucesor Herbert Hoover no había tenido problema alguno en asumir como propia. Al fijarse en el relieve de la gran maqueta, que incluía también las líneas de los presuntos canales, sobre cuya naturaleza los astrónomos no terminaban de ponerse de acuerdo, Edgar recordó haber leído un artículo, firmado por Swezey, sobre la construcción, en la Guayana, de un gran pulso tractor que sería capaz de llevar una nave hasta allí. Sin embargo, antes sería necesario hacer pruebas con un objetivo mucho más cercano: la Luna. Supuestamente, el mismo Edison habría estado colaborando hasta pocos meses antes de su muerte en el proyecto. Edgar ya no podía creérselo. Ya no.

El joven miró su reloj. Era la hora. Volvió sobre sus pasos y se dirigió hacia el punto de información. Francesca estaba allí. Edgar sintió de nuevo ese sentimiento extraño que le había asaltado el día anterior cuando la vio a la luz de la Aurora vacilante: era como si la viera por primera vez.

Una ráfaga de alivio inmediato le ascendió por el cuerpo, y sólo entonces comprendió hasta qué punto necesitaba verla. Llevaba su melena negra suelta, en lugar de recogida en un moño, como era habitual en ella, y el pelo le caía sobre los hombros y le enmarcaba su rostro moreno y sus ojos oscuros. Mientras se acercaba a ella, esquivando a las personas con las que se iba cruzando por el camino, notó la mirada de ella clavada en él, ansiosa, con una fijación que parecía incluso exagerada.

Por fin llegó hasta ella y la abrazó, besándola en la mejilla.

—¡Frances, por fin! Menos mal que has podido venir...

Sorprendentemente, ella no respondió a su abrazo. Es más, permaneció quieta, rígida.

Algo no iba bien.

Edgar aflojó el abrazo y la miró, sujetándola aún por los brazos.

—¿Qué...?

Sólo entonces se dio cuenta de que tenía los ojos húmedos, como si estuviera a punto de llorar.

Pero no lo hizo. Sólo dijo, en un susurro:

—Lo siento. Lo siento mucho, Orville.

Él la soltó y comenzó a retroceder lentamente, sin dejar de mirarla y sin terminar de comprender. Hasta que encontró algo duro que presionó sobre la parte inferior de su espalda.

—Muy bien, chico —oyó que decía una voz tras él—. Ahora vas a darte la vuelta, muy despacio. Sin movimientos bruscos.

Edgar obedeció y comenzó a girarse, pero sus ojos aún siguieron clavados durante un instante en los de Francesca. Nunca había visto antes una expresión así en sus ojos negros, una mezcla tal de miedo, rabia, culpa... Una vez más, le asaltó el vertiginoso pensamiento de hasta qué punto la desconocía.

Cuando terminó de girarse, pudo ver con claridad al hombre que le había hablado con una cercanía tan incómoda. Era joven, rubio, apuesto, con un flequillo perfecto. Vestía un elegante uniforme y se cubría con el amplio abrigo que era la seña distintiva del cuerpo de pilotos de la Casa Morgan, el más importante de todos los privados. Precisamente, su mano derecha desaparecía en el interior del amplio bolsillo, pero aun así era perfectamente visible la punta del cañón de la pistola que le apuntaba algo por encima del ombligo, una trayectoria que le permitía también amenazar a Francesca.

—¿Así que tú eres el que se ha llevado al viejo? —Una sonrisa desdeñosa se dibujó en la boca de Nelson—. Goodstein es aún más torpe de lo que creía.

—¿Quién eres? —preguntó Edgar, sorprendido por ser capaz de hablar de manera serena, incluso aliviada, a pesar de haberse cumplido lo que llevaba toda la noche y la mañana temiendo. O quizá fuera eso, el no tener que hacer más cábalas, lo que le transmitía esa tranquilidad—. ¿De la policía?

—No exactamente.

Algunas personas que pasaban cerca de ellos notaron algo raro, y comenzó a formarse una distancia de seguridad a su alrededor. Un policía se acercó.

—¿Qué demonios pasa aquí? —dijo al llegar, una mano cogiendo el cinturón y otra en posición por si tenía que aferrar el arma.

El joven no quitó el ojo de sus dos prisioneros ni se dignó mirar directamente al policía. Lo único que hizo fue tenderle un papel con su enguantada mano izquierda. El agente lo cogió con expresión desconfiada, pero ésta desapareció inmediatamente cuando procedió a leer el papel. Su cambio de actitud fue evidente.

—Lo siento, señor. Yo... yo no sabía.

—No importa, agente —le respondió Nelson, aún sin mirarle. Seguía con la mirada fija en sus detenidos. Francesca se había adelantado hasta pegarse a Edgar—. Lo que necesito ahora es su colaboración; he recibido la orden de escoltar a estas dos personas para que sean interrogadas.

Por un momento, por el rostro del policía pasó una sombra de duda. Bajó de nuevo la cabeza hacia el papel y vio claramente al pie la firma del director del FBI. Cualquier intención de contradecirle desapareció de inmediato; aun así, todavía se atrevió a decir:

—Entendido, señor. De todas maneras, necesito...

—¿Hacer una llamada a Washington, quizá?

Y acompañando sus palabras, sin dejar de mirar a Edgar y Francesca, Nelson se sacó de uno de los amplios bolsillos laterales del abrigo su teléfono inalámbrico, del tamaño de un zapato.

La visión de ese aparato del que todo el mundo hablaba pero que casi nadie había visto en la realidad tuvo un efecto fulminante. No sería exagerado decir que fue lo que más impresionó y convenció al agente, más aún que el salvoconducto, el elegante uniforme o el arma.

—Oh, no, por favor... No será necesario. ¿Qué puedo hacer por usted?

—Necesito que nos abra camino hasta mi vehículo —respondió Nelson, guardándose de nuevo el teléfono en el mismo bolsillo del que lo había sacado—. No quiero ninguna sorpresa.

—Delo por hecho, señor. —El hombre hizo una seña, y otro policía se acercó hasta ellos. El círculo de curiosos no hacía más que crecer, e incluso las personas que iban con prisa, aun arriesgándose a perder sus trenes, se demoraban un instante en contemplar la curiosa escena—. ¿Quiere que les esposemos?

Nelson escrutó las caras de sus prisioneros. Lo que vio debió de tranquilizarle lo suficiente, porque contestó:

—No, no será necesario. Creo que ellos tienen aún más ganas que yo de que terminemos con esto de una vez, ¿verdad?

Asintieron. ¿Qué otra cosa podían hacer? Cualquier atisbo de posibilidad de un comportamiento heroico por parte de Edgar se había evaporado como humo. Si algo transmitía el piloto era que no le temblaría la mano si tenía que apretar el gatillo.

—Muy bien, pues vamos. ¡Andando!

Cada uno de los policías los cogió por un brazo y les obligó a moverse. Nelson iba detrás de ellos. La multitud les dirigía miradas nerviosas, y procuraban mantener una prudente distancia. Sin saber muy bien por qué, Edgar aún dedicó una última mirada al gran planeta Marte aterrizado en medio de la estación, como si fuese capaz de transmitirle alguna inspiración sobre qué hacer.

Cuando salieron, lo primero que notó Edgar fue que el cielo había comenzado a nublarse y que soplaba una ligera brisa. Se dirigieron hacia un aéreo negro, parecido a los que había visto llegar al New Yorker el día anterior, un modelo con la cabina del piloto y el copiloto cubierta por una bóveda transparente. Casi se sintió decepcionado, porque esperaba un vehículo acorde con el corte elegante del uniforme de su captor.

Sin que Nelson hiciera ningún gesto visible, el lateral del vehículo comenzó a abrirse y una escalerilla descendió.

—Vamos, subid.

Edgar y Francesca accedieron al interior del vehículo. Tenía capacidad para seis personas, pero la comodidad era un bien escaso. Dos estrechas ventanillas, una a cada lado del vehículo, y otra delante, en la mampara que les separaba de los asientos del piloto y (cuando lo había) copiloto, eran los únicos puntos por los que podían ver el exterior.

Se sentaron. Francesca elevó la mirada un momento, pero la bajó de nuevo cuando sus ojos se cruzaron con los de Edgar, que seguía observándola, intentando comprender.

La misma mano invisible hizo que la escalerilla se recogiera y la puerta se cerrara tras ellos. Un olor levemente desagradable, a cerrado, les invadió.

Edgar casi deseaba que el piloto comenzara con la rutina del despegue y que les llevara pronto a donde fuera, pero ni siquiera pudo disfrutar de esa concesión. El aéreo permanecía quieto, detenido ante la estación. Si miraba por la sucia ventanilla, Edgar podía ver un grupo de curiosos, entre los que se encontraban los policías.

Finalmente, se oyó la voz de Nelson a través del intercomunicador.

—Y ahora, hablemos. Y creo que sabéis de sobra cuál me gustaría que fuese el tema de nuestra conversación.

18

El piloto del aéreo de Morgan se sorprendió con el hilo brillante de un relámpago que alcanzaba lo más alto del edificio Chrysler. No recordaba que nadie hubiera advertido de que fuera a haber turbulencias de ningún tipo en el clima en ese momento, y aquello no le gustaba.

Mientras, tras él, el financiero tenía que afrontar otro tipo de turbulencias que, en aquel momento, requerían mucho más su atención. Empezaba a pensar que sería imposible resolverlas sólo con meras palabras. Su intención de cerrar cuanto antes la elección de Tom Edison Jr. para ocupar el sillón de la presidencia de Edison Electrics y evitar así un interregno lleno de especulaciones había encontrado en Marconi un obstáculo insalvable. En su lugar, el italiano prefería diferir la reunión del consejo de administración, muy probablemente para intentar recabar apoyos a su candidatura.

—Con usted aquí, todos los miembros vivos del consejo están ahora en Nueva York. —Morgan empleaba el enésimo argumento para intentar hacerle cambiar de opinión—. ¿Por qué perder tiempo?

—Señor Morgan, no creo que sea correcto dedicarnos a esto mientras Edison aún esté de cuerpo presente.

—Con todos los respetos, *senatore*, creo que el mismo Thomas consideraría que lo correcto sería justo lo contrario, que estuviésemos ocupándonos de proteger su legado... y el suyo, por supuesto. No quiero parecer descortés y le deseo una larga vida, pero le puedo asegurar que habríamos obrado exactamente igual en caso de que hubiese sido usted el fallecido. Nuestra prioridad habría sido proteger su memoria y la continuidad de su obra.

Lo bueno de la pose aristocrática es que permite adoptar una expresión en el rostro que hace imposible que se sepa lo que la persona está pensando. Además, el uso de un monóculo ofrece un agradecido recurso para distraer la atención del interlocutor. Ambas facilidades fueron utilizadas por Marconi para no transmitir lo que verdaderamente opinaba sobre las palabras de Morgan, lo que se vio reforzado además por su opción por el silencio.

La voz firme, acostumbrada a ordenar, de Henry Ford, que había asistido con creciente impaciencia a la discusión, impecablemente vestido de luto como si se le hubiera muerto un familiar, se dejó oír al final:

—¿Y qué pasa con la familia, señor Marconi? —A Morgan no le pasó desapercibido que el industrial no utilizaba el título que tanto gustaba al italiano, *senatore*, al dirigirse a él.

—¿A qué familia se refiere, señor Ford?

—A la de Edison. A Mary. A sus hijos. A sus nietos.

—Creo que tanto la una como los otros tienen más que asegurado su bienestar con la herencia.

—Una herencia que incluye un significativo porcentaje de acciones de la empresa... —dejó caer Morgan.

—Exacto, Jack —añadió con una sonrisa de satisfacción Ford—: significativa, no mayoritaria. Como ocurre en su caso, *senatore*; temo que no está al tanto de los últimos movimientos accionariales.

El italiano frunció el ceño.

—¿A qué movimientos se refiere, señor Ford?

—Una agonía larga tiene sus ventajas —contestó Morgan en su lugar—. Por ejemplo, si te mantiene lo suficientemente consciente, permite dejar tus asuntos organizados para cuando no estés. Y creo que todos convendremos en que el bueno de Tom era una persona previsora. Para evitarle a su viuda las molestias de conversaciones como ésta, tomó la decisión de desprenderse de un pequeño porcentaje de sus acciones, las justas para que, unidas a las que poseemos el señor Ford y yo, otorgaran capacidad suficiente para asegurarnos de que las cosas se hicieran como es debido.

El rostro de Marconi iba enrojeciendo.

—Eso no es posible... No se me ha notificado nada.

—Bueno, la Red nos ha facilitado las cosas, pero hay que reconocer que la distancia es aún un serio fastidio para tratar determinados asuntos. Sobre todo, cuando la legislación exige que cualquier cambio de composición del accionariado ha de ser notificado mediante correo certificado al resto de los miembros del consejo. Me pregunto cuándo procederán a actualizar una ley tan anticuada; nos evitaría situaciones tan incómodas como ésta...

Marconi asistió a esa burla (no podía llamarla de otro modo) con todo el residuo de dignidad que fue capaz de atesorar. ¿Es que creían que no se daba cuenta del tono que empleaban, como si le tomaran por un completo estúpido? Claro que sí, ¡por eso lo utilizaban!

Por un momento, pasó por su mente la imagen de su esposa, y se preguntó cómo iba a poder explicarle a la marquesa sin quedar como un perfecto imbécil que había perdido el control de su empresa.

Prefirió no seguir por ese camino. Simplemente, no había forma. Sólo le quedaba, al menos, no dejar de intentarlo:

—Ustedes sólo piensan en términos de dinero, señor Morgan, pero hay algo más. Existen el honor, el valor de la palabra dada... cosas que en este país, con su endemoniado pragmatismo, han olvidado, a pesar de ser las que verdaderamente construyen las civilizaciones. Edison Electrics no existiría sin los trabajos que hicimos Tom y yo. ¡Qué digo! La Red misma no existiría. Y si me apura, he de decir que en el campo de la transmisión inalámbrica de información fui yo más clarividente que él. Por sí mismo, nunca habría tomado el camino de la radio y todo lo que derivó de allí.

Ford, que como todo el mundo sabía había pasado a ser, de un profundo admirador, el más cercano amigo y protector de Edison, soltó una única, seca y rotunda carcajada.

—¡Ja! Ésta sí que es buena.

Marconi miró al anciano con una expresión de evidente sorpresa.

—¿Cómo dice?

—Digo, *italianini* de los cojones, que me estoy cansando de escucharle. Honor, palabra... ¿A quién quiere engañar? Todos sabemos de dónde vienen los descubrimientos que, afortunadamente, el padre del señor Morgan supo encauzar de manera efectiva. Con su proverbial perspicacia, comprendió al momento que la nueva tecnología sólo sería viable y útil si se separaba de su inventor. Si hubiese sido por ese chiflado de Tesla, sabe Dios en manos de quién habría acabado, ¡quizá hasta seríamos como los rusos!

»Pero bueno, mejor no nos adentremos en la historia. Si lo hacemos, quizá nos encontraríamos con sus opiniones anteriores a la Gran Guerra...

—Yo... ¡yo conseguí que mi país finalmente se uniera a los aliados!

—Sólo cuando vio que tenían todas las de perder —continuó Ford, su perfil de águila mirando con desprecio al italiano—. Oh, entiéndame bien, no tengo grandes reservas sobre el *Duce* y su gobierno, y de hecho creo que tienen aspectos que haríamos bien en adoptar aquí. Pero lo que no estoy dispuesto a tolerar es cualquier atisbo de antiamericanismo. Para que nos entendamos, *senatore*, si ustedes los europeos no han caído en un declive permanente, es porque nosotros les hemos facilitado el modo de evitarlo. Tuvimos la ocasión de borrarles de la faz de la Tierra y no lo hicimos, así que muestre un poco más de agradecimiento y olvídese de sus modos de aristócrata de pacotilla; puede que las viejas de Roma se derritan al oír sus títulos, pero aquí no significan nada. Podría prescindir perfectamente de ellos, y a nadie le importaría.

Marconi no soportaba que alguien le hablara en el tono y con las palabras que estaba empleando Ford, pero sólo cuando comprendió la amenaza implícita que había en ellas encontró la forma de replicar:

—¡Sería un escándalo que me apartaran del consejo! Le recuerdo que poseo un premio Nobel que me acredita como el padre de la tecnología inalámbrica...

—Sí, y los dos sabemos lo que vale. Sobre todo, si lo comparamos con los millones de acciones en manos mías y de Jack. ¿A cuántas equivale su preciosa medalla, *senatore*? —Ford alargó adrede la pronunciación de esta última palabra, agudizando además el sonido serpenteante de la primera sílaba.

El rostro de Marconi se volvió púrpura. Era evidente que estaba furioso, pero a la vez era incapaz de encontrar las palabras adecuadas para responderle. El viejo seguía siendo tan directo y demoledor como siempre; Morgan recordaba haber tenido que lidiar con él en algunas aventuras empresariales en las que no se ponían de acuerdo. Era un experto en, si le interesaba, convertir cualquier negociación en algo tedioso, como mínimo; aunque su vertiente agresiva era aún peor, como estaba descubriendo el italiano.

En realidad, a Morgan no le entusiasmaba la idea de que Tom Jr. ocupara la presidencia del consejo de Edison Electrics. Era un hombre complicado, que había crecido prácticamente eclipsado por un padre genial al que siempre trató de imitar, sin resultado. Su continua frustración había desembocado en una vida irregular, incluido un matrimonio efímero con una corista que terminó en divorcio pocas semanas después, un escándalo del que los tabloides habían dado cumplida cuenta. Y eso por no hablar de la explotación que de su apellido había hecho involucrándose en negocios poco claros en los que la palabra «Edison» ejercía como imán para los inversores: «crema de zapatos Tom Edison», «reconstituyente Tom Edison», «método Edison para triunfar en los negocios»... Los abogados de su padre lograron que un juez prohibiese a su hijo arrendar de esa manera el apellido familiar, aprovechándose de la ambigüedad derivada del hecho de que ambos se llamaran, además, Thomas. Pero también era cierto que hacía más de veinte años de aquello, que desde entonces padre e hijo habían logrado firmar la paz, y que desde entonces el hijo pródigo había logrado convertirse en un discreto y poco lucido, aunque eficaz, ocupante de un puesto de mando intermedio dentro de la empresa.

Morgan confiaba en que nadie recordara ya esa parte del pasado. Ya habían comprobado con creces hasta qué punto, con el control que la Red ofrecía, era posible maquillar el relato de la historia, incluso cambiarlo radicalmente. La radio y la televisión estaban ya haciendo un estupendo trabajo, preparando al público para la decisión, recalcando la estatura de un hijo destrozado por la pena que, aun así, aceptaba la exigencia de ponerse al frente de la empresa creada por su padre, contribuyendo de este modo a la perpetuación de su nombre. No dejaba de sorprenderle hasta qué punto los habitantes de esa república que era Estados Unidos adoraban las sagas familiares, probable añoranza de los tiempos en que aún eran súbditos. Y no cabía olvidar, además, que la solución elegida aportaba otra evidente ventaja: la capacidad de influencia de Tom Jr. sería en la práctica nula. Sus competencias se limitarían, de forma paradójica y a cambio de un sueldo convenientemente generoso, a volver a hacer lo que había sido su gran especialidad: prestar su apellido a los fines de otros.

Marconi, sin embargo, era otra cosa. Tenía ambiciones, y eso siempre podía ser un problema, más ahora que se cernía el peligro de una crisis. Su afecto por los reconocimientos públicos podía estar muy bien en su país, pero en América no era la mejor idea. La experiencia de la Gran Guerra, aunque había supuesto la más impactante y grandiosa victoria de la historia para una nación que, por primera vez, se estrenaba en un gran conflicto, había hecho que los norteamericanos, en el fondo, desconfiaran de los extranjeros, y si ponían a Marconi en la presidencia de la mayor compañía de Estados Unidos y el mundo, estarían atrayendo una indeseada atención sobre el puesto. Más aún mientras Mussolini se mantuviera en el poder; era demasiado imprevisible, algo siempre malo para los negocios.

El sonido del timbre del teléfono interrumpió, e incluso pareció zanjar, la conversación. En la ventanilla, la Torre Morgan crecía a ojos vista según se acercaban. A Morgan le pareció que el cielo estaba demasiado oscuro para la hora que era, pero no tuvo tiempo de darle mayor importancia. La voz de Shear en el auricular atrajo de inmediato toda su atención:

—Señor Morgan, debería conectar usted la televisión. La frecuencia privada.

—¿Cómo? ¿Por qué?

—No tengo tiempo de explicarle, pero Gernsback acaba de avisarnos. Conéctela. Y quizá convenga que lo vean también sus acompañantes.

Intrigado, Morgan accionó el botón de la pequeña televisión que iba incorporada en el equipamiento del aéreo. Mientras la imagen emergía desde la oscuridad de la pantalla, giró el selector para sintonizar la frecuencia privada, reservada para las emisiones especiales entre una pequeña selección de nombres importantes del país.

—Jack, ¿qué estás...? —le preguntó Ford. Tanto él como Marconi parecían haberse olvidado de su disputa y le observaban curiosos.

—Sssssh... Ahora no, Henry.

Finalmente, la pantalla terminó de calentarse y delante de ellos apareció una figura sentada ante una mesa. Sólo eso; iba vestido con un traje con corbata oscura, y una sombra le cubría el rostro hasta justo debajo de la barbilla.

La figura puso las manos sobre la mesa y se las cogió. Comenzó a hablar con una voz profunda y un inglés perfecto, pero con un marcado acento europeo, quizá eslavo.

—Por fin, señor Morgan. ¡Cuánto honor! —dijo la silueta, sin nada a su alrededor que pudiera indicar dónde estaba—. No sabe cómo le agradezco que haya podido encontrar un hueco para atenderme, especialmente en momentos tan absorbentes como éstos. Imagino que con usted estarán dos personajes no menos ilustres, el señor Henry Ford y el *signore* Guglielmo Marconi.

»Lamento irrumpir de esta manera, estoy convencido de que deben de estar tratando asuntos muy importantes guiados, como siempre, por el interés público. Por eso les agradezco especialmente que me presten unos minutos, porque ¿puede alguien soñar con un auditorio más significado? Es una lástima que mi madre no pueda estar viéndonos. Se sorprendería mucho de saber hasta dónde ha llegado su hijo... —La figura soltó una risita burlona.

—¿Qué coño...? —comenzó Ford. Por su parte, Morgan recordó que aún tenía a Shear al teléfono.

—Michael, ¿qué demonios es esto?

—Una transmisión detectada por los técnicos de Gernsback, señor. Están trabajando para localizar la fuente. Pero aún hay más...

—¿Qué?

—Desde la Torre Uno informan de un inusitado aumento del consumo de energía que se está canalizando a través de la ionosfera.

—¿Cómo? ¿Para qué?

—Creo... creo que es el clima, señor. Están interfiriéndolo.

Morgan sintió un escalofrío. Por supuesto que le parecía que la luz era más oscura de lo habitual... Afortunadamente, la masa de la Torre Morgan ya dominaba todo el campo visual y se encaminaban hacia el muelle.

—¿Y cómo demonios se ha colado en la frecuencia privada?

—Lo ignoro, señor.

—¡Que lo rastreen, Mike! Y además, ¿por qué me ha hecho verle?

—Porque nos lo exigió.

—¿Que se lo exigió? ¡Y una mierda! A mí nadie me exige nada...

—Creo que es mejor que le escuche, señor. Tiene... tiene algo que decirle... que decirles.

Morgan volvió a mirar el monitor. Durante su breve conversación con Shear, la figura había permanecido en silencio, como si estuviese esperando a que terminara de hablar. Era verdaderamente inquietante...

—Bien —dijo por fin—. ¿Ha aclarado todas sus dudas, señor Morgan? Créame, no se arrepentirá de haber encendido la televisión. ¿Cómo, si no, habría podido avisarle de que, en cuanto aterrice, vaya corriendo a su despacho y contemple el espectáculo desde su gran ventanal? Le aseguro que merecerá la pena... Disfrútelo; luego me dará su opinión.

La imagen desapareció. La pantalla quedó invadida por la estática.

—¿Qué? —dijo Ford—. ¿Qué demonios ha sido eso, Jack?

Morgan se frotó los ojos.

—Nada bueno, Henry. Nada bueno...

19

El intercomunicador del aéreo llevaba ya varios minutos casi en silencio. Y ese casi era porque podían sentir un leve rumor, quizá la respiración de Nelson, que desde el cubículo del conductor esperaba una respuesta. Al otro lado de la mampara blindada que les separaba, podían ver su nuca rubia con la línea del pelo perfectamente cortado. Edgar sentía la imperiosa necesidad de verle la cara, de saber cuál sería su expresión, pero estaba claro que él no se la iba a mostrar. Sólo quería oír de sus labios la respuesta a la pregunta que le había hecho.

Francesca le miraba de soslayo, como si se sintiera avergonzada por algo. Tampoco sus ojos le decían nada, ninguna pista de lo que convenía hacer. Y sobre todo, ante Edgar se abría la grieta de una duda que le carcomía: ¿cómo era posible que ella, que le había animado a guardar silencio y no desvelar el escondite de Tesla, le hubiese traicionado? Era la última persona de la que lo habría esperado...

...y sin embargo, seguía sintiendo que algo no encajaba.

Un chasquido en el altavoz le indicó que Nelson había vuelto a sujetar el auricular. A continuación, su voz perfectamente modulada, inalterada, se dejó oír:

—Bien, veo que eres todo un héroe. Te aplaudo. Tu chica estará orgullosa de ti, aunque en el fondo tu silencio le supondrá algún que otro inesperado contratiempo...

Edgar la miró, sin comprender. Ella pareció encogerse aún más.

Cogió el auricular del interior del aparato y descolgó.

—¿Qué tiene que ver ella? Yo fui el que ayudé a escapar a Tesla; déjala irse.

—¡Oh, me encantaría! Pero verás, hay un pequeño problema. Parece que perder tu trabajo no te altera demasiado, ni siquiera aunque tu madre necesite el dinero. Pero algo me dice que lo que no querrías, bajo ningún concepto, es no volver a ver nunca más a tu novia.

—¿No volver a verla? ¿Qué... qué dices? —apartó el auricular—. Frances, ¿a qué se refiere?

Ella suspiró, cerró los ojos durante un momento, y luego le miró. Tenía la expresión más directa, más seca, que nunca hubiera visto.

—Díselo, Orville. Dile dónde se esconde.

Edgar no podía dar crédito a lo que estaba oyendo.

—¿Qué? Pero ¿por qué?

—¡Porque esto ya no tiene ningún sentido! —explotó ella—. No sé por qué se me metió esa estúpida idea en la cabeza y te convencí de proteger a Tesla. ¡Qué más nos da quién sea y lo que haya hecho! ¿Es que eso va a cambiar tu vida o la mía?

—Dijiste... dijiste que era una cuestión de honor.

—El honor no sirve de nada, Edgar. Es sólo una distracción inútil. Sólo trae dolor y problemas.

Edgar se quedó mirándola en silencio, la boca abierta en una expresión estúpida. ¿Qué le había pasado? ¿De verdad era ella? ¿Dónde estaba la chica siempre resuelta, con ideas, que se reía de sus vacilaciones y le acusaba de no tomar partido por nada? ¿Qué era lo que...?

—Si no se lo dices, me deportarán.

Edgar descarriló el curso de sus pensamientos y aún tardó unos segundos en comprender lo que había dicho.

—¿Deportarte? ¿A ti? ¿Por qué, qué has hecho?

—Nacer en la familia equivocada, supongo —terció la metálica voz de Nelson a través del altavoz—. O al menos, tener un padre por el que el *Duce* parece tener una especial querencia. Estoy convencido de que saber que hemos encontrado a su hija le parecerá una estupenda noticia.

—¿De qué habla, Frances? ¿Eso es verdad?

Ella asintió. Ahora parecía más cansada que asustada.

—Viven escondidos desde que me enviaron a América. No sé nada de ellos desde entonces.

—Eso no creo que sea un problema para nuestros amigos italianos, supongo que con usarla como cebo para atraerlos se sentirán más que satisfechos. —Nelson hablaba con la misma tranquilidad con la que podría estar comentando el resultado de un partido de béisbol—. Pero claro, imagino que antes querrán asegurarse de que, en efecto, no sabe nada...

Edgar se sintió repentinamente cansado, muy cansado. Y sobrepasado. En definitiva, aquello había terminado convirtiéndose en una locura sin sentido. ¿A quién estaba protegiendo? Si su silencio estaba trayéndole problemas no sólo a él, sino a toda la gente cercana, ¿qué sentido tenía que siguiera protegiendo a un desconocido?

Por un momento, le volvió a la mente la voz de Kachelmann. El anciano le había escogido como una especie de portavoz de su generación, pero no podía haber una elección más absurda. Él no representaba a su generación, apenas podía siquiera representarse a él mismo. Laboriosamente, se había labrado un pequeño nicho en el que poder ser él durante unas horas al día, en las que engañarse diciéndose a sí mismo que tenía voluntad y fuerza para controlar las cosas. Pero luego aterrizaba y todo volvía a la normalidad, la normalidad de un chico que apenas despertaba la atención de nadie y que ni siquiera conseguía que su madre comprendiera sus ilusiones.

¿Cómo podría aspirar a ser un héroe si era la normalidad absoluta?

«No, normalidad no. No te engañes: llámalo como se merece: mediocridad —se dijo—. O si lo prefieres, no lo llames por su nombre: al fin y al cabo, eso es lo que hacen los mediocres.»

No, ¿quién era Kachelmann para pedirle nada a él? ¿Por qué tendría que arriesgar a su familia o a esa Francesca a la que creía conocer tan bien y que se estaba revelando en realidad como una total desconocida? ¿Quién podría tener el derecho de pedirle algo así?

Volvió a repetirse el mismo mantra: desde que había muerto su padre, él debía ser el hombre de la casa. Iba siendo hora de que lo asumiera, de dejar de hacer cosas estúpidas y de aceptar que la realidad era algo bastante más aburrido, previsible y romo que las metas que acariciaba en su imaginación. Nunca sería Orville Wright; ahora mismo, una visión optimista de su futuro inmediato sólo contemplaba la posibilidad de la cárcel. Una cárcel absurda, un castigo sin sentido cuya perspectiva ya sólo le producía un enorme cansancio.

—Está en Welfare Island, bajo el puente de la calle 59.

Ahora sí, la nuca se giró y dejó paso a los ojos inquisidores de Nelson. Clavó su mirada en él y la mantuvo durante unos segundos que a Edgar le parecieron eternos.

—Sí, dices la verdad —dijo por fin—. En marcha.

La leve vibración y el ligero zumbido indicaron que Nelson acababa de poner en marcha el aéreo. Se había acabado. Quizá irían directamente hacia el puente, o bien les llevarían a un lugar seguro antes de organizar la caza del anciano. Pero en realidad, a Edgar no le quedó ninguna duda: Nelson no parecía de los que esperaban a que otros le hicieran el trabajo; al contrario, era de los que tenían claro lo que querían, lo que tenían que hacer, e iban hacia ello.

Francesca permanecía en silencio, el mentón caído. Edgar vio que una lágrima caía por su mejilla. Por un momento, se preguntó si debía abrazarla, decirle alguna palabra amable, consolarla... pero no le salió nada.

—Lo siento, Edgar... —A éste no le pasó inadvertido el que esta vez había apeado su apodo, quizá consciente de que había abdicado definitivamente de cualquier rasgo de valentía.

El joven movió la cabeza.

—No lo hagas. Nadie nos puede exigir ser lo que no somos.

Ella le miró a su vez, con expresión de no entenderle del todo. Sus labios se movieron levemente, como si unas palabras estuviesen a punto de salir de su boca, pero no dijo nada. En su lugar, la sensación de movimiento les indicó que el aparato había comenzado ya su ascenso.

Edgar sintió que no podía seguir mirándola. En su interior convivían muchas emociones intensas que se entrecruzaban y chocaban, produciendo reacciones inesperadas. Sintió que su corazón latía a toda velocidad.

Prefirió clavar su mirada en lo que sucedía al otro lado de la pequeña ventanilla lateral. Le sorprendió, en primer lugar, verlo todo más oscuro de lo que debería ser normal a esa hora del día. Además, se estaba levantando un viento que hacía ondear las faldas y las chaquetas de la gente.

De repente, tres lágrimas aparecieron sobre el cristal de la ventanilla. Tres gotas de agua que se deslizaron mientras la vista de Edgar se dirigía al cielo, y comprendió que la negrura no era uniforme, sino que se componía de una gran nube que giraba sobre sí misma y lo llenaba todo.

—Está lloviendo... ¿Cómo es posible?

No podía ser. No había lluvia programada para ese mes, lo sabía porque era algo que debían tener en cuenta todos los pilotos de aéreos que anduvieran en la zona de influencia de Nueva York. Desde que el tiempo atmosférico había dejado de ser algo impredecible para convertirse, como tantas otras cosas, en un hecho perfectamente medido y que se reservaba para los momentos más indicados y que menos trastornos causasen (sólo llovía por las noches), verse sorprendido por el agua había dejado de ser una posibilidad.

Si Nelson lo había visto, no pareció darse cuenta. El aéreo estaba ya comenzando a elevarse, mientras la frecuencia de los arañazos de lluvia en el cristal iba aumentando. Aunque ya estaban ganando altura, Edgar tuvo tiempo de ver cómo la gente se dispersaba y corría a refugiarse.

—¿Qué ocurre?

Francesca miraba por la otra ventanilla.

—Orville... —repitió, seguramente sin ser consciente de que volvía el viejo apodo—. ¿Qué pasa? —Extendió una mano hacia él al sentir que el aéreo se balanceaba exageradamente, y Edgar extendió las suyas cuando una sacudida amenazó con tirarla al suelo.

—No lo sé. Parece que el tiempo está cambiando, pero no tiene sentido...

Un golpe repentino sobre sus cabezas les hizo encogerse. A ese golpe siguió otro, y luego otro, y pronto fue un repiqueteo continuo y violento el que inundó de estruendo la cabina. Ahora, las gotas venían con fragmentos grandes de hielo, piedras traslúcidas que se estrellaban contra el cristal, que, cada vez más empañado, hacía difícil ver el exterior. Sin embargo, a Edgar le pareció entrever que otros aéreos que se movían cerca de ellos parecían vacilar, alterar su trayectoria, seguramente sorprendidos por la violencia de un granizo que caía ya sin piedad sobre la asombrada y desguarnecida ciudad.

Edgar comprendió que lo mismo les estaba sucediendo a ellos. Por debajo del estruendo de las piedras de hielo sobre la carrocería, el oído entrenado de Edgar pudo sentir cómo el habitualmente silencioso vehículo emitía una especie de gemido de animal herido, enfrentándose a una situación para la que no había sido diseñado. Todo él estaba pensado para deslizarse sobre una alfombra eléctrica, desplazarse como un disco de *hockey* sobre el hielo, inalterado, elegante... no para abrirse paso entre una auténtica lluvia de duros trozos de hielo que se precipitaban sobre él.

Edgar vio la nuca de Nelson agitándose. Era evidente que estaba teniendo problemas para controlar el vehículo, que daba cada vez sacudidas más violentas a los lados. Por las ventanillas y el parabrisas delantero era casi imposible distinguir nada, más allá de una negrura general que de vez en cuando era recorrida por zonas de más claridad, quizá porque de forma momentánea se separaban de la sombra de algún edificio, o por algún tipo de reflejo. La situación se agravó aún más cuando el parabrisas delantero apareció salpicado de pequeños puntos de rotura donde impactos especialmente violentos comenzaron a romperlo.

—Tiene que descender... —murmuró Edgar, pero pronto el murmullo se transformó en miedo, y éste, en una llamada a la acción. Golpeó con la palma de la mano la mampara que le separaba de su captor—. ¡Baja! ¡Tienes que bajar! Es demasiado peligroso...

Nelson no se dignó contestar. Por un lado, estaba demasiado ocupado intentando retener el control de un aéreo que cada vez se movía de forma más errática. Y por otro, seguramente no estaría dispuesto a seguir el consejo de un simple mensajero.

Edgar sintió que se le encogía el corazón al ver que los puntos aislados de impacto en el parabrisas pronto se juntaban en otros más grandes, y así llegó un momento en el que un buen trozo de la bóveda desapareció, justo el que se encontraba sobre la cabeza de Nelson. Los golpes de los pedruscos se sucedían sobre ella, mientras luchaba por mantener el aéreo en vuelo.

Hasta que un trozo de hielo del tamaño de tres dedos penetró en la cabina y golpeó directamente a Nelson, dejándole inconsciente.

—¡Al suelo! —gritó Edgar a Francesca, tirando de ella hacia abajo—. ¡Cúbrete! ¡Cúbrete la cabeza! —La chica obedeció y se tapó con los brazos lo más que pudo. Edgar buscaba con desesperación la forma de acceder a la cabina del piloto para coger los mandos, pero estaba perfectamente aislada. Desesperado, comenzó a golpear la mampara, pero le costaba cada vez más mantener el equilibrio.

El aéreo comenzó a cabecear cada vez más violentamente. Una sensación de vértigo le hizo comprender que estaban girando sobre sí mismos, mientras en el interior caían los objetos y resultaba cada vez más difícil mantener el equilibrio.

Al final, se fue contra el suelo justo en el momento en el que una opresión en sus oídos le indicó que estaban cayendo sin control.

20

La presión había bajado vertiginosamente a las 13.26. Apenas media hora después, se recibió la llamada del piloto de un oceánico que se aproximaba a la Terminal y se había quedado sorprendido al ver, sobre la línea de edificios de Nueva York, una gran nube oscura que crecía sobre el centro. Poco después, se registró la caída de los primeros rayos, que al atravesar el intenso campo electromagnético de la atmósfera habían cobrado una inusitada fuerza.

A las 14.17 minutos, se desencadenó la gran granizada sobre la ciudad.

Fueron tan sólo cuatro minutos, pero en ese período de tiempo cayó una gran cantidad de hielo, localizada exclusivamente sobre el área de la isla de Manhattan, como nunca había ocurrido desde la introducción del control climático. La precipitación causó numerosos daños en los vehículos que se desplazaban en ese momento, y los aéreos que no lograron aterrizar a tiempo se fueron al suelo o chocaron contra los edificios ante la falta de visibilidad. Los transportes terrestres —el tranvía eléctrico, los trenes, los aeroterras— que no se vieron desplazados por resbalar sobre el asfalto cubierto por la gruesa capa de piedras heladas, se detuvieron ante la imposibilidad de maniobrar. Los peatones que no encontraron rápido un lugar lo bastante sólido para resguardarse (muchas marquesinas quedaron literalmente destrozadas por los múltiples impactos) sufrieron contusiones y golpes. En total, hubo que lamentar tres muertos y numerosos heridos; un balance en cierta forma optimista para lo que pudo haber ocurrido.

Cuando todo terminó, un silencio sobrecogedor se adueñó de la ciudad. Con la misma rapidez con la que el cielo se había cubierto, la gran nube negra se deshizo y el sol tímido del otoño volvió a iluminarlo todo. El contraste con el estruendo de la tormenta hacía aún más impresionante el efecto. Poco a poco, la gente se aventuró a salir de sus refugios y corrió hacia sus casas, sus trabajos, o hacia los vehículos accidentados para socorrer a sus ocupantes.

Los luminosos que no habían sido afectados por los impactos funcionaban a la perfección. Los quioscos parecían ridículamente anticuados con sus titulares deslizantes que no hacían mención a la increíble noticia que acababa de ocurrir. Alrededor del 30 por ciento de las pantallas de Times Square se habían apagado totalmente o en parte, pero el resto seguía anunciando sus marcas de tabaco, aéreos y los espectáculos de Broadway. Un contraste acusado con el suelo cubierto por una masa de grandes bolas que no tenían prisa en deshacerse, y la imagen de algún que otro escaparate atravesado por terrestres que habían terminado empotrándose contra ellos. Aquí y allá se levantaban pequeñas columnas de humo donde el fenómeno había propiciado algún pequeño incendio.

Pronto el silencio fue roto por las sirenas de las ambulancias y los vehículos de policía. El cielo se volvió a poblar de vehículos oficiales que buscaban poner orden en el caos. Las grandes pantallas que se repartían por toda la ciudad mostraron mensajes escritos por el ayuntamiento que pedían calma a la población, que debía volver a sus casas, preferentemente, utilizando la red subterránea del metro. Los autómatas continuaban con diligencia con su tarea de dirigir el tráfico, un esfuerzo inútil porque ningún vehículo transitaba, y de hecho los cruces eran impracticables ante la gran cantidad de ellos que se habían quedado detenidos.

Vista desde el aire, la ciudad parecía más que nunca una gran estructura poblada por pequeñas hormigas, que eran casi lo único que se movía por las calles. La gran tormenta había traído consigo un efecto aún más poderoso que los daños materiales y humanos que había ocasionado: el repentino temor de redescubrir lo impredecible, lo que no podía ser controlado ni establecido con un calendario estricto. El resurgir de un tiempo en el que los terrestres podían chocar, los barcos hundirse y apagarse todas las luces. Una sensación que la burbuja tecnológica de las últimas dos décadas había logrado convertir en algo del pasado, que nunca volvería. En un país que se había librado del horror de la guerra que había asolado Europa, era mucho más que un recordatorio: era el aliento que demostraba que un mundo que se creía desaparecido para siempre permanecía bien vivo.

Apenas media hora después de la precipitación, cuando los neoyorquinos estaban empezando a reaccionar, aún hubo tiempo para el epílogo. Súbitamente, las mismas pantallas que estaban transmitiendo las recomendaciones del ayuntamiento volvieron a iluminarse con otras letras, mientras una fanfarria llamaba la atención de todos. El letrero decía lo siguiente:

COMUNICADO ESPECIAL PARA LOS HABITANTES DE LA CIUDAD DE NUEVA YORK

El texto se mantuvo durante una veintena de segundos, más o menos. A continuación, y de una manera abrupta, la gran imagen de un hombre sentado ante un escritorio, la misma que habían visto los ocupantes del aéreo de Morgan, lo ocupó todo. Sólo la parte inferior de su cuerpo, algo por debajo de la barbilla, estaba iluminada. Tenía los codos apoyados sobre la mesa, y las palmas de las manos unidas, dedo con dedo. Eran manos fuertes, decididas.

Entonces, la figura habló, y el público levantó la vista hacia los monitores. Cesaron todas las conversaciones asustadas en los cafés, en las hamburgueserías, en las tiendas de electrodomésticos, en la calle, incluso en las casas, porque la transmisión irrumpió en todas las programaciones, los directos desde la casa de Edison, los musicales, las recetas para las amas de casa, los seriales, los dibujos animados... Todo desapareció para dejar paso a la figura amenazante, que habló así:

—Ciudadanos de Nueva York, les saludo. Acaban ustedes de recibir un aviso. Uno pequeño, aunque soy consciente de que los resultados deben de haberles impresionado. Es la desventaja de no haber experimentado nunca en carne propia lo que la poderosa tecnología inalámbrica es capaz de producir cuando se utiliza con fines destructivos. Al menos en eso, en Europa les llevamos la delantera.

»Lo que acaban de experimentar es tan sólo una pequeña parte de lo que numerosas ciudades del viejo continente conocieron cuando su país decidió intervenir en la Gran Guerra. Los daños que sus técnicos desencadenaron sobre Hannover, por orden expresa del presidente Wilson, fueron mucho más contundentes que la pequeña muestra que han visto aquí, se lo aseguro. Y si hablamos de lo que puede producir el avance de miles de autómatas de combate como los que soltaron en los campos de batalla de Francia y Bélgica... bien, me limitaré a comentarles, como curiosidad, que basta con mencionárselos a un niño holandés que no quiera irse a la cama para que obedezca inmediatamente.

»Fueron daños necesarios, dijeron sus líderes. Había que acabar con aquella guerra cruel para comenzar a construir la nueva sociedad que permitiría que aquél fuese el último conflicto. Un loable propósito, nadie puede decir lo contrario. Incluso, podríamos asumir que una nación joven como la suya se sintiese libre de los pecados que las potencias europeas habían ido acumulando en sus siglos de historia. El XX era el siglo norteamericano, y no era casual que la nueva tecnología hubiera nacido de las mentes de sus científicos, especialmente de las de Edison, y que hubiera prosperado en esta tierra llena de dones, con el caldo de cultivo de un gran país, una gran clase empresarial y el empuje de una nación dispuesta a cumplir con un destino manifiesto.

»Sí, ¿quién no compraría esa idea? Es perfecta, un relato impecable que nadie con buena fe podría rechazar... Salvo por un pequeño detalle: que está basada en una gran mentira. Lo que, técnicamente, la convierte a su vez en otra.

»Su origen reside en un robo: la Red Mundial es una creación de un hijo de Europa, no de ese palurdo espabilado al que quieren hacer santo ahora que se ha muerto. Mientras el verdadero padre de toda esta tecnología, que le podría haber dado al hombre la herramienta más poderosa para poner el planeta a sus pies, tiene que vivir escondido; mientras en estos días el FBI y la policía han lanzado una verdadera caza de todos los que saben esta verdad para que se mantengan callados, todo el poder de la ciencia inalámbrica permanece secuestrado por unas pocas corporaciones que han hecho de ella un negocio y un instrumento de dominación. Gentes como Jack Morgan, como Henry Ford, como Guglielmo Marconi y tantos otros, que prosperan y obtienen todas las prebendas de unos políticos que, cada vez más, son meros títeres de quienes verdaderamente controlan la energía, la única y verdadera fuente de poder.

»Pues bien, como han visto, ese monopolio se terminó. Ya no son los únicos que tienen acceso a la tecnología. La Red Mundial puede ser infiltrada y controlada, y lo que han visto hasta el momento (las inserciones en los periódicos, las fluctuaciones en la Aurora, la tormenta que acaban de vivir) son sólo una pequeña muestra. Represento a una organización que, si lo deseara, podría tomar el control de cada pequeño detalle de su vida diaria.

»Pero pueden estar tranquilos. No es eso lo que deseamos. No queremos tomar el lugar de los monopolizadores, pero sí transmitirles un mensaje bien claro: estamos aquí, les vigilamos y no estamos dispuestos a consentir ningún exceso más.

»Aunque claro, tampoco su conducta puede quedar sin castigo. Por este motivo, transmitimos al presidente de Estados Unidos, a los magnates del país y a los representantes de las potencias aliadas, las siguientes reivindicaciones:

»Primera. Exigimos al Gobierno la entrega inmediata de 1.000 toneladas de oro procedentes de la Reserva Federal, que serán destinadas a compensaciones por la destrucción sin sentido desencadenada en los países perdedores de la guerra. Los detalles sobre cuándo y cómo se efectuará esa entrega serán facilitados a su debido tiempo.

»Segunda. Antes de una semana, el presidente se dirigirá a la nación, flanqueado por los miembros del consejo de administración de Edison Electrics, para reconocer públicamente que la paternidad de la tecnología inalámbrica corresponde al ciudadano norteamericano Nikola Tesla, oriundo de Yugoslavia y cuyos méritos han sido negados de forma sistemática y arrebatados hasta ahora. Como consecuencia, la propiedad de la empresa resultante de ese expolio pasará legalmente a manos del señor Tesla en el plazo de tres meses.

»Y tercera. El propio Nikola Tesla nos será entregado para poder llevarle a un sitio seguro y honrarle como se merece. La forma y el lugar serán notificados en el momento adecuado.

»Esto es todo. No queremos sorpresas, y cualquier maniobra extraña por cualquiera de las personalidades e instituciones de este país tendrá la correspondiente respuesta por nuestra parte. Creo que hemos demostrado de manera indubitable que no se trata de una amenaza vana.

»Ciudadanos de Nueva York, aquí termina nuestro mensaje. Les dejamos que atiendan a sus heridos y arreglen los desperfectos, daños inevitables para poder concitar su atención. Ahora que volverán a centrarse en su vida vertiginosa, en sus labores de pueblo industrioso, sólo les pido que dediquen unos minutos a reflexionar profundamente sobre lo que ha sucedido.

»¡Que Dios bendiga a América!

21

—Ahí está.

Edgar señaló el almacén construido a la sombra del puente de la calle 59. Parecía tan abandonado como la última vez. Las dos únicas ventanas visibles desde donde se encontraban estaban cubiertas por tablones, y el conjunto tenía el aspecto de que nadie había puesto el pie allí en décadas... y continuaba sin ponerlo. Pero Edgar sabía que no era así: hacía muy poco que él mismo había estado ahí, aunque había sido tiempo suficiente para que el mundo entero se pusiera patas arriba.

—Vamos, Frances, ya casi estamos.

Sujetó a la chica por el brazo. El corte de su frente había dejado de sangrar, y la leve cojera de su pie no parecía haber ido a más. El mismo Edgar tenía el cuerpo magullado, y estaba convencido de que debía de tener todo un repertorio de cardenales repartidos por toda la piel. Pero, visto lo visto, habían tenido suerte. A su pesar, tenía que reconocer la pericia de su captor, que había logrado mantener el control el tiempo suficiente como para que el aéreo cayese a tierra de la mejor manera posible. El impacto hizo que la puerta trasera se quedara entreabierta, y el corte de energía a causa del golpe había facilitado que pudieran desplazarla lo suficiente como para salir del vehículo y alejarse antes de que nadie pudiese detenerlos. El resto había sido fácil, con la ciudad enfrentándose al caos producido por la tormenta y la policía que aún estaba operativa demasiado ocupada en restablecer lo más rápidamente posible la normalidad. Un apresurado examen sólo arrojó el inventario de sus contusiones. Cuando se hubieron alejado lo suficiente del punto en el que se había estrellado el aéreo de Nelson, un sanitario de una ambulancia que estaba en tierra cuando comenzó el granizo le hizo a Francesca una primera cura. La chica se dejó hacer, aunque miraba continuamente a Edgar, quien podía ver en sus ojos que quería hablarle sobre lo sucedido.

—Ahora no, Frances. Más tarde.

Edgar sopesó llamar a su casa para dar señales de vida, tranquilizar a su madre, confirmar que también ella estaba bien. Pero no le pareció prudente; imaginaba que ahora mismo todo sería un caos, pero no quiso arriesgarse a que pudieran detectar su llamada. Su captor había demostrado tener muchísima información sobre ellos, y no quería alimentar aún más sus dosieres.

—Tenemos que llegar a Welfare Island —le dijo finalmente a Francesca cuando se alejaron del puesto de socorro. Eran sólo dos más entre la gente que caminaba aquí y allá, algunos con brechas importantes en el rostro, otros desorientados, y con policías, enfermeros y bomberos acudiendo a socorrer a los heridos.

—Pero si van a ir allí...

—Cuando el que nos detuvo se recupere y se lo diga. Ahora ya no podrá ir directamente, así que tendrán que montar una operación, y puede que con este caos tarden lo suficiente como para que lleguemos nosotros antes.

—Y, ¿qué vamos a hacer allí?

—En el mejor de los casos, dejar que su organización nos proteja.

—¿Su organización?

—¿Es que no has oído al hombre? Quieren a Tesla, así que él tiene que estar al tanto de todo esto.

—Y si lo quieren, ¿por qué no van directamente a por él?

Edgar se dio cuenta de que no tenía respuesta para eso. Abruptamente, la sensación de tener el liderazgo frente a Francesca se evaporó.

—No lo sé... ¿Qué hacemos entonces?

Ella lo pensó un momento, pero enseguida le contestó, mientras volvía a apoyarse en su hombro. Edgar la sujetó incluso con algo más de fuerza de lo que era necesario.

—No tenemos muchas opciones. Supongo que ir. No podemos escondernos en ningún sitio, y así al menos podremos avisarle. Y si tienes razón, puede que tenga detrás a alguien que pueda ayudarnos.

Edgar casi sonrió al darse cuenta de que volvía a ser la Francesca que conocía, pero pesaba aún demasiado lo ocurrido como para que su trato fuera igual que antes.

Tardaron dos horas en llegar hasta el almacén, con algunas paradas incluidas para aliviar la molestia por la cojera de Francesca. Edgar respiró aliviado al no ver señal alguna de la policía o el FBI.

Llegaron hasta la puerta metálica.

—Espera aquí —le dijo a Francesca—. Supongo que es mejor que se encuentren primero con una cara conocida, y que me vean solo.

Ella asintió.

—Ten cuidado...

Edgar esbozó una sonrisa, con la esperanza de que fuera lo suficientemente tranquilizadora. A continuación, dio varios golpes en la puerta, que retumbó con un escándalo metálico, demasiado ruidoso para lo que hubiese querido. No parecía la mejor manera de aparecerse ante unos hombres que deseaban pasar desapercibidos.

—¡Swezey! —dijo con voz queda—. Soy yo, Edgar... el mensajero.

Nadie respondió. Probó la manija, pero la puerta parecía atascada por algo desde el interior. Pensó que eso, al menos, era una buena señal.

—No tienen nada que temer —añadió—. Estoy... solo —miró a Francesca mientras decía eso, que le observaba tras un pedazo de muro, a unos metros. Evidentemente, no era cierto, pero prefería no jugar con ambigüedad alguna que les hiciera preguntarse quién podría estar con él.

Pasaron uno o dos minutos que parecieron una eternidad. Edgar comenzó a dudar, incluso, de que los dos hombres aún estuvieran allí. Por fin, oyó algo procedente del interior, probablemente el sonido de arrastre de lo que estuviera bloqueando la entrada. Y al final, la puerta se abrió. Edgar se adelantó, intentó decir algo, pero un brazo surgió y lo arrastró hacia dentro. La puerta se cerró tras él con un golpe.

—¡Maldita sea, chico! ¿Qué haces aquí?

En la oscuridad que le recibió, Edgar no pudo distinguir la silueta de Swezey, pero reconoció con claridad su voz.

—No... no tengo otro sitio a donde ir. Me cogieron y me hicieron confesar su escondite. La tormenta ha hecho que se retrase la huida, pero tienen que escapar ya. No tardarán en organizarse y venir hacia aquí.

El hombre a su lado, de cuyo volumen Edgar fue haciéndose paulatinamente consciente, no respondió nada. Le volvió a coger del brazo y le hizo avanzar por un pasillo. Por último, le retuvo, indicándole que se detuviera.

—Espera aquí.

Swezey le dejó solo y se adelantó. Edgar oyó el ruido de una puerta abriéndose más adelante y, de repente, una luz mortecina se recortó en el hueco que dejó visible al abrirse. Pudo distinguir la silueta del hombre recortada en él.

—Pasa, chico.

Edgar pensó en Francesca, pero prefirió terminar de tranquilizar a los dos hombres antes de revelarles que no había venido solo. Antes debía convencerles de que no se trataba de ninguna trampa.

Edgar entró en la gran habitación en la que había estado la última vez. A pesar de no ser demasiado intensa, la luz de una pequeña bombilla le molestó ligeramente al entrar en su campo de influencia desde la casi completa oscuridad.

Los restos de maquinaria abandonada seguían en el mismo sitio, y los hombres habían sido muy cuidadosos en no dar señales de que había alguien viviendo allí: habían repasado todas las ventanas y cegado cualquier hueco que pudiera haber en las paredes. Edgar volvió a tener la sospecha de que, desde el primer momento, aquella construcción se había hecho para poder trabajar protegidos de la curiosidad de miradas ajenas.

Sentado en una silla desvencijada, que habían intentado mullir con telas y lo que habían encontrado por allí, Tesla le miraba. Parecía más delgado que nunca, una incipiente barba asomaba en su rostro, y como Swezey, su aspecto delataba el tiempo que llevaban encerrados. Sus ropas estaban arrugadas, aunque al menos habían tenido la oportunidad de lavarse porque, como le informaron luego, la llave de paso del agua aún funcionaba y había un lavabo en el otro lado del almacén. En suma, parecían cansados, aburridos y necesitaban urgentemente cambiarse de ropa, pero al menos su aspecto era saludable.

De hecho, Tesla parecía no haber perdido el tiempo. Sobre un encerado que había en un extremo de la sala había comenzado a escribir complejas ecuaciones y filas de signos, pero cuando la única tiza que encontró se terminó, había tenido que dejar inacabadas sus elucubraciones, llevaran a donde llevaran. Otro problema añadido debía de ser el sueño: no parecía que hubiese demasiados sitios donde dormir cómodamente, y Edgar se preguntó qué efectos tendría eso en el cuerpo de un hombre de edad tan avanzada. Pero si había alguno, no había pasado factura a su mirada, que permanecía adherida sobre él desde que entró.

—Vaya, chico —le dijo—. Veo que nos echabas de menos. Pero me temo que no tengo ningún paquete esta vez.

—Lo sé, señor Tesla.

Los dos hombres le miraron, desconfiados. Esperaban que fuera él el que les contara por qué estaba allí.

—No hace falta que desconfíen de mí. Sé toda su historia.

—¿Y eso? —preguntó Swezey.

—Al parecer, tiene seguidores más que fieles. Uno de ellos se alojaba en nuestra pensión y se las arregló para hacerme llegar su historia, justo antes de que se lo llevara el FBI. Dijo haberle conocido en el taller de Edison.

El anciano pareció iluminarse ante esa mención del pasado.

—¿Cómo se llamaba?

—Kachelmann. Holger Kachelmann.

—Kachelmann... —una leve sonrisa apareció en su cara—. Sí, le recuerdo. Era de los pocos rostros amables que uno podía encontrarse en aquel nido de arpías. ¿Qué más ha pasado, Edgar? Estamos totalmente aislados aquí. Hemos oído truenos...

Edgar se dio cuenta de que, allá abajo, era muy probable que no se hubieran enterado de gran cosa. Les hizo un resumen, empezando por la Aurora, siguiendo por las detenciones, el granizo y, sobre todo, el extraño mensaje que todos los neoyorquinos habían podido ver.

Cuando hubo terminado, los dos prófugos se quedaron mirándole, boquiabiertos. Finalmente, Tesla le preguntó:

—¿Cómo era su voz?

—Grave, imponente. Y con un acento muy fuerte, como de Europa del Este.

Los dos hombres intercambiaron una mirada.

—Nunca imaginé que terminara cumpliendo sus amenazas... —dijo Tesla.

—Pero ¿de verdad podría interferir en toda la Red?

—Parece evidente que sí, y no me extraña. Hace años que no sé nada de él, pero está claro que ha sabido llevar a sus últimas consecuencias las investigaciones que ambos seguimos. Sobre el papel, al menos, era factible...

Edgar levantó la mano y se introdujo en aquella conversación, que amenazaba con continuar como si él no estuviera allí.

—Esperen, esperen... ¿Es que conocen a ese chiflado?

Tesla le miró.

—Creo que tengo una idea, sí. Conozco a demasiadas personas, chico. Más de las que me gustaría —fue toda su respuesta.

Edgar no se quedó satisfecho con ella, pero comprendió que había algo más urgente que hacer.

—Y díganme, ¿pueden hacer que nos saque de aquí?

—¿Quién? —preguntó Tesla.

—Quienquiera que sea esa persona que está trabajando para usted.

El inventor frunció el ceño.

—¿Quién? ¿O'Neill?

—No, claro que no. O'Neill debe de estar ahora mismo en manos del FBI, debieron detenerle inmediatamente en el New Yorker.

»No, me refiero a su discípulo secreto, el que ha ocasionado este caos.

Tesla por fin pareció comprender. Prorrumpió en una carcajada.

—¡Nadie trabaja para mí, chico! Bueno, salvo Swezey y O'Neill. Pero no parece que les haya ido muy bien...

—No lo entiendo. Esa persona... le quiere, quiere que le entreguen para llevarle a un sitio seguro.

—Sí, ya te he oído. Pero no estoy seguro de que sea para darme un premio, precisamente...

Edgar comprendió que todo había sido un error. Allí no había nada que hacer, ninguna organización vendría a salvarles ni nadie les creería si decían que no tenían nada que ver con quien fuera que estuviese amenazando a la ciudad de Nueva York. Y para colmo, se habían metido en la mismísima boca del lobo, en el único lugar que muy pronto sería tomado por la policía... Se maldijo una y mil veces por su estupidez.

Estuvo a punto de gritarles que tenían que ponerse en marcha, irse de allí... pero ¿cómo? ¿A dónde? Sólo el caos del granizo impedía que hubieran caído ya sobre ellos; pero Edgar sabía que eso no podía durar mucho. Nelson debía de haberse despertado hacía rato, seguramente ya había dado la alarma y en ese preciso momento toda una nube de aéreos y de acuáticos estaría dirigiéndose hacia la isla...

De repente, unos golpes enérgicos se dejaron oír desde la puerta de entrada.

«¡Francesca!» Había perdido un tiempo precioso hablando con aquellos dos hombres. Sus perseguidores ya estaban ahí, habían rodeado el almacén, y lo más seguro era que se prepararan para tirar la puerta abajo...

Volvieron a llamar. Esta vez pudieron distinguir sin problema una voz al otro lado, bien modulada, con un marcado acento británico. Parecía salir del escenario de un teatro:

—Señor Tesla, pueden ustedes salir sin problema. Su amiga les puede confirmar que no somos la policía.

El anciano miró a Swezey, luego a Edgar. Frunció el ceño.

—¿Mi amiga? ¿De qué habla?

—No tiene nada que temer, señor Tesla... —Edgar se dio cuenta, mientras hablaba, de lo absurda que debía de sonar su explicación—. Es una... una amiga mía. Escapó conmigo de la gente de Morgan.

El anciano se puso en pie, su mirada aún clavada en él.

—¿Una amiga? ¿Qué amiga? Se suponía que habías venido solo...

—Sí, pero no quería asustarles... De verdad, no tienen nada que temer.

—¿Nada que temer? —se irritó el anciano—. ¿Quién

me dice que no tienes ahí a todo un regimiento? ¿Por qué no ibas a entregarme para así poder salvarte?

Edgar se indignó al oír eso.

—¡Eso precisamente es lo que estoy repitiéndome! ¿Por qué vendría a intentar ayudarle? Si quiere desconfiar de mí, hágalo. Todo el mundo dice de usted que es muy listo, pero tengo mis dudas al respecto. —Se quedó callado. Una parte de sí se preguntó sorprendido si de verdad había dicho lo que había dicho, pero lo cierto era que lo había disfrutado.

El anciano frunció el ceño, pero no replicó nada a eso. En lugar de ello, miró a su compañero de encierro.

—Swezey, ¿qué hacemos?

El joven suspiró. Parecía infinitamente más cansado que el anciano.

—Se acabó, señor. Si en efecto han venido a capturarnos, ya no podemos escapar. Lo único que cabe hacer es entregarse y evitar males mayores. Al menos, si ese loco quiere tenerle, no creo que se arriesguen a hacerle daño...

—No, ellos no... —El anciano dio un puñetazo sobre la pared de ladrillo, impotente. Se debió de hacer daño en la mano, porque la sacudió y abrió y cerró los dedos. Finalmente, bajó la cabeza—. Me temo que tiene razón, Swezey... Habrá que abrirles.

—Iré yo. Sólo esperen aquí.

Edgar desandó el camino por el que le había llevado Swezey. En realidad, ya sólo le importaba comprobar que Francesca estaba bien. Quién estuviera con ella era algo que estaba fuera del alcance de lo que pudiera pensar o hacer.

Ahora que habían estado a la tímida luz de la bombilla inalámbrica, el camino le pareció aún más oscuro que antes. Sin embargo, terminó encontrando la puerta. Dudó un momento, pero finalmente la abrió despacio para evitar reacciones imprevisibles al otro lado. Una porción de luminosidad, la de la Aurora que ya se había encendido, arrojó una línea sobre el suelo y la pared tras él, y creció hasta recortar un rectángulo tras el que era perfectamente visible la línea de edificios al otro lado del río y las luces de navegación de los vehículos sobre el cielo.

Hasta ese momento, todo había transcurrido sin sorpresas. Pero cuando sintió los brazos de Francesca en torno a su cuello, mientras ella pronunciaba su nombre y sentía su pelo negro pegarse a su mejilla, sólo pudo responder con torpeza a un abrazo que, en otra ocasión, probablemente le hubiera turbado.

En otra ocasión; ahora, bastante tenía con observar la extraña figura del hombre que estaba ante él, ataviada con un uniforme que parecía salido de alguna máquina del tiempo, incluido un gorro como los que utilizaban los oficiales a principios de siglo. En la pechera lucía una «A» primorosamente trazada y a la que enmarcaban los tentáculos de un pulpo. Hasta su rigidez marcial parecía anticuada.

—Joven —dijo el hombre haciéndole un saludo militar—, veo que está usted bien, lo que tranquilizará a su amiga. Creo que habría sido más caballeroso por su parte haber dado antes alguna señal de que estaba indemne y no le había sucedido nada.

»Como puede comprobar, no hay nada que temer. No soy del FBI ni de la policía, y le puedo asegurar que no tengo nada que ver con los desafortunados incidentes de las últimas horas.

»Por lo tanto, ¿sería tan amable de decirle al señor Tesla que puede salir? Creo que lo más inteligente es que nos vayamos de aquí cuanto antes...

Edgar asintió. Se lo diría, sí. ¿Qué otra cosa podía hacer? En realidad, tenía muchas cosas que decirle, tanto sobre aquel extraño hombre como sobre la gran máquina estacionada dentro del río, que seguramente le había traído hasta allí y que no se parecía a nada que hubiese visto antes.

22

—¿Le duele?

Nelson se sentía pesado, mareado, pero no por las curas que le estaban haciendo sobre su rostro machacado. Varias marcas y moratones estropeaban la perfecta arquitectura de su cara, y aunque no lo tenía roto, su brazo derecho le producía oleadas de pinchazos cada vez que lo intentaba flexionar.

Pero no, no era nada de aquello lo que hacía que apretara los dientes con fuerza y que quisiera levantarse de la camilla en la que estaba sentado. Era una sensación nueva, la rabia de haber fallado por primera vez en una misión y que eso hubiese ocurrido mientras lidiaba con dos mequetrefes como aquellos chicos. Que lo que había ocurrido fuese algo imprevisible, para lo que nadie habría estado preparado, no le transmitía ningún consuelo. Nunca en toda su carrera como piloto había tenido el más mínimo percance, y que el primero sucediera en pleno Manhattan y de forma tal que todo el personal de la Casa Morgan se hubiese podido enterar, no hacía más que multiplicar su furia.

Y tampoco ayudó que el estúpido de Bob Goodstein apareciera en el hueco de la puerta, exhibiendo su estúpida sonrisa, rodeada por una sucia barba de dos días y un palillo que hacía pasar de un lado a otro de la boca con un leve sonido húmedo.

—Vaya, vaya, chico. Qué lástima de cara. O mejor casi no, creo que sales ganando con el cambio, aunque me temo que durante un tiempo te va a doler hasta peinarte.

Nelson hizo caso omiso de sus palabras.

—¿Está ya todo preparado? —miró de reojo a la enfermera, que estaba recogiendo la bandeja en la que había traído el instrumental—. El viejo no va a esperarnos eternamente.

—Vamos ya para allí. Aunque creo que quince aéreos para un casi octogenario son excesivos...

—Ya. Pues ese octogenario se las arregló muy bien para escurrirse entre tus dedos. No... ¡Uf! —Contrajo el rostro en una mueca de dolor. Simplemente había extendido una pierna para acercarla más al suelo y así poder bajarse de la camilla, pero el pinchazo apareció con la misma fuerza que si se hubiese vuelto a caer.

—¿Qué hace? ¡Tiene que guardar reposo! —le amonestó la enfermera.

—Luego... Ahora tengo cosas que hacer...

—Nelson, no seas estúpido. No puedes venir en ese estado.

Finalmente, lo consiguió. Posó las dos piernas en el suelo y logró enderezarse. No dejaría que Goodstein se llevase todo el mérito de detener a Tesla.

—Póngame la chaqueta sobre los hombros, por favor —le pidió a la enfermera. Ésta le dedicó la mirada más reprobatoria de que fue capaz, pero no dijo nada e hizo lo que le pedía. Nelson sujetó la chaqueta con la mano izquierda, la que menos le dolía.

—Vamos, Goodstein. El tiempo es oro.

El interpelado mascó un par de veces un bocado quizá menos imaginario de lo que parecía, finalmente suspiró y se encogió de hombros.

—De acuerdo, pero no pienso retrasarme para recogerte. Tendrás que seguirme el ritmo.

Y lo consiguió, aunque el esfuerzo le costase toda una variedad de latigazos que se destacaban sobre el rumor sordo del dolor constante y el zumbido en sus oídos, pero hizo lo indecible para que Goodstein no se percatara de ello. Tampoco se llamaba a engaño, su accidente había sido tan espectacular que nadie tendría duda alguna sobre cómo se debía de sentir, pero él sería el último en darles la razón. Y los tres comprimidos de analgésico que se llevó a la boca, sin siquiera beber agua, le ayudarían a ello.

Salieron al párquin del hospital. Allí les esperaba un aéreo listo para despegar, negro. Y para alivio de Nelson, de los de techo metálico. Aquel pájaro no se desintegraría si la lluvia de granizo se repetía.

Subió al asiento trasero, mientras Goodstein lo hacía al de copiloto. En cuanto estuvieron colocados, el hombre de Shear dio la orden y despegaron hacia el puente de la calle 59.

Apenas un minuto después de haber despegado, vio el ramillete de luces de posición que denotaba el punto en el que la flotilla de aéreos les esperaba para que se reunieran con ellos. La Aurora, esta vez, lucía de manera continua, sin alteraciones.

Cuando estuvieron a su altura, Goodstein cogió el micrófono.

—Aquí Pájaro Uno. ¿Qué, estamos todos?

Uno a uno, los otros catorce aparatos se fueron identificando, todos pintados con el color negro oficial adornado con el escudo del FBI. Nelson comprobó, desde su ventanilla, que más de uno llevaba armamento pesado. Visto lo ocurrido ese día, no era una medida exagerada. El problema no era el viejo, sino quienes pudiesen estar con él y lo que fueran capaces de hacer. Y ametralladoras y un par de cañones ligeros no eran una mala opción.

—Muy bien, chicos —animó Goodstein por radio—. Vamos allá. Recordad las instrucciones, y seguid cada uno a vuestro guía. Y procuremos no cagarla; el cupo de hoy ya está completo.

Nelson sintió un pinchazo en el estómago, pero era de

una naturaleza diferente a los de sus magulladuras. Éste volvía a ser de rabia, pero optó por no decir nada. Tiempo habría de ajustar las cuentas.

El grupo de aéreos se dividió en dos. Como suponía Nelson, se acercarían al objetivo desde dos puntos distintos con el fin de llegar bajo el puente con la cadencia suficiente para taponar las rutas de huida y sorprender a los que allí se encontraran y pudiesen plantear resistencia. Por supuesto, como Goodstein era un cobarde, comandaban la segunda oleada, no la que entablaría primer contacto, que es en la que habría ido Nelson de haber estado al mando de aquella operación.

La radio del vehículo volvió a sonar. Nelson pudo distinguir sin dificultades la voz de Shear.

—Bob, ¿ya estáis en marcha?

—Afirmativo, señor Shear. Y me he traído conmigo al chico.

—¿A Nelson? Creí que no podía moverse...

—No me lo perdería por nada del mundo, señor Shear —dijo el aludido, con voz suficientemente alta como para que el asistente de Morgan pudiera entenderle bien—. Además, he de asegurarme de que su sabueso no vuelva a perder el rastro.

Shear suspiró de manera audible.

—Oídme los dos. No quiero tonterías, ¿entendido? Es absolutamente prioritario que nos hagamos con Tesla. El señor Morgan no quiere volver a oír hablar de ningún otro percance, así que extremad las precauciones. Y algo fundamental: queremos al viejo vivo. Tenedlo muy presente.

«Sí, para entregarlo», pensó Nelson. Estaba convencido de que Morgan estaría presionando a Shear para que se plegara a las exigencias de aquel chantajista. Y, siguiendo su consejo, seguramente el teléfono que enlazaba directamente al banquero con la Casa Blanca estaría también transmitiendo el mismo mensaje. Un mensaje de cobardes.

—No se preocupe, señor Shear. Tenemos suficientes aturdidores, y por si fuera necesario, el FBI nos ha prestado a sus mejores tiradores.

—No quiero ningún fallo más, Bob. No podemos permitírnoslo.

Goodstein le tranquilizó una vez más y colgó el teléfono.

—Menuda fama nos has dado, chico.

—Hay que esforzarse mucho para estar a tu altura, Goodstein —fue su gélida respuesta. Éste emitió un gruñido que bien podría ser el equivalente de alguna clase de sonrisa.

Después de seguir un camino que les hizo dejar al sur la longitud en la que se encontraba su punto de destino, finalmente comenzaron a girar para sobrevolar el río. Descendieron hasta situarse a ras del agua, y allí se detuvieron para esperar los cinco minutos acordados.

Mientras tanto, la radio del vehículo informó de que la primera escuadrilla ya se acercaba desde el sur e iniciaba las maniobras para desplegarse.

Nelson se sentía inquieto. Temeroso de que el dolor pudiera convertirse en insoportable en el momento menos indicado, se tomó dos pastillas más. Un hormigueo le subía por la pierna; odiaba aquella espera, con su leve balanceo sobre las aguas. Goodstein había ordenado que apagaran las luces de posición, así que, a pesar de la Aurora, resultaba difícil saber, sobre el río, dónde se encontraban exactamente cada uno de los aparatos. Nelson vio, aquí y allá, pequeñas manchas de negrura en la silueta de los edificios de los dos lados del río, allí donde las ventanas antes ofrecerían su luz. Sólo así fue consciente del verdadero alcance del ataque que habían sufrido.

La radio finalmente transmitió un mensaje claro y conciso.

—Aquí Pájaro Dos —era el cabecilla de la primera oleada—. Despejado, señor Goodstein. Aquí no hay nadie.

Nelson se echó para adelante como un resorte. Para cuando su cuerpo le advirtió que no debía hacerlo, ya era tarde.

—¿De qué demonios habla? —preguntó.

—Explíquese, Pájaro Dos —preguntó Goodstein.

—Aquí no hay nadie. Está vacío, señor...

Goodstein soltó una maldición antes de llevarse de nuevo el micrófono a la boca y decir:

—Muy bien. No hagáis nada. Vamos para allí —giró una rueda del tablero de mandos—. A todas las unidades, partimos ya hacia el objetivo. Peligro desactivado pero, por si acaso, mantened muy abiertos los ojos. No quiero sorpresas.

Comenzaron a deslizarse sobre el agua. A pesar de que la precaución de ir con las luces apagadas ya era excesiva, Goodstein prefirió no correr riesgos. No estaba totalmente descartado que fuese una trampa. Sin embargo, no pudo dejar de aprovechar la ocasión:

—Espero que todo esto no sea producto de tu golpe en la cabeza, chico...

No, Nelson estaba seguro. El chico había hablado del puente de la calle 59, y estaba totalmente convencido de que no le estaba mintiendo. Le importaba demasiado la chica, eso era evidente. Sólo había una explicación: o bien Tesla ya había escapado, o habían conseguido llegar antes que ellos hasta allí para advertirle. Pero, fuera como fuese, ¿dónde estaban? ¿Cómo podían haberse desplazado sin ser detectados? ¿Aprovechando el caos del granizo?

Si habían salido de la ciudad, estaban ante un desastre sin paliativos. Y esta vez, no tendría a quien echarle la culpa. Sin Tesla, cualquier posibilidad de negociación se iba al traste, y eso no le iba a gustar nada a Morgan.

—¿A dónde demonios te has ido, viejo? —masculló.

Welfare Island se recortaba ya ante ellos.

Segunda parte

23

Edgar miraba fascinado la imagen que le devolvía el espejo del estrecho camarote que le habían asignado. Por lo que podía saber, el submarino contaba con cinco iguales que el suyo, en principio destinados a los oficiales. Sin embargo, en este caso, salvo el correspondiente al capitán Tavernise, todos los demás habían sido cedidos a los sorprendidos invitados. Dos de ellos contaban, además, con una pequeña ducha particular; nuevamente Tavernise ocupaba uno de ellos, mientras que el otro se lo habían dejado a Francesca. Todos habían insistido en que mejor se lo quedara Tesla en atención a su edad, pero fue imposible convencer al testarudo inventor, a quien la idea de que la chica pudiera compartir ducha con los hombres resultaba simplemente un disparate.

Gracias a esa decisión, Edgar había tenido la oportunidad de disfrutar de la inigualable experiencia de encontrarse con el propio Tesla mientras aguardaba su turno ante la puerta corredera de la ducha. Mientras que él esperaba con la toalla que le había facilitado un marinero atada en torno a su delgaducha cintura, el anciano no tuvo inconveniente en mostrarse del todo desnudo, la suya echada perezosamente sobre el hombro. Por si fuera poco, además no tuvo reparo alguno en detenerse para hablar con el azorado joven:

—No está demasiado fría, chico, es una lástima. Pero aun así se agradece. No hay nada que tonifique más al sistema nervioso. Créeme, se salvarían muchos miles de vidas sólo con que las autoridades impusieran esta sana costumbre diaria. De la misma forma que en las naciones civilizadas se considera, y con razón, un crimen que una madre no alimente como es debido a sus hijos, lo mismo habría que hacer con las que desoyen una obligación no menos esencial como la de la higiene. Y en ella, una buena ducha con agua fría es lo mejor para prevenir todos los males.

Edgar asentía, procurando que la vista no se le fuera hacia el minúsculo sexo (no sabía si minúsculo por la humedad o por el frío o por lo enjuto de la constitución del anciano), algo difícil porque la altura de Tesla y la desinhibición con la que permanecía en el pasillo ejercían una curiosa atracción difícil de resistir.

—No puedo estar... más de acuerdo, señor —le respondió el joven, sin saber muy bien si era lo correcto o lo que se esperaba de él.

Tesla no pareció oírle. Siguió aún un instante de pie en el mismo lugar, dándose golpecitos sobre el labio superior con el índice, visiblemente absorto en sus pensamientos, quizá la enumeración de todos los beneficios que se derivarían de la asunción de sus radicales medidas higiénicas. Por fin, después de lo que a Edgar le pareció un siglo, echó a andar hacia su camarote. Edgar tuvo un atisbo de su flaco y blanco trasero alejándose mientras entraba en la ducha. Eso sí, antes de abrir el grifo del agua, tuvo tiempo de oír un sofocado grito femenino de sorpresa.

—Muy buenas, señorita —dijo la voz de Tesla.

Más tarde, cuando se encontró con Francesca, la chica prefirió no hacer ningún comentario sobre lo sucedido.

Eso había sido hacía un rato, antes de terminar su aseo y ponerse las ropas que le habían dejado sobre la litera. Y se sorprendió al observar que el espejo le devolvía la imagen de un Edgar muy distinto. Las prendas, aunque visiblemente nuevas, parecían haber sido confeccionadas hacía cuarenta años. El joven se sorprendió del efecto que producían sobre él: parecía mayor, e incluso percibió una cierta elegancia que nunca imaginó que pudiera surgir de él. Eso sí, no podía evitar sentir una molesta opresión causada por el chaleco, aunque lo que finalmente desechó fue la corbata. La dejó por imposible.

Algo de lo que no lograba aislarse mentalmente, sin embargo, era de los sonidos que sin descanso trazaban la banda sonora del submarino. Acostumbrado al silencio de lo eléctrico, aquel vehículo resultaba de lo más ruidoso. Además, las vibraciones que de vez en cuando lo sacudían no ayudaban precisamente a transmitir sensación de seguridad, pero de todas maneras Edgar tenía que reconocer que nunca antes había viajado en una nave como aquélla, y puede que la serena tranquilidad del aire no se extendiese al agua. Al fin y al cabo, estaba teniendo en los últimos días demasiadas demostraciones de que la seguridad y la fiabilidad eran más una frágil convención que una realidad indestructible.

Daba igual. Fuese como fuese, el gran aparato de metal en el que surcaban las profundidades del Atlántico era de un estilo totalmente distinto a lo que estaba acostumbrado. Los años de la Red, y la liberación de no tener que destinar espacio a generadores ni otros aparatos que ocupaban gran parte de él, habían empujado de manera natural a que el diseño tendiera a hacer de todo lo fabricado por el hombre una única forma, ligera, lisa y prácticamente sin remaches.

En cambio, el armatoste al que el capitán Tavernise, el hombre vestido de militar anticuado, les había invitado a subir (¿quién habría podido declinar la invitación?) parecía más una agregación de espacios, como si su diseñador no tuviera muy claro cuál quería que fuese la forma definitiva y hubiese ido teniendo ocurrencias sobre el camino. Ésa era, desde luego, la tendencia en el diseño antes de la revolución inalámbrica, y aquel aparato parecía haber surgido de algún universo alternativo en el que nunca hubiese existido ésta.

Además, estaba el asunto de la propulsión. El submarino llevaba su propia fuente, y el ruido constante que invadía algunas partes de la nave al desplazarse por su interior parecía indicar que se trataba de algún tipo de combustible fósil. Tesla apostaba por el petróleo, una tecnología apenas explorada que tuvo una efímera existencia en el cambio de siglo, pero que fue rápidamente abandonada en aras del más eficiente sistema inalámbrico y su correspondiente propulsión externa.

En definitiva, todo en aquella nave remitía a una época ya pasada. Empezando por la propia decoración de los minúsculos camarotes, austeros y con detalles añejos en el mobiliario (el diseño de una lámpara, el marco ovalado de una foto). Y eso por no hablar de los uniformes de los marineros, que no habrían desentonado nada en la guerra contra España de 1898. Sí, el *Oxtrott* (pues ése era el extraño nombre del ingenio) asemejaba una gran botella que alguien hubiera lanzado al mar hacía mucho tiempo, llena de hombres en lugar de mensajes, y que hubiera permanecido inalterada desde entonces.

Dando unos últimos tirones a su chaleco (la chaqueta prefirió dejarla en el camarote), salió al estrecho pasillo y se dirigió hacia la puerta de Francesca. Llamó con los nudillos, y en respuesta ella le dijo que esperara.

Cuando finalmente abrió, Edgar no pudo contener la carcajada.

—No tiene gracia, Orville.

Eso decía ella, pero la verdad era que sí que la tenía, y mucho. Con aquella falda larga y la blusa abotonada hasta el cuello, parecía salida de algún libro de las hermanas Brontë. Una evidente capa de polvos de maquillaje disimulaba el corte de la frente y el moratón de su pómulo derecho.

—Estás verdaderamente espectacular, Frances —añadió con burla Edgar.

—Me alegro de que la moda femenina haya ido para mejor. ¿Por qué a las mujeres nos tratan siempre tan mal?

—Podía haber sido peor. Imagínate que el salto en el tiempo lo hubiéramos dado hasta el siglo XVIII, no el XIX.

—Estarías monísimo con peluca, Orville.

La sonrisa de Edgar se convirtió en algo más suave, también más cálido. Le señaló la frente.

—¿Estás bien? ¿Te duele?

Ella negó con la cabeza.

—No, sólo tengo aún un poco de dolor de cabeza. Orville...

—¿Qué?

—Gracias por traerme contigo y no dejarme atrás.

A pesar de la capa de polvos, él le dio un beso en la mejilla.

—Ninguno de nosotros se quedará atrás, Frances. Nunca.

—Pero tu madre...

—Volveremos a por ella. No te preocupes.

Ella asintió con vehemencia, como si mover enérgicamente la barbilla ayudara a que aquel deseo se cumpliera.

Aunque la cortesía decimonónica, la que haría juego con la vestimenta y la decoración, indicaba que Edgar debía dejar pasar primero a Francesca por el estrecho pasillo, el joven estaba colocado de tal manera que taponaba el paso e impedía que la chica pudiera adelantarse. Así que echaron a andar, Edgar adelante y Francesca detrás. Llegaron hasta una estancia más amplia, presidida por un ventanal que, cuando la hora del día y la profundidad lo permitían, debía de ofrecer una estupenda vista del paisaje submarino. Pero aquella noche era de una negrura casi total, con algún atisbo de vez en cuando de una inquietante forma viva deslizándose por el campo de visión.

En esa especie de salón les esperaba ya Swezey. El periodista también se había cambiado de ropa. Por alguna razón, su traje era blanco, y se ajustaba como un guante a su complexión de deportista, sus manos de perfecta manicura y su franca sonrisa. En su caso, la elegancia parecía más una cualidad natural que algo adquirido; era de esa rara clase de personas.

Pero si a alguien le produjo un profundo efecto la ropa, ése fue a Tesla. El inventor llegó al salón sonriente, con un traje oscuro con chaleco que no desentonaba en lo más mínimo con su figura, como si hubiese sido pensado expresamente para él. Incluso él mismo pareció rejuvenecer, y había dejado el bastón en su camarote. Caminaba con una cierta rigidez, pero sólo eso.

—Muchachos, ¡qué buen aspecto tienen! —les saludó con una sonrisa—. Hay que reconocer, Swezey, que antes sí que se sabían hacer las cosas —añadió, señalando especialmente a Edgar y Francesca.

—Bueno, creo que nuestros jóvenes amigos no estarán de acuerdo del todo...

—¡Para nada! —bufó ella.

Tesla sonrió. Tenía mucho mejor aspecto; había salido del almacén de Welfare Island abatido, derrotado. Pero ahora, habían bastado una ducha, un afeitado, un leve descanso y un cambio de ropa para hacerlo brillar de nuevo. Edgar se dijo que debió de ser un hombre imponente en su juventud, aunque el recuerdo de lo visto ante la ducha interfirió ligeramente con su imagen.

—Bueno, ¿sabemos ya dónde estamos y hacia dónde nos llevan? —preguntó—. Y ¿quién lo hace? ¿El loco de su amigo?

Tesla negó con la cabeza.

—No, tengo mis dudas de que mi «amigo», como dices, se tomara tantas molestias por mí. Y desde luego, no se tomaría ninguna por el resto de ustedes.

—¿Por qué? —preguntó Francesca—. ¿Es que le ha hecho algo?

El anciano levantó las manos en un gesto pidiendo tiempo.

—Tranquilos. Todas las preguntas serán respondidas... a su debido tiempo.

Edgar resopló. Le consumía la impaciencia de averiguar qué era lo que había ocurrido para poder encajar todas las piezas. Todo se había acelerado de tal manera que era imposible no pensar que había algo que se les escapaba, algo importante.

—Entonces, si no es de nuestra estrella televisiva, ¿de quién es este submarino? ¿De ese tal Tavernise?

Tesla negó con la cabeza.

—No... Creo que nuestro amigo el capitán trabaja para alguien. Alguien que creo que no tardaremos mucho en conocer...

»Por cierto, creo que aquí llega nuestro anfitrión.

Desde el otro estrecho pasillo, el que partía del lado contrario del salón, emergió un marinero que se puso a un lado, se cuadró y anunció con firmeza:

—¡Atención! ¡Llega el capitán!

Edgar se preguntó si aquella puesta en escena se debería a la presencia de Tesla, porque supuso que no podía ser algo habitual dentro del reducido espacio del submarino. Debía de ser muy cansino que cada vez que Tavernise se moviera de un lado a otro, las voces fueran anunciándole a lo largo de su trayecto. Además, no sabía si debía cuadrarse o simplemente quedarse quieto donde estaba, pero al ver que sus otros acompañantes se limitaron a girarse hacia la puerta, decidió imitarles.

Justo detrás del marinero, apareció el hombre que les había rescatado *in extremis* del refugio-trampa de Welfare Island. Vestía la misma casaca con una «A» rodeada por los tentáculos de un pulpo en la pechera, y su densa barba gris de lobo de mar ofrecía un aspecto esplendoroso. Sólo había desaparecido del conjunto el aparatoso sombrero.

—Caballeros, señorita. Por favor, siéntense.

Se repartieron a los dos lados de la mesa que ocupaba

el centro de la estancia. A la derecha del capitán, Francesca y Edgar. A la izquierda, Tesla y Swezey.

—Capitán, quiero darle las gracias por habernos sacado de aquella situación tan... incómoda.

—No hay por qué darlas, doctor Tesla. Ahora, lo único que importa es llevarles a un lugar seguro.

—Y ¿dónde está ese lugar, si se puede preguntar?

—Me temo que no puedo darle esa información, señor Swezey. Pero sí le aseguro que será un sitio donde ni Morgan ni su molesto perseguidor podrán encontrar al doctor...

Tesla cogió una servilleta y limpió con cuidado la cuchara.

—Se lo agradezco sinceramente, capitán. Pero ¿qué interés tiene usted en salvarme? Y, ¿cómo supo localizarme?

—¡Oh! Respecto a la primera pregunta, he de confesarle que personalmente ni tenía un interés especial en rescatarle ni sabía dónde estaba. Pero lo cierto es que trabajo para alguien que sí que podría responder de forma afirmativa a ambas cuestiones. Alguien que consideraría una desgracia que usted pudiera caer en las manos de un chantajista sin escrúpulos como el que le busca.

—Debe de ser alguien muy rico, también —insistió Swezey—. Este submarino no parece un juguete barato.

Tavernise trazó una gran sonrisa de Santa Claus bajo su barba.

—Toda su curiosidad se verá satisfecha, se lo garantizo. Pero es mejor no adelantar acontecimientos. Ahora, les sugiero que aprovechen su estancia aquí para descansar; creo que se lo han ganado a pulso. Nuestro viejo *Oxtrott* es una nave muy eficaz, aunque su fuerte no sean las comodidades. Pero les sugiero que tomen su estancia aquí como la de un bebé que estuviera en el vientre de su madre. Aquí están protegidos, calientes y a salvo.

Edgar miró a Francesca, que sonreía burlona. Lo cierto era que resultaba más fácil comparar aquel submarino con una lata de sardinas que con un vientre maternal. Eso por no hablar de que la idea de sentirse bajo el mar, rodeados por toneladas de agua, en algún punto indeterminado del océano, no tenía por qué ser, necesariamente, un argumento que ayudase a conciliar el sueño.

Mientras tanto, Tesla pareció terminar su cuidadoso repaso de la cuchara. La hundió con cuidado en el plato y la alzó llena de líquido humeante. Pero, en lugar de llevársela a la boca, se quedó mirándola, absorto.

Edgar se dio cuenta de que a su vez, él miraba al anciano de una manera muy poco cortés, pero el espectáculo le parecía fascinante e incomprensible. Le vino a la memoria el relato de Kachelmann de su cena en Delmonico's, y comprendió perfectamente cómo se debió de sentir el alemán ante el espectáculo.

En ese momento, una leve vibración sacudió la mesa; los vasos y la cubertería temblaron y se desplazaron ligeramente, y el temblor se trasladó a la mano de Tesla, haciéndole derramar unas gotas de líquido que cayeron en el plato.

—¡Dioses! —dijo éste—. ¡Casi lo tenía!

—¿El qué, señor Tesla? —preguntó Francesca, igual de fascinada. El capitán parecía sólo levemente interesado, mientras que Swezey daba cuenta de su plato sin mostrar extrañeza alguna. Precisamente fue él, ante el silencio del interpelado, el que se ocupó al final de responder a la pregunta:

—El señor Tesla tiene la costumbre de calcular la cantidad exacta de líquido que se va a llevar a la boca con cada cucharada. Es su... ritual.

—Y la inestabilidad de esta nave me lo va a poner muy difícil —añadió el aludido, dedicando una mirada enfurruñada a Tavernise.

El capitán sonrió.

—Bueno, doctor. Espero que el hecho de que no dependamos de la energía de la Red, y que eso ayude a que seamos casi indetectables, le permita disculpar los inconvenientes de nuestro poco refinado diseño. Temo que, si queremos mantenernos a flote y no hundirnos, tendrá que acostumbrarse a convivir con las vibraciones de los motores.

Tesla no respondió. Había vuelto a emprender todo el proceso.

El resto de la cena transcurrió con normalidad. Los comensales hicieron preguntas sobre la nave, pero no obtuvieron mucha más información de la que ya tenían o habían deducido. Tampoco sobre el lugar hacia el que se dirigían. Pero al final, cuando hubieron disfrutado de una copa de licor (mejor dicho, Swezey, el capitán y, para sorpresa de Edgar, Francesca, porque ni él ni Tesla probaron gota), el capitán les invitó a que se levantaran y le siguieran, diciéndoles:

—Bien, señores. Me temo que no puedo ofrecerles ningún habano, porque nuestro mecanismo de renovación del aire no tiene capacidad suficiente para un desafío de tal calibre. Pero a cambio, si me acompañan, puedo mostrarles algo que seguro que les interesará y hará olvidar esta carencia.

El grupo se puso en pie y siguió a Tavernise de vuelta por el corredor por el que había aparecido. El marinero que esperaba al lado de la puerta se cuadró al pasar a su lado, y a continuación se unió a ellos, cerrando la marcha. El techo estaba recorrido por tuberías, y aquí y allá unas luces mortecinas arrojaban una triste luz al paso. Había el espacio justo para que pasaran en fila de uno, pero aun así rozaban con salientes distribuidos a lo largo del corredor.

Hasta que, al final, salieron a una estancia más amplia, coronada por una gran cúpula a través de la que se filtraban algunos rayos de luz, muy finos y probablemente procedentes de la luna. Pero, aparte de eso, también allí parecía que la oscuridad reinaba fuera.

Bajo el cristal, una plataforma algo elevada sostenía todo un muestrario de cuadros, agujas y ruedas de dígitos.

El ruido en aquella sala era diferente; por encima del ronroneo constante de los propulsores, se distinguía un rumor metálico, de chasquidos, mecanismos en marcha y engranajes girando. La principal fuente de ruido era una masa metálica que parecía fundirse con el sillón en el que permanecía sentada, un autómata con varios brazos que podían abarcar todos los mandos distribuidos por la gran consola. La coronaba un bulto que asemejaba una cabeza, con rendijas y huecos en su superficie que recordaban lejanamente a un rostro.

—Señores, señorita. Les presento a nuestro piloto —anunció Tavernise.

El grupo se repartió alrededor de la máquina. En sus rostros se podía leer la admiración, lo que arrancó una indisimulada sonrisa de orgullo al capitán.

—Es increíble... —dijo Swezey. Tesla permanecía en silencio, su mirada clavada en el autómata, como si estuviera penetrando más allá de la coraza metálica para comprender su funcionamiento—. ¿Cómo obedece las órdenes?

—Observen... Señor Rosenberg, vire un grado a estribor.

—A la orden, señor.

El marinero, que permanecía de pie ante un teclado similar al de un piano, con teclas blancas y negras, deslizó sus dedos sobre él, pulsándolas en rápida sucesión. Un sonido de taladro se hizo audible, y una cinta blanca de papel que unía la consola con el autómata se deslizó por una rendija para aparecer de nuevo decorada por toda una sucesión de agujeros que formaban un extraño código. Cuando la parte taladrada, a su vez, hubo penetrado en el autómata, el rumor de engranajes se hizo más audible, y entonces la máquina levantó y extendió tres de sus brazos, uno a la izquierda y dos a la derecha, para accionar diversos mandos.

Y entonces, respondiendo inmediatamente a las órdenes recibidas por el mecanismo, sintieron cómo el submarino se inclinaba y giraba hacia la derecha. Todos buscaron, instintivamente, un punto al que sujetarse.

—Ingenioso... —murmuró Swezey.

El capitán esperó que finalizara la maniobra, y entonces dio la orden a la inversa. Todo el proceso se repitió de nuevo, el sonido del taladro, la cinta agujereada iniciando su viaje hacia la entraña del autómata. Sólo que, esta vez, la secuencia trazada en ella hizo que la nave recuperara el rumbo anterior.

—Quien haya diseñado este mecanismo ha de ser un hombre muy capaz, capitán —dijo Tesla. Eran sus primeras palabras desde que habían entrado en el puesto de mando—. Confieso mi curiosidad por conocerle.

—¡Oh! Un deseo fácil de cumplir, doctor. Muy pronto le conocerá.

Un chasquido mientras la cabeza del autómata giraba levemente hacia la izquierda, acompañando la retirada de los brazos a su posición de descanso, otorgó un extraño colofón a esas palabras.

24

El viaje duró dos días en los que no ascendieron en ningún momento a la superficie. Dos días que transcurrieron con tranquilidad, incluso con monotonía, algo que resultó un cambio radical, y agradecido, con respecto al vértigo de las jornadas anteriores. En algunos momentos, a Edgar el interior del submarino se le hacía demasiado agobiante, especialmente cuando pensaba en su madre, en lo desesperada que debía de sentirse al no saber nada de ellos. Se preguntaba qué explicación le daría el FBI, aunque no se hacía ilusiones. Aunque por dentro estaba convencido de que Pamela nunca podría aceptar una historia que pretendiera convertir a su hijo en un terrorista o algo igual de peligroso, lo cierto era que le costaría mucho hallar una explicación que le permitiese ahuyentar de forma definitiva las sospechas. Ahora, todo el peso de sacar adelante la pensión recaería sobre sus hombros, siempre que conservara suficientes clientes a los que no les importara vivir en un lugar que despertaba tanta atención de las autoridades. Y lo que era peor, lo haría reprochándole internamente a Edgar su irresponsabilidad, haberse metido en líos que le superaban y donde nadie le llamaba... Cuanto más lo pensaba, más se revolvía éste en su fuero interno al pensarlo.

En esos momentos, Edgar querría salir del submarino, no sabía muy bien para qué ni para ir a dónde, porque se sentía enjaulado. Cierto que allí, al menos en teoría, estaban en manos amigas, pero la ausencia de respuestas claras seguía inquietándole. De hecho, a pesar de los buenos modales y de que indudablemente debían estar agradecidos a Tavernise y su misterioso patrón, nada contradecía el hecho de que, en realidad, no dejaban de ser prisioneros.

En una de las conversaciones que intercambiaron para llenar las horas, Edgar trasladó sus sospechas a Francesca.

—Tampoco tenemos muchas opciones —le respondió ella—. Al menos, no estamos en manos del FBI.

—... ni a ti te han deportado.

Ella asintió, en silencio. Edgar aprovechó para hacerle la pregunta que le rondaba continuamente por la cabeza:

—¿Por qué nunca nos lo contaste? ¿Creías que no lo entenderíamos?

La chica sacudió la cabeza.

—No quería poneros en peligro.

—¿A nosotros? ¿Qué podría pasarnos? Estamos a miles de kilómetros de Italia. Con nosotros estabas segura...

Francesca sonrió. Su mirada se tiñó de cariño.

—Sigues siendo tan ingenuo, Edgar...

Él le contestó, molesto:

—¡No digas eso! ¡No soy ningún ingenuo!

—¿No? Mira en qué lío te has metido por ayudar a unos desconocidos...

Él calló unos segundos. Lo cierto era que no tenía ninguna respuesta lo suficientemente convincente para eso.

—No pude hacer otra cosa —dijo al fin—. Sé que es difícil de entender, y ni siquiera puedo explicármelo a mí mismo, pero es así.

Se quedaron en silencio. Al final habló ella, sin mirarle directamente:

—Cuando llegué a América, me fui a vivir a Little Italy con una hermana de mi madre. Todo iba bien, y aunque echaba de menos a mis padres, era una niña que iba al colegio y vivía rodeada de gente de mi tierra.

»Hasta que, un día, un profesor de matemáticas comenzó a mostrar un repentino interés por saber cómo me encontraba. Quiso saber quiénes eran mis padres, por qué no se habían venido conmigo a Estados Unidos... Ingenua de mí, pensé que era un interés real. Yo asistía embobada a sus clases; creo que estaba incluso enamorada de él, enamorada como tantas niñas estúpidas de sus profesores. Sea como sea, hice lo que nunca había hecho: le hablé de mis padres, de cómo habían tenido que esconderse cuando Mussolini llegó al poder. Yo no entendía todos los detalles, claro, pero lo que le conté fue suficiente como para que atara cabos.

»A partir de ese momento, todo cambió. Aquel profesor debía de ser uno de los agentes de Mussolini que vivían en medio de la comunidad italiana. Oficialmente, Estados Unidos no se inmiscuía en la política interna del *Duce*, pero el temor a que entre los opositores que habían emigrado a Estados Unidos pudiera haber células comunistas había hecho tolerante al Gobierno con la presencia de hombres del régimen infiltrados entre la comunidad.

»Pero aquella presencia, que en un primer momento había tenido una mera función de vigilancia, había ido derivando en un control cada vez mayor. En todo el barrio regía una especie de sistema paralelo, en el que opositores y fascistas jugaban a pequeña escala la misma partida que en Italia.

»Poco tiempo después de que le hiciera aquella confesión a mi profesor, comenzó una campaña para asustar a mis tíos. Al principio, se limitó a notas anónimas que alguien pasaba por debajo de la puerta. Más tarde, una piedra irrumpió en nuestro salón tras hacer añicos el cristal de la ventana. La gente comenzó a callarse cuando entraba en una tienda para hacer algún recado que me hubiese encargado mi tía, y en el mismo colegio mis compañeras empezaron a hacerme el vacío. Los recreos en el patio se convirtieron en algo eterno. Los pasaba sola en un rincón, sentada con mi uniforme, mirando cómo jugaban las otras niñas. Una vez vi el rostro de mi profesor observándome desde una ventana, y sentí una mezcla de indignación y miedo. Nunca más me volvió a hablar directamente y sus clases, que antes habían sido una delicia para mí, se habían convertido en una tortura.

»Cuando acabó aquel curso, nunca volví al colegio. Para entonces, mis notas habían caído en picado. Pero aquello fue sólo un alivio momentáneo. Volvieron las llamadas en medio de la noche, los insultos. En una ocasión, mientras iba caminando con mi tía por Grand Street, nos arrojaron un cubo lleno de orina y excrementos. Y mientras tanto, seguían llegando las notas anónimas... Sólo que ahora hablaban de mí, les decían a mis tíos que sabían quién era yo, quiénes eran mis padres y lo que habían hecho, y que por mucho que quisieran protegerme no tardarían en agarrarme y mandarme de vuelta a Italia.

—¿No acudisteis a la policía? —preguntó Edgar, boquiabierto.

—¿Para qué? No nos iban a ayudar... No había nadie concreto a quien culpar ni nada que demostrar, y en todo caso el remedio habría sido peor que la enfermedad. Además, ni siquiera podíamos fiarnos de ellos: la mayoría de los policías estaban a sueldo de alguien, y no podías estar seguro de si no serían precisamente aquéllos a los que querías denunciar los que estuviesen pagándoles. Y aunque no fuera así, mis tíos preferían no atraer aún más la atención sobre mí. Nunca lo he sabido con claridad, pero mi salida de Italia no debió de ser todo lo legal que hubiese sido deseable; de hecho, me hicieron pasar por hija de una pareja que emigró a Nueva York.

»Pero tanta prudencia no sirvió de nada, y el hostigamiento continuó. Hasta que, una noche, un par de policías trajo a mi tío a casa en un estado lamentable. Alguien le había dado una paliza tremenda... si es que no habían sido ellos mismos. Nunca lo supimos porque él nunca quiso contarnos quién lo hizo. O al menos, durante el tiempo que aún estuve con ellos, que no fue mucho.

»La idea de que yo era el problema llevaba tiempo acompañándome, y aquello no hizo más que acrecentarla. Me vi a mí misma como un peligro que atraía la desgracia sobre los que estaban a mi lado, y comprendí que mientras estuviera en esa casa, nunca les dejarían en paz. Así que una noche me levanté, cogí la maleta que había preparado con la poca ropa y las pocas cosas que pude meter, y me fui. No sabía hacia dónde, pero sí que tenía claro que al menos tenía que cruzar el río y abandonar Manhattan. Llegué a Brooklyn y estuve buscando dónde alojarme y conseguir un trabajo. La fortuna hizo que antes de que acabara el día recalara en vuestra pensión... El resto, ya lo sabes.

Cuando ella terminó su historia, Edgar no dijo nada. Entendió que debía darle un tiempo, por respeto. La Francesca que ahora descubría traía todo un mundo consigo.

—¿Has vuelto a saber de ellos?

Negó con la cabeza.

—No. No quería volver a ponerlos en peligro. Algunas veces pienso en si no me comporté como una cobarde, si en realidad no les abandoné cuando el daño ya estaba hecho. Ya estaban marcados, y mi ausencia no cambiaría eso... Pero nunca tuve el valor suficiente de volver. Y me lo reprocho, muchas veces me lo reprocho —levantó la mirada hacia él—. Por eso te entiendo, no hay decisiones que sean del todo buenas o malas. Hay decisiones que, simplemente, no podemos evitar tomar. Eso es todo.

Edgar asintió. Era la primera vez que la veía tan serena, como si a ella misma le hubiese aliviado descargarse del peso de la historia al compartirla. Ahora comprendía perfectamente su expresión de paciencia cuando compartía con ella alguno de sus problemas. Se dio cuenta de que debían de parecerle nimiedades, los pequeños contratiempos de quien no ha conocido un mundo de palizas, espionaje y clandestinidades.

Ninguno de ellos añadió nada más. No hacía falta; Edgar sólo extendió su brazo y le puso la mano sobre el hombro.

Entonces, ella levantó la cabeza y le miró. Esbozó una sonrisa triste; no lloraba, pero sus ojos transmitían una calidez especial. Levantó la mano y la puso sobre la de Edgar. La de ella estaba fría, y éste se apresuró a cogerla entre sus dedos.

Estuvieron así un rato, sin decirse nada. En realidad, ninguno de los dos quiso alterar un instante en el que las diferencias abiertas entre ellos se suturaban a toda prisa. Y Edgar se sintió, internamente, feliz: volvía a estar de su lado. Y eso, en un momento en el que estaban solos entre desconocidos y casi desconocidos, era muy importante. Siempre se habían tenido uno al otro, pero nunca como hasta entonces eso había sido tan evidente.

La travesía continuó monótona, sin sorpresas. Hasta llegaron a acostumbrarse al sonido y las vibraciones de los motores. Cuando no estaban en sus camarotes, pasaban el tiempo en el comedor. Un intento de Edgar de jugar al ajedrez con Tesla acabó de forma tan rápida y aplastante en victoria para el anciano, que le quitó las ganas de volver a intentarlo. El inventor propuso entonces que probaran con las cartas, pero el resultado fue igual de nefasto para el joven. De hecho, y aunque no fuera precisamente un as de la baraja, estaba convencido de que el anciano estaba haciendo trampas... algo que, por supuesto, se cuidó muy mucho de insinuar.

Justo durante una de esas partidas, el anciano se había quedado absorto mirando las cartas. Cuando el tiempo fue pasando sin que se decidiera a deshacerse de ninguna, llegó un momento en que Edgar se obligó a preguntarle:

—Señor Tesla, ¿se encuentra bien?

El anciano no contestó. Ahora parecía mirar al propio Edgar, pero éste comprendió que en realidad no estaba viéndole; parecía más bien mirar a través de él. El joven temió que estuviera ocurriéndole algo parecido a lo que le había sucedido cuando pidió el servicio para el difunto Mark Twain.

Temeroso, Edgar terminó levantándose. Comprendió que lo mejor era avisar a Swezey; él sabría qué hacer con él. Se dio la vuelta y echó a andar, pero, cuando llevaba tan sólo un par de pasos, oyó la voz de Tesla que le llamaba:

—¿A dónde vas, chico?

Edgar se dio la vuelta, estupefacto. El anciano le miraba como si no hubiera sucedido nada raro; es más, lo hacía como si lo único raro fuese que él se hubiese puesto en pie para abandonar la partida.

—Yo... me preguntaba si...

—¿Si tienes buenas cartas? Bien, pues la respuesta está en tus bazas, ¿no crees?

Edgar asintió, sintiéndose estúpido. Comprendió que era mejor no decirle nada sobre lo que había ocurrido; o bien no se había enterado, o bien él no le daba ninguna importancia. Era desconcertante, pero al menos ya estaba de vuelta.

—Sí, supongo que sí.

Volvió a sentarse ante Tesla, pero fue incapaz de concentrarse de nuevo en el juego. Al menos, para esta derrota tuvo una buena excusa.

Al final de los dos días, la megafonía de la nave les informó de que iban a proceder a emerger. En el salón, una placa metálica descendió para cubrir el ventanal, y a continuación sintieron la inclinación de la nave que ascendía, siguiendo las indicaciones del pulpo mecánico que hacía las veces de piloto. Cuando finalmente salieron a la superficie, el capitán les invitó a asomarse a la cubierta, no sin antes facilitarles unos abrigos.

Un marinero abrió la escotilla y les franqueó el paso. Sintieron una oleada de aire frío que, antes de convertirse en una gélida experiencia, tuvo un efecto revitalizador después de tantas horas encerrados, respirando una y otra vez el mismo aire reciclado. Siguieron al capitán y se acomodaron en lo alto de la torreta del *Oxtrott*.

Se encontraron rodeados por todo un espectáculo de naturaleza sin la menor presencia de la mano humana. El submarino se había detenido ante una costa repleta de grandes árboles, que llegaban prácticamente hasta el mar. Más hacia el interior, comenzaba un manto de nieve que se extendía hasta las montañas que, a lo lejos, trazaban el fondo del paisaje.

—¿Dónde estamos? —preguntó Francesca.

—Parece que en algún lugar del norte —les contestó Swezey—. Incluso, no me extrañaría que eso que tenemos delante fuera Canadá.

Sus alientos se condensaban en nubes de vaho que por un momento se extendían en el aire gélido. El *Oxtrott*, mientras tanto, no permanecía quieto, sino que se acercaba hacia una cala que en un primer momento no habían visto, poco más que un estrecho hueco entre dos acantilados, y en la que les esperaban unos vehículos.

Volvieron a meterse en el submarino para recoger sus cosas y prepararse para bajar a tierra. Poco tiempo después, el submarino estaba atracado en un embarcadero que parecía construido a medida para él, y el grupo descendió por la misma puerta lateral por la que habían accedido hacía lo que ahora les parecía mucho más que dos días. Allí, el capitán se despidió de ellos y los encomendó a cuatro hombres con uniformes de invierno, con la misma «A» en la pechera de sus uniformes, pero en este caso con unos esquíes entrelazados. Y también en este caso había algo añejo en sus blancos uniformes.

Fueron repartidos en los dos vehículos, con una pareja de soldados en los asientos del piloto y el copiloto. Cuando estuvieron sentados, se pusieron en marcha, Swezey y Tesla en el primer vehículo, Francesca y Edgar en el segundo. Los terrestres, que dejaban una pequeña nube oscura a su paso y eran sorprendentemente ruidosos en medio de aquel apabullante paisaje natural, avanzaron por una especie de camino abierto entre la masa forestal, donde, a pesar de sus gruesas ruedas, sentían las constantes sacudidas de lo irregular del terreno.

Pronto llegaron a la zona cubierta de nieve. Desde que el control climático era un hecho, los Gobiernos de las principales potencias se habían puesto como prioridad hacer habitable la mayor extensión posible de superficie del planeta, lo que se traducía en convertir en fértiles los desiertos y las tierras cubiertas por la nieve y el hielo, algo que, por supuesto, había encontrado el entusiasta apoyo de países en construcción como Canadá, que de ese modo podría ver radicalmente incrementada su superficie útil. Pero la idea también suscitó la resistencia de un grupo de influyentes científicos, entre ellos varios premios Nobel, que advirtieron del peligro que representaría liberar tal cantidad de agua líquida, ahora retenida en su forma sólida, y que vertida al océano provocaría un aumento del nivel del mar que condenaría numerosos puntos de los litorales y amenazaría con sumergir ciudades como Venecia, e incluso países enteros, como Holanda.

Tildados en un principio de alarmistas, la irrupción del agua en la ciudad de Nueva Orleans, que provocó unas desastrosas inundaciones cuyos efectos aún eran visibles, hizo comprender a las naciones que la amenaza era real, y así, dos años después, se inauguró en Ginebra, auspiciada por la Sociedad de Naciones, la Conferencia Internacional para la Determinación de las Tierras Habitables, que en el plazo de cinco años de trabajo debía entregar un completo mapamundi con las especificaciones de qué tierras serían finalmente ganadas para la labranza y la población, y cuáles se quedarían como desiertos de sol o hielo. Sin embargo, y dadas las diferencias entre los distintos Gobiernos, nadie creía que fuesen a cumplir con el plazo que ellos mismos se habían concedido.

Mientras tanto, Canadá esperaba, y la superficie cubierta por el hielo apenas había mermado un 5 por ciento. Todo parecía indicar que en ese momento estaban desplazándose por ella. Pronto la acumulación de nieve fue tan grande, y la concentración de árboles tan disminuida, que los terrestres se detuvieron y, con un ingenioso sistema de soportes que elevaron los vehículos y permitieron que las ruedas perdiesen contacto con el suelo, cambiaron automáticamente a unos esquíes que enseguida se revelaron como el mejor modo para moverse por aquel terreno.

La belleza del paisaje era realmente sobrecogedora. Acostumbrados al frenesí de Nueva York, una ciudad limpia pero muy poblada, con objetos en movimiento continuo por el cielo, por la tierra, bajo el suelo, en sus puertos y ríos, la tranquilidad que les rodeaba, sólo rota por el sonido de los motores de los terrestres, ofrecía un contraste extremo. Casi servía para olvidar que eran unos fugitivos que habían tenido que abandonar sus casas. Casi...

Edgar no sabría decir cuánto tiempo duró su excursión, pero en un momento dado le pareció ver una colina con una especie de torre en lo alto. La torre fue cada vez más visible según siguieron avanzando, y cuando por fin flanquearon la colina, apareció ante ellos un pueblo encajonado entre elevaciones del terreno, un conglomerado de edificios entre los que destacaba una fila de altas chimeneas que lanzaban volutas de humo negro al aire. Al acercarse más, vieron que un gran muro circundaba el complejo. Y éste estaba sembrado, a lo largo de todo su perímetro, de puestos automáticos de ametralladoras.

Fuera quien fuera el que vivía allí, tenía la seguridad como una de sus prioridades.

Tras detenerse apenas un momento en la garita de entrada para que otro soldado con uniforme blanco comprobara su identidad, la pesada puerta metálica se abrió y penetraron en el pueblo. Edgar estaba boquiabierto: se trataba de una especie de calle principal de un pueblo del Oeste, con casas y lo que parecían almacenes y hangares a los lados. Y por allí se asomaba gente que se detenía y les miraba con curiosidad. Algo más apartada y junto a las chimeneas, se distinguía la gran masa de lo que parecía una fábrica en pleno funcionamiento.

Pero, con ser sorprendente, aquello no le resultó tan admirable como el edificio al que se dirigían y en el que desembocaba aquella calle, una construcción que no sólo ocupaba el centro del complejo, sino que además destacaba como una joya en comparación con el resto de las casas, mucho más sencillas y prácticas en su diseño.

Cuando los vehículos se detuvieron, apareció ante ellos una gran y elegante mansión, que parecía haber sido trasladada hasta aquel lugar dejado de la mano de Dios piedra a piedra desde la vieja Inglaterra. En lo alto de la escalinata de la entrada les esperaba un hombre vestido de mayordomo con el cuello, eso sí, convenientemente envuelto en una gruesa bufanda. Una imagen en verdad anacrónica y fascinante, que tuvo su toque de gracia con el saludo de bienvenida:

—Doctor Tesla, señorita, caballeros. Es todo un honor para mí darles la bienvenida a Villa Astoria —les saludó, su cuerpo absolutamente rígido, cada palabra pronunciada con la exactitud y el ritmo de un discurso perfecto—. Soy Richard Kaplan, el mayordomo de la casa, y estoy a su servicio para lo que necesiten. No se preocupen por el equipaje; nuestro personal se encargará de entrarlo y llevarlo a sus habitaciones. Espero que hayan tenido un viaje agradable. Si me acompañan, el señor les espera en la biblioteca, y está impaciente por recibirles.

A Edgar no le pasó inadvertida la reacción que el nombre del lugar produjo en Tesla, quien previamente había estudiado con gran interés el escudo que lucía la bandera que ondeaba en un mástil ante la entrada. Su rostro dibujó la sonrisa suficiente de quien, de nuevo, vuelve a comprobar que tenía razón. Era evidente que él ya sabía a dónde les había llevado aquel extraño viaje y quién les esperaba en el interior de esa desconcertante mansión.

25

Nada más dejar atrás la entrada, se encontraron con un grupo de autómatas que les esperaba para recogerles los abrigos y los gorros. Como el timonel del submarino, tenían algo en su diseño que les hacía parecer vagamente humanos, pero más grandes que un adulto, con sus anchas espaldas, cabeza en forma de cúpula redondeada y, sobre todo, la imitación del uniforme de los sirvientes en la capa de pintura que lucían sobre la carcasa metálica. Sus brazos articulados terminaban en unas pinzas capaces de sujetar con delicadeza las telas que les fueron entregando, y la plataforma sobre la que se apoyaba el torso, que terminaba en su parte inferior en un juego de ruedas que les permitía desplazarse, carecía de cualquier parecido con unas piernas.

—Si son tan amables de acompañarme, por favor —les indicó Kaplan.

La comitiva se puso en marcha por un amplio pasillo exquisitamente decorado. Cada detalle rezumaba elegancia y estilo, como si estuvieran a punto de tomar el té en algún lugar de la campiña de Devonshire y no en una zona deshabitada cercana al Círculo Polar Ártico. Pasaron ante ellos cuadros con estampas de la caza del zorro, damas de tez delicada y primorosas sombrillas leyendo a la sombra de un banco bajo un árbol y niños vestidos como pequeños marineros que jugaban con aros y peonzas. Dos de los criados mecánicos cerraban la marcha, y podían oír el deslizamiento de sus juegos de ruedas sobre el suelo. En aquel lugar hacía una temperatura perfecta, aunque la iluminación era un tanto escasa. Por fin, llegaron ante una gran puerta, donde Kaplan se adelantó a llamar con suaves golpes. Alguien contestó desde dentro, y el mayordomo procedió a abrir la puerta con ligera teatralidad.

Se quedó a un lado y les franqueó el paso. Los recién llegados entraron en una biblioteca con altas estanterías llenas de libros, algunos de aspecto muy antiguo, que cubrían gran parte de las paredes no ocupadas por las amplias ventanas. En un rincón podía verse la reproducción de un globo terráqueo y, en otro lado, un grueso atlas abierto sobre un atril. En la chimenea ardía un fuego que ejercía una cálida atracción. Encima de ella, colgaba el retrato a tamaño natural de un hombre joven vestido de forma ceremoniosa de uniforme y mirada orgullosa, con grandes bigotes perfectamente encerados y ojos enfocando con estudiada determinación a algún punto hacia su izquierda. El conjunto resultaba sorprendente.

Aunque no tanto, claro, como encontrarse a ese mismo hombre, años más viejo, de pie junto a la chimenea mientras les veía acercarse, vestido con el traje y las botas de un señor inglés, el brillo de la cadena de su reloj de bolsillo devolviendo el refulgir del fuego y su mano izquierda apoyada en un bastón elegantemente labrado.

A sus pies pudieron ver un autómata del tamaño de un perro, una especie de caja con una cabeza con dos células fotoeléctricas por ojos sostenida sobre un cuello extensible, cuatro ruedas en vez de patas y una cola enhiesta que comenzó a oscilar con frenesí. El pequeño ingenio se puso en marcha y se acercó a ellos, su mandíbula abriéndose y cerrándose para emitir un sonido mecánico que recordaba levemente a un ladrido. Cuando terminó de pasar revista a todos, haciendo una pantomima de olisqueo de sus piernas, y sin detener el frenético movimiento de la cola, volvió de nuevo al lado de su dueño. Una vez allí, las ruedas desaparecieron en su vientre de caja, el soporte de la cabeza se retrajo y las células de sus ojos giraron sobre sí mismas y se ocultaron. A pesar de su evidente naturaleza artificial, daba una convincente sensación de proceder a echarse una siesta.

—No se preocupen —dijo el hombre, con una voz que revelaba su origen aristocrático desde la primera sílaba—, Seleno no muerde. No podría, no tiene dientes. Pero sí un sensor de movimiento que ha detectado su presencia, y está construido para interactuar con cualquier objeto animado que pueda encontrarse en su camino. —Sonrió. El bigote absolutamente pincelado que lucía en la foto seguía estando en el mismo sitio, aunque ahora era blanco. La frente había dejado paso a una calvicie que sólo le había dejado unas pequeñas capas de pelo sobre las orejas. Ahora, su atención se concentró en el anciano—: Tesla, es un placer verte de nuevo. Ha pasado mucho tiempo.

El inventor sonrió.

—El placer es mío, coronel. Sobre todo, porque me permite comprobar que los rumores sobre su muerte han sido exagerados —se volvió a sus compañeros de viaje—: señorita, señores; les presento a John Jacob Astor IV, heredero de una de las mayores fortunas de Norteamérica, y declarado oficialmente muerto en 1922.

Edgar volvió a sentir ese ramalazo de sorpresa que parecía venir para quedarse: ¿acaso era ése el Astor del que hablaba Kachelmann en su grabación, el multimillonario que supuestamente iba a financiar todos los sueños que Tesla le había contado durante su almuerzo en Delmonico's? Realmente, aquel cilindro estaba repleto de contenido profético...

Astor sonrió.

—Todos sabemos que no hay que creer todo lo que publican los periódicos. Sobreviví al accidente del *Titanic*, pero lo cierto es que luego pensé que, al fin y al cabo, la de morirse no era tan mala idea. Sobre todo, si quería conseguir lo que deseaba.

—Y, ¿qué era? —preguntó Swezey.

Astor hizo un gesto con los brazos y la mirada que abarcó la sala entera.

—Todo esto. Y la tranquilidad que conlleva, supongo.

—No está mal —terció Tesla con sonrisa irónica—. Eso sí, me temo que a cambio tuvimos la oportunidad de asistir al espectáculo de una desconsolada esposa que paseó su pena por todos los periódicos y programas de radio.

La sonrisa de Astor se hizo aún más profunda.

—Tengo entendido que encontró una forma rápida de superar la congoja. Considerablemente más joven que yo, por cierto. Lástima que mi familia la obligara a renunciar a la herencia para poder casarse con él, pero les puedo asegurar que no tuve nada que ver con tan drástica decisión; la opinión de los muertos no suele tenerse en cuenta en estos casos.

»Pero disculpen; soy un pésimo anfitrión. Deben de estar agotados de un viaje tan largo, y ni siquiera les he invitado a sentarse...

Astor les señaló unos amplios y mullidos sillones y un sofá situados en el centro de la sala, al alcance del calor de la chimenea. Mientras tomaba asiento, Edgar vio que en el otro lado de la gran habitación había tres televisores con el sonido apagado, un aparato de radio y un quiosco.

Su anfitrión siguió su mirada y comprendió qué era lo que le había llamado la atención.

—Efectivamente, tenemos contacto con la Red Mundial, señor...

—Kerrigan. Edgar Kerrigan.

—...señor Kerrigan. Pero seleccionamos meticulosamente qué es lo que queremos recibir. Nuestro interés es, digámoslo así, preventivo. Si hemos decidido aislarnos en este lugar alejado de las rutas de los oceánicos y las expediciones geográficas, no ha sido desde luego para estar pendientes de las minucias que suelen llenar el espacio y el tiempo de los medios. Sin embargo, y como puede imaginarse, nuestra seguridad hace que no podamos permitirnos desconectar por completo.

»Gracias a ello, puedo decirles que la situación que han dejado atrás está tomando tintes bastante... interesantes. El Gobierno no parece saber cómo explicar que no pueden entregar a Tesla a ese chantajista... por la sencilla razón de que no saben dónde está. Es curioso cómo has pasado del anonimato más absoluto a ocupar el centro de atención, querido amigo. Aunque lamento decir que tu fama no es precisamente la mejor; la gente no entiende muy bien qué está pasando, y me temo que ha calado la idea de que estás detrás de las acciones de ese loco.

»Por si la situación no fuera lo suficientemente delicada, parece que además los grupos extremistas europeos han tomado buena nota del hecho de que, en realidad, Estados Unidos es mucho más débil de lo que se pensaba y puede ser golpeado sin temor a represalias. Hace dos horas ha estallado una bomba ante el consulado americano en Stuttgart; tres muertos, entre ellos la esposa del cónsul; el propio presidente Hoover lo ha calificado como una verdadera tragedia.

—¿Quién está detrás de todo esto? —preguntó Tesla.

Astor levantó las cejas en un gesto de sorpresa.

—¿Es que de verdad no lo sabes?

—Tengo una sospecha, una sospecha muy fuerte. Pero no la total seguridad.

En lugar de responder, Astor extendió la mano hacia un cuadro de control que descansaba sobre una mesilla al lado de su sillón. Pulsó un par de mandos, y una televisión de las situadas al otro lado de la biblioteca comenzó a reproducir de nuevo el mensaje del chantajista que había resonado en Nueva York justo después de la tormenta de granizo.

El rostro de Tesla se ensombreció según iba escuchando la retahíla de amenazas y exigencias.

—Por supuesto... —dijo al cabo de unos minutos—. Sólo podía ser él.

—Titus de Bobula. Claro que sí; en mi vida he conocido a nadie más iluminado, pero a la vez más decidido. Y parece que, además, ha conseguido los medios y la tecnología.

—Pero ¿cómo? En las investigaciones que compartió conmigo en el laboratorio de Welfare Island nunca llegamos tan lejos... era demasiado peligroso.

Edgar asistía absorto a aquella conversación, pero la mención al almacén donde había estado refugiado Tesla hizo que aumentara aún más su atención. Recordaba a la perfección los restos de maquinaria; con razón había tenido la impresión de que el anciano ya conocía aquel lugar. Así que no pudo evitar preguntar:

—¿Es que... usted trabajó con él?

El anciano le miró. Se enderezó en su asiento, como si una parte de sí reaccionase de manera hostil a la necesidad de tener que dar explicaciones.

—¡Por supuesto! ¿Cómo si no habría aprendido lo suficiente sobre cómo aprovecharse del sistema que yo creé?

Ahora le tocó a Edgar sorprenderse del orgullo que traslucía la respuesta de Tesla:

—¿Es que... no vio que estaba asociándose con un delincuente?

Swezey le fulminó con la mirada. Un sonido indefinido, de sorpresa e incomodidad, recorrió a los mayores del grupo.

—¡Habla con más respeto, chico! —le amonestó Swezey—. No pienso consentir que te dirijas así al doctor...

Éste extendió el brazo hacia su joven discípulo. Clavó su mirada en Edgar; éste, de nuevo, no supo decir si le calibraba, o si en realidad se esforzaba en transmitirle algo.

—En aquella época aún no había entendido lo que me había sucedido. De hecho, fui lo suficientemente ingenuo como para creer que lo que me habían hecho se podía revertir. Un juez de Nueva York acababa de fallar en mi contra, alegando que mis afirmaciones de que Edison y Marconi estaban utilizando en realidad patentes creadas por mí carecían de sentido. En teoría, aún tenía abierta la puerta para apelar al Tribunal Supremo federal, pero mis recursos se agotaban y no me lo podía permitir.

»Entonces, apareció De Bobula. —Tesla miró a su anfitrión—. Jack, háblale de él, por favor; a ti te creerá más.

A Edgar no le pasó inadvertido el tono algo dolido en el que Tesla pronunció esto último.

—Bien —comenzó con suavidad su anfitrión, con la evidente intención de serenar la situación—, lo cierto es que, para ser sinceros, cuando Tesla conoció a De Bobula, éste era cualquier cosa menos un delincuente. Todo lo más, podía ser tildado de peculiar, alguien que se había empotrado en la alta sociedad sin que ésta supiera muy bien qué hacer con él.

—¿Era millonario como, como...? —Edgar no sabía muy bien cómo terminar la frase.

Astor abrió mucho los ojos y le miró, divertido.

—¿Como yo? —soltó una educada carcajada—. Joven, puedo asegurarle que prácticamente nadie en aquellos años era más rico de lo que lo era mi familia.

»Sin embargo, no puede decirse que De Bobula pasara estrecheces. Se las había arreglado para casarse con la heredera de una de las mayores fortunas procedentes del acero. No fue un matrimonio que entusiasmara al padre de la muchacha, porque De Bobula era un simple arquitecto que había emigrado a Estados Unidos desde su Hungría natal, y aunque había firmado alguna de las iglesias ortodoxas más importantes de Pensilvania y algún que otro edificio en Nueva York no exento de mérito, para nosotros seguía siendo poco menos que un dotado artesano. No suele haber precisamente simpatía en los círculos más exquisitos hacia los que son capaces de hacer cosas sólidas, tangibles, fabricadas con las manos —acompañó esto último con una sonrisa irónica.

—No era millonario, pero sí que tenía los medios suficientes para levantar un laboratorio —tomó el relevo Tesla—. Y eso fue precisamente lo que me ofreció, en un momento en el que literalmente lloraba por las noches ante la impotencia de no poder hacer nada para evitar el robo que, día tras día, se iba consumando.

»Comenzamos a trabajar juntos, pero pronto vi que nos movían distintos intereses. El mío era encontrar la forma de salvar mi visión, porque veía que el concepto que yo tenía de lo que debía ser la Red y el que tenían Edison, Marconi y los otros eran radicalmente diferentes. Yo había concebido una Red abierta, sin un centro claro, que fuese desplegándose de una manera igualitaria.

—Un sueño un tanto peligroso, Tesla —le interrumpió Astor—. E impracticable; nadie lo ha llevado adelante, ni siquiera en Rusia.

—¡Era totalmente posible! —protestó éste—. Pero fue abortado antes de nacer. En lugar de ello, Morgan padre, y después su hijo, diseñaron un sistema con un centro. O lo que es lo mismo, con un control. Yo no quería aquello, y por eso me decidí a revertir el proceso, porque pensaba que, si podía demostrar que mi sistema podía funcionar, su superioridad evidente lo llevaría a imponerse.

»Pero De Bobula buscaba otra cosa, luego lo entendí. Él sólo quería aprender a manipular la Red, y por entonces no sabía para qué. Finalmente, acabé dejando el proyecto, y el propio De Bobula acabó cayendo en desgracia. Lo último que supe de él era que se había divorciado, después que se había arruinado y que, finalmente, se había vuelto a su Hungría natal.

»Eso había oído. Pero está aquí de nuevo. Y parece que no ha perdido el tiempo...

Hubo un momento de silencio. Edgar se sentía molesto por las insinuaciones que sabía habían teñido su pregunta, pero no sabía muy bien qué decir. Fue Swezey, quien estaba sentado al lado de Francesca, que contemplaba atenta la escena, tratando de encajar toda aquella información nueva, quien finalmente habló:

—El doctor Tesla dejó las investigaciones en un punto en el que aún no era factible intervenir en la Red... ¿Cómo habrá llegado De Bobula a conseguirlo él solo?

El millonario carraspeó.

—Me temo que eso tiene fácil explicación —dijo—: yo le financié.

Aquellas palabras despertaron la inquietud en el grupo de los recién llegados.

—¿Es que... tiene usted algo que ver con lo que está pasando? —preguntó Swezey.

Astor se apresuró a hacer un gesto apaciguador.

—¡Por supuesto que no! Trabajé con él cinco años, pero luego no volví a saber de él. Con la ayuda de mi financiación, De Bobula retomó en Europa los trabajos en el punto en el que Tesla los había dejado. De hecho, consiguió mucho más de lo que buscaba. La idea inicial era conseguir un método para obtener la privacidad total en el intercambio de información; sin embargo, nuestros esfuerzos obtuvieron mucho más, una tecnología que no sólo permite entrar o salir a voluntad de la Red, sino también hacerlo sin dejar huella.

»Por entonces, yo estaba ya planeando mi retirada, y comprendí que necesitaba algo que me permitiera vivir tranquilo, con la capacidad de seguir oculto, pero conservando la capacidad de contactar con el sistema de forma discreta en caso necesario.

»Sí, yo buscaba mi tranquilidad, pero era evidente que sus propósitos habían cambiado. Antes sólo le movía un resentimiento hacia una clase que él consideraba que no le había aceptado, pero me temo que las consecuencias de la guerra en Europa, que tanto afectaron a Hungría, le llevaron a buscar un objetivo bastante más infame.

—Para perseguir con tanta fuerza vivir tranquilo, hemos visto muchas armas a la entrada... —dijo Francesca.

Astor esbozó una sonrisa condescendiente que Edgar imaginó que no debió de hacer mucha gracia a la chica.

—Bueno, señorita...

—De Leo, Francesca de Leo.

—... señorita De Leo. No me gustaría que se llevara una idea equivocada; en contra de lo que pueda parecer, somos una comunidad pacífica. Lo que no queremos es, simplemente, ser molestados.

—¿Cómo dio De Bobula contigo? —preguntó Tesla.

—Haciéndome el encontradizo. Sabía que no se contentaría con dejar su trabajo a medias, pero no abundaban precisamente las fuentes de financiación que a la vez le aseguraran la discreción. Al final, fue pura cuestión de lógica: los dos queríamos lo mismo, aunque ahora salta a la vista que por motivos diferentes.

»Tesla, tu creación es impresionante, pero tiene el problema de que ha hecho del mundo un lugar demasiado transparente: ya no hay paredes ni puertas, es fácil saber todo sobre todos. O mejor dicho, unos pocos pueden saberlo todo sobre los demás.

—Como si anduviera suelto el Diablo Cojuelo... —dijo Tesla.

El grupo le miró, sorprendido.

—¿Quién? —se aventuró a preguntar Swezey.

Tesla sacudió la cabeza, impaciente por tener que dar explicaciones.

—Un personaje de un libro español del siglo XVII, un diablillo travieso que levantaba los tejados de las casas para ver lo que sucedía en el interior.

Astor sonrió.

—Querido amigo, hasta ahora no era consciente de hasta qué punto echaba de menos nuestras charlas... Tenemos que ponernos al día.

El aludido inclinó la cabeza en señal de reconocimiento.

—Hay algo que no entiendo... —intervino Edgar, retomando la conversación anterior—. Si usted ya no financia a De Bobula, quiere decir que ha vuelto a encontrar a alguien que lo haga... Pero ¿quién?

Astor indicó con un balanceo de cabeza y un encogimiento de hombros que no tenía respuesta a esa pregunta.

—Lo desconozco —dijo al fin—, pero estoy convencido de que candidatos no le habrán faltado: lo que posee es demasiado valioso —miró de reojo a Tesla—. Nuestra generación se ufana de haber traído la paz mundial, pero lo que no entendemos es que, en realidad, lo único que hemos conseguido es una buena nómina de grupos y países que desearían de buen grado vernos vencidos.

—Habla usted con mucho patriotismo para ser alguien que se ha alejado de su país...

Edgar no necesitó girarse para saber quién había vuelto a lanzar una pregunta incómoda que había cortado el aire como un cuchillo. Francesca clavó sus ojos negros en Astor. Había verbalizado lo que seguramente todos pensaban, pero en realidad nadie se atrevía a decir en voz alta.

El semblante del millonario se endureció.

—No necesito demostrar nada en ese sentido, señorita. En 1898 doné mi barco personal y financié y armé a todo un regimiento en la guerra contra los españoles. Lo único que recibí a cambio fue burla y menosprecio; fue suficiente para hacerme entender que, a pesar de mi dinero, podía ser temido y obedecido, pero nunca podría aspirar a que me respetasen. Comprendí, además, que si de verdad quería dedicarme a las cosas que me importaban, debía desaparecer, no había otro modo. Si no, nunca lo lograría.

—Y el retiro ha sido provechoso —terció Tesla, con evidente intención de relajar la tensión que se había creado—. Tus avances en el campo de la teleautomática son... impresionantes. —Hizo un gesto hacia los dos sirvientes que esperaban retirados e inmóviles.

Como si hubiera entendido sus palabras, Seleno levantó el soporte de su cabeza y los falsos ojos giraron para mostrar de nuevo las células fotoeléctricas. Abrió la boca y movió la cabeza a un lado y a otro; finalmente, quedó inmóvil.

—Sí —replicó Astor—. Pero también he tenido que desarrollar un método de propulsión alternativo que no necesitara de la Red para cubrir nuestras necesidades. Creo que ya han tenido oportunidad de conocer varias de sus aplicaciones.

—¿Y el aire? ¿Ha conseguido algún aparato autopropulsado que vuele? —preguntó Edgar.

Astor le miró, visiblemente satisfecho; la escasez de momentos para lucir sus creaciones debía de ser uno de los mayores inconvenientes de su vida realizada como inventor. Pero esta vez prefirió mantener el suspense:

—Creo que esa pregunta merece esperar un poco antes de ser respondida, señor Kerrigan. Si le parece, lo dejaremos para la cena. Ahora, mis sirvientes les acompañarán a sus habitaciones para que puedan cambiarse de ropa, asearse y descansar. Eso sí; Tesla, si no tienes inconveniente, me gustaría que te quedaras un momento.

El anciano aceptó, y los demás abandonaron la biblioteca y fueron conducidos por los autómatas a sus habitaciones. Al llegar a una hermosa escalera, les hicieron un gesto invitándoles a subir. Edgar comprendió que aquellas máquinas no podían escalar los peldaños, así que iniciaron solos el ascenso.

Durante la subida, pudieron contemplar una serie de retratos de lo que Edgar interpretó como miembros destacados de la familia Astor. El más imponente era el de una mujer con una enorme presencia, que miraba desafiante al frente y lucía un collar que debía de tener un valor incalculable. Una placa sobre el marco informaba que se trataba de Caroline Astor.

—Era la madre de John Jacob —le informó Francesca—. La reina de la vida social del Nueva York de hace cuarenta años. Ser invitado a una de sus fiestas era el pasaporte para entrar en la élite. Ella fue la que unió a las familias principales de la ciudad y fundó los Cuatrocientos, como llamaban a todos los que de verdad importaban en la ciudad.

Edgar la miró, boquiabierto.

—¿Cómo puedes saber tú eso? Ni siquiera habías nacido allá en Europa...

Ella adoptó una actitud burlonamente interesante.

—Orville, hay más cosas en el mundo que tus aviones y tus ensoñaciones, créeme...

Al llegar a la planta superior, se encontraron con otro sirviente autómata que les esperaba. Parecía coordinado al detalle con los que se habían quedado en la primera planta, como si en realidad todos fueran la misma máquina. La encargada de la planta les fue asignando las habitaciones con sus brazos articulados. Cuando entró en la suya, Edgar encontró una nota sobre la cama que indicaba la hora y la sala en la que se le esperaba para la cena, así como un pequeño plano con las indicaciones para llegar.

Tenía ganas de asearse, pero más de pasar revista a todo el cúmulo de novedades que la conversación con Astor les había revelado. Pero su propósito duró poco: se tumbó en la cama, sin desvestirse siquiera, con la intención de cerrar los ojos durante unos pocos minutos; al poco tiempo estaba dormitando sobre la cama más cómoda que hubiera probado jamás.

26

En el exterior, había comenzado a nevar. Se trataba de una sensación extraña, que Edgar había conocido sólo cuando era muy pequeño. Tenía el vago recuerdo de haber abierto los postigos de su ventana y encontrarse con un espectáculo inédito, que le había hecho llamar a su madre a voz en grito para que compartiese su impresión:

—¡Mamá, mamá! ¿Qué le pasa a la calle?

Pamela había sonreído. Su pelo era maravillosamente rojo por entonces.

—Es nieve, Edgar. En Irlanda la veíamos muy a menudo.

—Es bonita.

—Para ver desde detrás de un cristal, sí. Cuando vives en una casa con apenas calefacción, llegas a odiar el color blanco, te lo aseguro.

—Pero aquí estamos bien, no hace frío.

Ella le pasó la mano por el pelo y lo atrajo hacia sí. Casi podía sentir de nuevo su olor, y un agudo sentimiento de nostalgia le invadió.

—No, Edgar. Aquí no hace frío. Aquí ya no.

—Chico, te veo absorto.

Edgar dio un respingo y se volvió. Tesla también se había acercado hasta el ventanal de la habitación en la que se había metido a hacer tiempo antes de ir a la cena. Se había levantado de un salto de la cama, sorprendido de haberse quedado dormido. Se había aseado y puesto la ropa que habían dejado para él, incluido un esmoquin y una pajarita que fue incapaz de atarse. Había abierto la puerta para buscar a alguien que le ayudase, y vio sorprendido cómo el autómata, que aguardaba en un rincón del pasillo, se dirigió hacia él nada más verle, el sonido de las ruedas al girar amortiguado por la alfombra.

Cuando llegó a donde estaba, inclinó la cabeza con las dos ranuras por ojos hacia él.

—Oh, disculpa... —dijo Edgar, señalándose los extremos de la pajarita sin anudar—. Sólo buscaba a alguien que me ayudara a...

Un zumbido surgió de la máquina, que alzó los dos brazos articulados. Edgar no pudo evitar un respingo al ver cómo las pinzas al extremo de las articulaciones mecánicas se dirigían hacia su cuello. Pero la aprensión desapareció en cuanto sintió las rápidas y hábiles manipulaciones. Fue algo vertiginoso; la máquina enseguida retiró los brazos y volvió a enderezarse. Su rostro liso e inexpresivo pareció evaluar su obra, y quizá incluso congratularse por el resultado. Fuera como fuere, lo cierto es que volvió a retroceder a su lugar de espera, y se quedó allí inmóvil.

Edgar se tocó el lazo. No estaba muy seguro de que aquella ropa pudiera sentarle bien a alguien que nunca antes había llevado un traje de semejante calidad. Todo lo más, alguno ligeramente superior a la media para acompañar a sus padres a la misa dominical. Sin embargo, cuando al cabo de pocos minutos volvió a salir de su habitación y bajó las escaleras, le asaltó un súbito sentimiento de seguridad en sí mismo, como si algo de la clase con la que estaba confeccionada aquella ropa estuviera filtrándose a través de la piel para revestir su cuerpo de joven atolondrado.

Era consciente de que iba adelantado a la hora en la que habían sido convocados, pero prefería aprovechar para conocer un poco mejor la mansión. Avanzando por el pasillo, había entrado en aquella habitación, atraído por el amplio ventanal. Se detuvo a observar la vida de aquella comunidad, los hombres que caminaban de un lado a otro llevando sacos o herramientas, los terrestres autopropulsados sobre esquíes que dejaban huellas paralelas que se confundían con otras anteriores, los soldados con el uniforme de nieve, una mujer que pasaba con un niño de la mano, otro con un pico que parecía salido de una novela de Jack London... en definitiva, el pulso de una población que se afanaba mientras la luz del sol desaparecía. Aquí y allá, comenzaban a encenderse las luces. Un poco más lejos, un carguero grande, que parecía moverse sin conductor, llevaba una gran pieza circular, probablemente para la fábrica. Por todas partes, los habitantes de Villa Astoria se esforzaban en prepararse para una noche que se antojaba difícil. Al otro lado, la naturaleza parecía tranquila, serena.

Tan absorto estaba que no se percató de que ya no se encontraba solo. De todas maneras, Edgar sospechaba que, si quería, Tesla podía moverse sin hacer el más mínimo ruido. El anciano también iba vestido con un esmoquin como el suyo, pero él lo lucía con extrema elegancia. El joven volvió a sorprenderse del aguante del anciano: por poco que hubiera durado su conversación con Astor, le habría dado el tiempo justo para cambiarse y volver a bajar. A pesar de su edad, no parecía necesitar descansar del largo viaje encerrados entre las paredes metálicas del *Oxtrott*.

—Debe de ser un espectáculo para ti —le dijo el anciano, poniéndose a su lado—. Ya nunca nieva en Nueva York.

—Sí. Mi madre odiaba la nieve, la asociaba con frío y hambre.

—¿De dónde era?

—De Irlanda.

Tesla asintió. También él pareció disfrutar del espectáculo.

—Cuando yo era niño, la nieve era muchas cosas —empezó—, pero me gusta recordar sólo las buenas. Cuando llegaba el invierno, nuestra aldea quedaba literalmente aislada. Hasta la primavera, apenas podíamos salir de casa. Tanto era así que los lobos bajaban casi hasta nuestra puerta.

—Debía de ser terrible, tenía que tenerles mucho miedo...

—Oh, no... No creas. Los lobos me parecían hermosos. En realidad, todos los animales que había allí lo eran. Una vez, me topé con uno en un sendero, era un ejemplar grande, imponente. Me miró con curiosidad, pero poco más. Aunque no fue la última vez que se cruzó en mi camino... —Tesla mantuvo un silencio breve, mientras sus ojos pretendían hacer creer que estaba absorto en lo que ocurría al otro lado del cristal. Parecía estar recordando algo. En un instante, su mente regresó del lugar de donde aparentemente se había ausentado, y esta vez un brillo especial asomó a sus ojos—. Pero en realidad, a quien más me hace recordar la nieve es a mi gato, Mačak.

Edgar le miró, sorprendido:

—¿Usted tenía una mascota?

—¡Era mucho más que eso! —Tesla le dedicó una mirada enojada—. Éramos inseparables, me seguía a todas partes, y en verano nos dejábamos caer por la ladera de la colina, dando vueltas abrazados. —Su rostro volvió a dirigirse hacia el exterior; la nube de su mirada había pasado—. Cuando eres un niño solitario en un lugar perdido de la mano de Dios, tener a alguien en quien puedas confiar de tal manera se vuelve esencial.

»Sí, Mačak fue testigo de la mayor parte de mis primeras tentativas como inventor. Estaba con él cuando me dediqué a cazar abejorros y meterlos en un tarro —una traviesa sonrisa se dibujó en su rostro—. Luego los pegaba a unas hélices, y así conseguí construir una primitiva turbina. Otras veces, simplemente nos tumbábamos sobre la hierba y le hablaba de mis proyectos, como el de una cinta que, suspendida inmóvil sobre el ecuador, permitiría a quien se pusiese sobre ella dar la vuelta al mundo en tan sólo un día...

»Pero en los días de invierno todo era diferente. Apenas teníamos un puñado de horas de luz, y sin embargo se me hacían largos como una condena. Mi madre no me dejaba salir de casa, porque mi salud era frágil, y temía que me enfermase por el frío. Así que me veía obligado a pasar el tiempo junto a la chimenea, leyendo u observando lo que hacía ella. Me fascinaba cómo era capaz de sacar adelante las innumerables tareas diarias...

»Una noche en particular, ocurrió algo nuevo. Había estado nevando muchísimo los días anteriores, pero una mañana dejó de hacerlo y la aldea amaneció cubierta por el manto más virginal que puedas imaginar. A primera hora, comenzó a soplar un extraño viento cálido del Adriático, y al irrumpir llenó el aire de electricidad estática. Desde pequeño, he tenido una especial sensibilidad para las luces y los sonidos; de hecho, si cierro mis ojos, puedo contemplar verdaderas tormentas repercutir contra la parte interior de mis párpados. Y si la estática en el aire es mucha, los rastros luminosos que dejan los copos, y que son invisibles para la mayor parte de la gente, se superponen sobre lo que veo en realidad.

»Mačak también podía verlos, estoy convencido. Y por eso se removía inquieto, junto a la chimenea, mientras mi padre fumaba sentado, seguramente preparando algún sermón o despachando algún asunto de la parroquia. Tan nervioso vi al animal, que sentí la necesidad de acariciarle para tranquilizarle. Extendí la mano —el anciano alargó la suya mientras lo narraba, hasta que sus dedos tocaron el frío cristal y se quedaron allí— y comencé a tocarlo.

»Y entonces sucedió el espectáculo más hermoso que nunca haya visto. Más hermoso que lo que logré en Colorado Springs. Más aún que la vez en que Wardenclyffe, mi primera torre, comenzó a funcionar a pleno rendimiento y ocasionó la primera Aurora. Fue tocar con la punta de mis dedos a Mačak y sentir cómo una corriente de energía surgía de su pelo, de su ser. —Los dedos de Tesla hicieron presión sobre el cristal. La mirada del anciano estaba ahora lejos, muy lejos—. Bajo mis yemas, lo sentí erizarse, mientras el animal se giraba y me miraba, quizá comprendiendo que estaba siendo objeto de uno de los fenómenos más maravillosos de la naturaleza.

»Deslicé mis dedos, y éstos fueron dejando unos rastros de luz sobre el pelaje. El animal se arqueó, pero no creo que fuera por dolor. Yo mismo he sido atravesado cientos de veces por altos voltajes de energía, y sé que no duele. Pero sí que sientes que algo externo a ti te penetra y te recorre, como si un tigre se deslizara por tu interior. Te sientes otro, otro muy distinto, porque de repente descubres que estás lleno de energía, de potencia, como si fueras a extender los brazos de un momento a otro y líneas de luz brillante surgieran de las puntas de tus dedos.

»Eso debió de sentir Mačak, que comenzó a maullar como nunca antes le había oído. Pronto, todo él estuvo cubierto de chispas y resplandores, mientras el animal se retorcía sobre la alfombra, y sólo entonces me di cuenta de que mis padres también lo veían, aunque seguramente con menos intensidad que yo.

»"Niko, ¿qué haces? Déjalo ya, ¡vas a incendiar la casa!", me gritó mi madre. Para entonces, Mačak, seguramente asustado de su propia luminosidad, se había alejado y buscaba refugio al otro lado del salón.

»"Papá, ¿qué era eso?", pregunté. Mi padre me miró. Estaba acostumbrado a tener que dar siempre una respuesta, porque eso era lo que esperaban sus feligreses. Y dármelas a mí podía ser muy difícil, porque preguntaba cosas diferentes a las de cualquier otro niño.

»Pero ésta se la sabía: "Es electricidad, Niko. Lo mismo que sucede en las copas de los árboles cuando hay tormenta".

»Electricidad. Electricidad, chico... —Tesla le miró. Pronunciaba la palabra saboreando cada una de sus sílabas, como si nunca antes la hubiese oído—. Era la primera vez que oía aquella palabra. En esa aldea alejada de todo, donde apenas teníamos otra cosa que velas y algún quinqué para iluminarnos en las largas noches, me sonó como un sortilegio, un nombre capaz de conjurar espíritus y demonios. Y me puse a pensar en el por qué de las tormentas, en por qué a veces el cielo entre las montañas parecía estremecerse y temblar, y sentías vibrar hasta la boca del estómago. El mismo aire era un incendio, y pensaba que quizá fuese la propia mano de Dios la que acariciaba al mundo, y que éste era un gran gato que se retorcía mientras veía surgir de él chispas y rayos.

»La electricidad entró en mi vida ese día de invierno, y ya nunca me dejó. Setenta años han pasado, y sigo sin comprenderla del todo. Apenas he hecho otra cosa que rozarla, pero queda aún tanto por saber, chico. Tanto, y tan poco tiempo...

Tesla se quedó en silencio. Se estaba mirando las puntas de los dedos de la mano que había presionado el cristal. Estaban levemente húmedas, producto de la condensación del aire en la cara interna.

—Es extraño. En los últimos tiempos, esos recuerdos tan lejanos vuelven con una fuerza inesperada. A veces, resultan más reales que lo que puedo tocar.

—¿Estaba muy unido a él? —preguntó Edgar.

—¿A quién? —preguntó Tesla con tono soñoliento, como si respondiera desde muy lejos.

—A su padre.

El anciano permaneció en silencio unos instantes, antes de contestar:

—Él nunca me entendió, y eso hizo que nuestra relación nunca funcionara del todo. Estaba empeñado en que yo también fuera sacerdote; creo que era incapaz de comprender que, en realidad, lo que me interesaba, lo que me hacía feliz, era otra cosa. Murió cuando yo aún era muy joven, y no tuvo la oportunidad de saber lo que yo era capaz de conseguir. Me habría gustado que hubiera vivido para verlo, para demostrarle que yo no estaba equivocado, que no quería herirle cuando me empeñaba en hacer algo diferente a lo que era su deseo.

»Las relaciones con nuestros padres pueden ser muy complicadas, chico. Pero seguro que eso ya lo has aprendido por ti mismo...

Edgar se demoró en ver caer la nieve. Ya era una verdadera cortina deslizante que se arremolinaba en torno a las farolas.

—Creo que yo me habría entendido con el mío si hubiera vivido lo suficiente —dijo al fin—. Pero murió cuando yo tenía nueve años.

Tesla le miró. Pareció abandonar por completo su ensoñación para centrarse en él.

—Debió de ser algo muy duro. ¿Cómo fue?

—Un accidente en las obras del metro. Un derrumbe. Pero en realidad él no debería haber estado ahí...

—¿Ah, no? ¿Y eso?

Edgar tragó saliva. Nunca había contado esa historia a nadie desde que había ocurrido, con la excepción de Francesca, y se sorprendió de la facilidad con la que surgía ahora, mientras hablaba con el anciano.

—Mi padre era contable en una compañía de seguros. Durante sus primeros años en Estados Unidos, había asistido a la escuela nocturna para aprender contabilidad, y eso le permitió conseguir un trabajo con el que en Irlanda nunca habría podido soñar. Pero lo perdió por no ser obediente...

Tesla le animó a seguir, intrigado.

—La empresa empezó a tener malos resultados, y alguien le insinuó que era mejor que las pérdidas se las endosaran a un departamento concreto de la compañía. Al parecer, ese departamento lo dirigía un pobre tipo que era la honradez personificada y que, además, tenía ocho hijos. A mi padre le caía bien, de hecho, era casi su único amigo en aquel edificio donde trabajaban cientos de personas, y además sabía que si daba por buenas esas cuentas falsas, al hombre le despedirían.

»Pero el director general, que era a su vez hijo del presidente de la compañía, no estaba dispuesto a que mi padre pusiera reparos en su plan para maquillar las cuentas, así que terminó arreglándolas para convencer al consejo de administración de que las pérdidas se debían o bien a unos fallos en la contabilidad de mi padre, o bien a que directamente les estaba robando. Nadie se molestó en comprobarlo; dieron por buena la explicación, y le echaron a la calle.

»Además, sus jefes se encargaron de dar a conocer lo que había pasado, de tal manera que no pudo volver a conseguir trabajo como contable en ninguna otra empresa. Al final, tuvo que conformarse con picar en zanjas o en otras obras de la ciudad, un trabajo duro y mal pagado...

—Lo sé —dijo Tesla—. Yo pasé por él.

Edgar le miró con el ceño fruncido, preguntándose si lo decía en serio. Costaba imaginarse a aquel hombre de manos tan finas empuñando un pico o una pala. Pero vio algo en sus ojos que le hizo entender que era cierto, que no mentía.

—En fin —terminó su historia—, encadenó un trabajo tras otro, hasta que un buen día le reclutaron para la ampliación del metro. Cuatro días después, el techo se vino abajo sobre su cuadrilla. Murieron tres trabajadores, uno de ellos, él.

Ya estaba. Ya lo había contado. Buscó un alivio en su interior, pero extrañamente no apareció. Sintió que aún faltaba algo. Y Tesla, como si pudiese ver dentro de su cabeza, le dio el pie para ese algo:

—¿Qué ocurrió con el hombre?

—¿Cuál?

—El de los ocho hijos, el que tu padre se negó a involucrar.

La voz de Edgar se endureció al contestar:

—Conservó su empleo; es más, fue promocionado... al cargo que había dejado libre mi padre. Mi madre decía que en realidad había participado en el montaje para que lo echaran, pero era algo imposible de demostrar.

Edgar sintió que sus ojos se humedecían.

—Sí, señor Tesla —dijo al fin, luchando para que la lágrima no terminara por deslizarse sobre su mejilla—. Los Kerrigan somos expertos en perderlo todo por ayudar a gente a la que apenas conocemos.

Para su sorpresa, vio una mano ante él. Era la del anciano, que le tendía un pañuelo. Levantó la mirada y encontró una expresión cálida en sus ojos.

—Edgar, nada de esto será en vano, estoy convencido. No sé cómo, pero hemos iniciado algo que cambiará las cosas. Algo que hubiera sido imposible sin ti.

El joven cogió el pañuelo. Se secó el surco de la lágrima y se sonó la nariz.

—¿Sabe qué le respondía mi padre a mi madre cuando le preguntaba por qué había dado la cara por él si había demostrado no merecerlo?

—No, ¿qué?

—Que ellos eran diez, y nosotros sólo tres. Que para nosotros siempre sería más fácil.

Tesla sonrió.

—Una sabia respuesta, chico.

Edgar asintió, sin saber muy bien qué decir. Miró estúpidamente el bordado con la «T» enlazada con la «N» del pañuelo usado.

—Imagino que no...

Tesla hizo un gesto de repugnancia.

—¡No, no, por favor! Puedes quedártelo. O mejor, quemarlo. Estoy convencido de que, en el futuro, los pañuelos serán desechables; es más higiénico.

Edgar asintió. Sin saber muy bien qué hacer con él, lo guardó en el bolsillo.

—Creo que será mejor que vayamos al comedor —dijo entonces Tesla—. Jack nos estará esperando para cenar, y nunca le han gustado los retrasos.

Echó a caminar, pero Edgar aún se demoró viéndole alejarse. Por alguna razón, parecía diferente, como si en el transcurso de la conversación hubiese emergido un Tesla desconocido, quizá el que una vez asombrara al mundo, brillante y visionario. Después, se apresuró a seguirle. Afuera ya sólo podía verse lo que iluminaban las luces repartidas por el complejo, y lo que estuviera pasando en las montañas y sobre los árboles era un misterio.

27

Tesla y Edgar se unieron al resto del grupo en una sala situada a la entrada del comedor. Junto a ellos estaban otras
dos personas. Uno de ellos vestía un uniforme de gala,
distinto al de Tavernise, y les fue presentado como Mark
Savage, el oficial al mando de los efectivos de tierra. Su uniforme gris mostraba su rango de capitán, y en la pechera, el
emblema ya conocido con los esquíes cruzados. Savage era
un hombre fornido, con ojos ligeramente rasgados que parecían insinuar algún ancestro exótico. El otro, un hombre
de unos sesenta años, era Charles Landler, el director de
la fábrica del complejo y la persona responsable del día a
día de los equipos de investigación. Edgar no habría tenido
dificultad en diferenciar por sí mismo quién era el hombre
de acción y cuál el de ciencia: Landler era menudo, con
unas doradas gafas redondas y dedos con las puntas grises
por el tabaco, y una evidente timidez que le impidió mirar
a los ojos a Edgar cuando le estrechó débilmente la mano.

Sin embargo, aquella novedad no fue nada comparada
con la irrupción en la sala de Francesca. El vestido que llevaba no era menos anacrónico que el resto de los que había
lucido desde que subieran al submarino, pero el efecto que
producía, con su gran falda, los hombros al descubierto
que hacían destacar el collar alrededor de su cuello y la orgullosa mirada de su rostro enmarcado por el pelo recogido, le sacudió como si la viera por primera vez. Parecía más
madura, pero también más hermosa, y, como le ocurriera

cuando contemplaron el fallo de la Aurora, eso le produjo una gran incomodidad. Para su sorpresa, algo estaba cambiando en la forma en como la veía...

Ante su entrada, el anfitrión, que hasta ese momento permanecía junto a Swezey, se adelantó para cogerle la mano enguantada y besársela. Astor lucía un uniforme de gala, de anchas solapas y grandes bocamangas, con una larga caída por detrás. El coronel estaba más imponente que nunca, firme sobre su bastón, y sonrió al saludar a Francesca, sin que mostrara el más mínimo rencor por la conversación de la tarde.

—Señorita De Leo —le dijo—, está usted radiante.

Uno de los sirvientes autómata se les acercó sosteniendo una bandeja con copas pequeñas de licor. Tesla hizo un gesto de rechazo, pero Edgar, sin saber muy bien lo que hacía, cogió una y se la llevó a la boca. Cerró los ojos al sentir una quemazón en los labios, y notó cómo el ardor subía por sus mejillas.

—Señor Kerrigan, tenga cuidado —le advirtió Astor—. No parece muy acostumbrado al jerez...

—Está... bueno.

—Tiene que estarlo, es una de las razones por las que nos tomamos muchas molestias en traerlo. El capitán Tavernise sabe muy bien con qué víveres tiene que rellenar las bodegas del *Oxtrott*.

—Y he de decir que es una labor que hace a la perfección —añadió el militar, quien se apresuró a besar la mano de Francesca mientras esbozaba una pícara sonrisa—. Señorita De Leo, capitán Mark Savage. A su servicio para todo lo que necesite.

La joven le respondió con coquetería:

—Muchas gracias, capitán. Lo tendré en cuenta.

Astor le presentó igualmente a Landler, pero en este caso el ceremonial fue bastante más breve y sencillo.

—Bueno, señores —dijo Astor cuando hubieron terminado todas las presentaciones—. Efectivamente, es una lástima que Tavernise no pueda acompañarnos, aunque disfrutaremos indirectamente de su presencia con las exquisiteces que vamos a degustar. —En ese momento, se fijó en el mayordomo, que había entrado en la sala—. Ah, ahí está Kaplan. Ha llegado el momento de que pasemos al comedor. Señorita De Leo, si me permite...

Astor le ofreció el brazo a Francesca, al que ella se cogió con su mano cubierta por un guante. Los demás les siguieron, Edgar sintiendo de manera excesiva la presión de la pajarita en torno a su cuello.

Entraron en un salón iluminado por tres grandes lámparas eléctricas que pendían del techo. Dos filas de sirvientes metálicos les ayudaron a acomodarse en sus sillas. Astor hizo sonar una campanilla, y otras dos máquinas penetraron en la estancia, llevando unas bandejas con los entrantes, mientras Kaplan supervisaba todo el proceso. Fueron conversando mientras les servían, y comenzaron a comer. Edgar descubrió que tenía hambre, y aunque la variedad de los cubiertos disponibles le apabullaba, confió en que todas las atenciones se concentraran en los pintorescos rituales teslianos antes de llevarse la comida a la boca.

La velada transcurrió animada. Astor era un gran conversador, y el propio Tesla pareció salir del estado de extrema concentración con el que se enfrentaba a la comida para recordar con su anfitrión los años pasados. Hablaron de fiestas increíbles, de un Nueva York que literalmente crecía día a día, que se iba extendiendo como una mancha de luz que iba sustituyendo al gas por la floreciente luz eléctrica.

—Eran tiempos prodigiosos, desde luego —decía Astor—. El mejor momento y lugar posibles para ser rico e invertir en negocios deslumbrantes, si se me permite la expresión. Claro que abundaban las estafas, pero aun así merecía la pena correr el riesgo. Y los resultados estaban ahí: Central Park, la Ópera, Grand Central Station...

»Salvo que fueras un Astor, claro, y tu madre fuese el centro de la vida social de la ciudad. En ese caso, no había mucho margen para que su hijo pudiera dedicarse a lo que verdaderamente le importaba, la invención. Así que tuve una vida gloriosa, una mujer hermosa... y una agenda llena de fiestas y actos sociales a los que tenía que acudir sí o sí. Mi madre era la reina, y yo el príncipe. Y cuando comenzaron las desavenencias con mi esposa, ni siquiera pude aprovechar mis privilegios para conseguir un divorcio rápido y sin problemas. Al contrario, tuvimos que disimular. No podía haber ningún escándalo en la familia perfecta.

—Debe de ser duro tener que renunciar a un sueño... —dijo Francesca.

Edgar sintió que esas palabras le estaban dirigidas, pero en realidad el rostro de ella, con su pelo negro, sus ojos oscuros y su tez morena, estaba concentrado en Astor. Y, por algún motivo, aquello no le gustó.

—Oh, sí. A mi amada esposa le parecía ridículo que un hombre hecho y derecho dedicara el tiempo a escribir relatos de... ¿Cómo llamaba Gernsback a ese género, Tesla? ¡Ah, sí! Ciencia ficción. Tenía que hacerlo a escondidas, en mi propia casa. Y lo mismo ocurría con mis otras aficiones: durante años, mi interés por los autómatas se vio reducido a la construcción de algunas pianolas y unos pocos mecanismos, de los que ni siquiera podía disfrutar porque, según Ava, mi mujer, hacían un ruido insoportable.

»Cuando mi madre murió, por fin me vi libre para vivir la vida que de verdad quería... o eso pensé ingenuamente. Publiqué una novela, *Un viaje a otros mundos*, que tuvo una discreta acogida, por decirlo de manera suave: no faltaron los comentarios jocosos en los periódicos sobre el rico ocioso que se dedica a escribir majaderías. Pero lo mejor fue que logré divorciarme de Ava a costa, eso sí, de un escándalo, y encontré a Madeleine, una bonita joven de dieciocho años que por entonces me pareció un soplo de aire fresco. Nos casamos y nos fuimos a pasar la luna de miel en Europa, alejándonos así de los cuchicheos de las comadres. Unos meses después, Madeleine quedó embarazada, así que decidimos volver a Estados Unidos. Confiábamos en que para entonces se hubieran olvidado de nosotros, y de todas maneras yo no quería que mi hijo naciera en un suelo que no fuera norteamericano. Yo no era como algunos miembros de mi familia, como mi primo William Waldorf, que prefirió irse a vivir a Inglaterra ante lo que consideraba que era la decadencia de Estados Unidos.

»Cogimos pasajes para el viaje inaugural del *Titanic*. Aquel barco era la sensación del momento: el más grande, el más lujoso y, sobre todo, considerado insumergible. La última gloria a carbón construida por la humanidad en un momento en el que los primeros navíos eléctricos comenzaban a surcar los mares. Afortunadamente, sí que tuvieron la feliz idea de dotarlo con algunas innovaciones a modo de prueba, como el sistema Marconi de detección de objetos y masas.

—«Sistema Marconi»... ¡Memeces! Yo había patentado los principios de ese sistema diez años antes —masculló Tesla, que apenas había tocado el cordero asado que habían servido de segundo.

—Es cierto, pero así era como lo llamaban... y como me temo que se sigue llamando. Y lo que sucedió con el *Titanic* terminó por hacer que se convirtiera en una instalación obligatoria en cualquier barco; no quiero ni pensar en la fortuna que esa decisión debió de hacerle ganar al *senatore*. Y eso que no funcionó al cien por cien: detectó un gran iceberg contra el que llevábamos ruta de colisión, cierto, pero no con la suficiente antelación como para que no nos tocara. En lugar de ello, lo golpeamos con la parte trasera, algo mejor, desde luego, que embestirlo de frente o rozarlo con todo el costado.

»Evitamos hundirnos, sí. Pero a cambio, nos quedamos inmóviles en medio de la nada. Lanzamos un aviso por radio, pero tardaron un día en llegar hasta donde estábamos. El tiempo suficiente para comprender que el choque no había transcurrido sin dejar víctimas: Madeleine, que se fue violentamente contra el suelo desde la cama en el momento de la colisión, perdió a nuestro niño. Para entonces, nuestra relación ya se había enfriado, y de hecho estaba dándole vueltas a cómo poder salvar la situación. En cuanto pusiera el pie en Nueva York, volvería a ser el Astor cabeza de familia, con todas las obligaciones que ello implicaba. Y sobre todo, volvería a estar sobreexpuesto. Esa idea me ponía enfermo.

»Sin embargo, lo ocurrido en el *Titanic* me dio una idea que me pareció sencillamente perfecta: si aquel barco se hubiese hundido de verdad, nadie se habría preocupado ya más de mí. Es más, seguro que los mayores elogios sustituirían a las caricaturas y los comentarios jocosos, porque no es de buen tono hacer chistes de los muertos, y más cuando pertenecen a una de las principales familias del país. Así que la clave era ésa, naufragar, hundirte con tu navío, desaparecer de tal manera que nadie pudiera esperar volver a verte jamás.

»Durante diez años, preparé con detalle mi fuga. Compré estas tierras en Canadá a través de un intermediario, sin que nadie supiese nunca quién era el verdadero propietario, y comencé a construir Villa Astoria. Mientras el cielo comenzaba a poblarse de aéreos y las torres a multiplicarse, comprendí que, si no me daba prisa, llegaría un momento en el que nadie podría desaparecer, por más que lo desease. Durante ese tiempo, además, fui contactando con más gente que quería alejarse de ese nuevo mundo que estaba naciendo. Un mundo que decían que sería mejor, pero que estaba acabando con la intimidad, precisamente el bien más valioso para alguien en mi situación.

»Por fin, con una pequeña tripulación, salí a hacer una singladura hacia una región de huracanes en el Caribe en mi yate, el *Nourmahal*. Trasladar mi baliza de radio a otro buque que fue convenientemente hundido en la zona de influencia de un huracán, y dejar unos restos flotar en el lugar adecuado, tuvo un resultado más que convincente.

»Mientras tanto, llegamos hasta Canadá, el último sitio donde nos buscarían. Lo demás, ya se lo pueden imaginar. Había hecho los arreglos necesarios para que una parte importante de mi fortuna fuese a una fundación con suficiente actividad y recursos como para que el mantenimiento de este lugar pudiera pasar desapercibido. Y así he vivido desde entonces, entregado en cuerpo y alma a lo que siempre había sido mi pasión, y que tantos otros pretendieron negarme.

Era evidente que el contar con nuevos oídos que le escucharan le llenaba de satisfacción. Y por extensión, a Tesla; los dos, como viejos camaradas, conversaron sobre personas de las que Edgar nunca había oído hablar, aunque también encontraron un hueco para los momentos pasados con Mark Twain, el involuntario responsable de que el joven estuviese sentado en aquella mesa. El resto de los comensales escuchaba, fascinado, mientras los autómatas servían tés, cafés y habanos a quienes los deseaban.

—El viejo Samuel se habría vuelto loco con el mundo que ha venido —dijo Tesla—. Lo que sucedió en Europa le habría desesperado; él creía en la paz perpetua. Afortunadamente, se lo ahorró. —Parecía que ahora el inventor ya no tenía dudas sobre si el escritor estaba vivo o no.

—Nada ocurrió como lo esperábamos —asintió Astor—. Ni siquiera hemos logrado contactar con los marcianos.

—Pero sí que ha habido maravillas —intervino Edgar—. Hemos conquistado el cielo, mientras que hace nada teníamos que contentarnos con no despegarnos del suelo. Y en cuanto a los marcianos, gracias a la Iniciativa Presidencial pronto podremos tratarles de tú a tú...

Astor asintió educadamente.

—Desde luego. Pero me pregunto si los cambios no han venido demasiado rápido. En treinta años, el mundo se ha transformado hasta convertirse en algo irreconocible.

—¿Y qué? —contestó Edgar—. Llegará un momento en que todo encontrará su lugar. Estoy seguro de que finalmente se hará justicia. Al menos, lo que ha hecho De Bobula servirá para que la verdad salga a la luz...

—Francamente, chico, preferiría que mi nombre se hubiese reivindicado de una manera que no implicase el desprestigio de mis inventos —intervino Tesla—. Es cierto que he sido humillado, sí. Es más, he sido arrinconado, borrado de los libros de historia y de la mente de las gentes. Pero la gran ironía de todo esto reside en que, en realidad, he triunfado como nunca nadie lo ha hecho antes, porque mis inventos están vivos, funcionan y han traído consigo los beneficios que se esperaba de ellos.

»Porque, con sinceridad, y espero que no te lo tomes a mal, Astor, haber seguido por la senda de los combustibles fósiles nos habría llevado al desastre en sólo cien años. Las reservas de petróleo son tan limitadas como en su momento lo fueron las de carbón, y prefiero no pensar en sus efectos contaminantes. A pequeña escala funcionan, como aquí en Villa Astoria, pero de ninguna manera pueden ser la base de nada, salvo que queramos suicidarnos como especie.

»No, el error no está en la tecnología, en *mi* tecnología. El error, que en cierta forma debí haber previsto, es que lo que nació como una red, con múltiples puntos, ha acabado por tener un único control centralizado. Eso no era lo que pretendía, y ésa es la principal traición que Edison, Morgan, Marconi y el resto cometieron. Incluso, me atrevería a decir que, si no se hubieran comportado así, puede que no me hubiese importado que silenciasen mi nombre: al fin y al cabo, un inventor vive en sus obras, en los aparatos que cada persona utiliza desde que se levanta hasta que se acuesta, y que le permiten desenvolverse en un mundo mejor. Si es así, yo estoy mucho más presente que ellos. Pero desde el momento en que el principio ha sido pervertido, tenemos la obligación de actuar. —Ahora sí, Tesla se volvió hacia Astor—. Jack, debemos intervenir, o se perderá todo. Tenemos que ayudarles.

Una agitación recorrió la mesa, incluso Landler alzó su mirada siempre huidiza y la fijó en Tesla.

Swezey no parecía muy conforme con la idea:

—¿Ayudarles? —dijo, visiblemente enfadado—. ¿Es que ha olvidado lo que le han hecho durante todas estas décadas, señor? ¿Todo el olvido, el tener que esconderse como un delincuente, el ver cómo todos los días los que le robaron eran ensalzados como héroes, y sus nombres aprendidos por los niños en las escuelas? ¿Cómo puede no tenerlo en cuenta?

—¡Por supuesto que no lo he olvidado! —contestó Tesla, con un brillo de acero en sus ojos—. Cada una de las afrentas, de las humillaciones, desde el día en que Morgan padre me echó con gritos de furia de su despacho, están anotadas en mi mente. Pero también quiero que mi obra perdure, porque estoy convencido de que sí, al final puede traer un mundo mejor. Pero no lo hará sin ayuda, y definitivamente pasar del control de Morgan y compañía al de un loco sediento de poder como De Bobula no es que sea precisamente un cambio a mejor.

»Swezey, usted mejor que nadie sabe la profunda fe que tengo en mi obra, una fe que ni la mayor de las tribulaciones ha podido disminuir. Por eso mismo nos enfrentamos ahora a un momento clave. Contigo, Jack —miró a su anfitrión—, podemos lograrlo. Si no lo quieres hacer por tu país, o por mí, hazlo al menos por los sueños que teníamos cuando éramos jóvenes. Aún pueden realizarse.

Astor sostuvo su mirada. Apuró el habano que estaba fumando, y una gran nube de humo hizo que, por un momento, sus ojos destacaran aún más al atravesarla. Parecía estudiar a Tesla pero, en realidad, calibraba la situación, calculando si merecía la pena poner en riesgo su retiro dorado...

Finalmente, respondió, mientras procedía a aplastar en el cenicero lo que quedaba del cigarro.

—Bien, no creo que sea necesario tomar una decisión ahora. Si ha sobrevivido hasta ahora, no pasará nada porque Estados Unidos aguarde un día más. Y mientras tanto, si me lo permiten, me gustaría que me concedieran la debilidad de mostrarles la estancia de la que me siento más orgulloso.

Se puso en pie, y uno de los autómatas se colocó tras él para retirarle la silla. Las máquinas, siempre silenciosas, siempre serviciales, hicieron lo mismo con el resto de los comensales, y el grupo salió del comedor por una puerta distinta por la que habían entrado.

Nada más cruzarla, se encontraron con alguien.

28

Mejor dicho, fueron dos seres los que se encontraron. Uno fue Seleno, que esperaba al otro lado de la puerta, inmóvil, y que ante la aparición del grupo comenzó, entre sus particulares ladridos, a moverse entre sus piernas. El otro era una joven con el pelo rubio, corto, altas botas sucias de barro y gorro y gafas de aviadora en una mano. Su uniforme, con una «A» de la que surgía un par de alas, despertó de inmediato la admiración de Edgar.

—¡Tío Jack! Lo siento, pero se me ha hecho tarde... —La chica se detuvo a tomar aliento, como si hubiera venido corriendo—. He tenido problemas con el tiempo...

Astor hizo un gesto hacia ella con el brazo extendido.

—Señores, señorita De Leo. Les presento a Anna, mi sobrina. Supuestamente es tan oficial como los señores Tavernise y Savage, pero ya ven que se trata de simplemente una manera de hablar. Las formalidades no van con ella...

—Bueno, ahora mismo soy la única piloto, así que salvo dándome órdenes a mí misma, no tendría mucha oportunidad para hacer exhibición del rango, así que no se pierde nada... —La chica descubrió los ojos clavados en ella de Edgar, y lejos de cohibirse, acentuó aún más su sonrisa—. Vaya, veo que aquí hay alguien con un especial interés por mi pechera...

Edgar estaba mirando la modalidad aérea del emblema de Astor, pero se dio cuenta de que aquello daba lugar a una situación equívoca. Su primera reacción fue levantar la mirada, pero se topó con la sonrisa y los burlones ojos verdes de ella. Buscó entonces, de manera poco convincente, cualquier otro punto fijo. Sin saber cómo, terminó mirando a Seleno, quizá porque su cabeza metálica, precisamente en ese momento fija en él, no expresaba nada.

Astor suspiró.

—En fin, señores. Como ven, el aislamiento también tiene sus malas consecuencias, en especial en lo que se refiere a los modales de las nuevas generaciones. Anna, íbamos a la Sala de los Tubos. Puedes venir con nosotros, o puedes pedirle a Kaplan que te sirva algo de cenar.

—Sí, creo que eso haré, tío. La Sala de los Tubos, con el estómago vacío, puede ser una experiencia demasiado fuerte. Señores, encantada de conocerles... Luego les veré con más calma —y diciendo esto, entró en el comedor, no sin antes lanzarle a Edgar un rápido guiño, que sirvió para hacer revivir el rubor producido por el jerez.

—Espero que puedan disculpar a mi sobrina. Salvar el mundo puede ser una tarea nimia comparado con lidiar con esta fiera, Tesla.

—Ni en un ambiente cuidadosamente diseñado como éste puede controlar uno todas las variables, Jack —respondió éste con una sonrisa con la que abarcó a Edgar y a Francesca quien, en segundo plano, los miraba con semblante serio.

—Sí... supongo que tienes razón. Por favor, síganme.

El grupo se puso en marcha. Edgar se sintió retenido por una presión en el brazo derecho, a la vez que percibía un fuerte aroma a colonia. Francesca se había enlazado con él y se aferraba con fuerza algo excesiva. Pensó en decirle algo, pero nada vino a su mente. Se dio cuenta de que era lo mejor. Eso sí, tuvo tiempo de comprobar que Savage parecía estar pasándoselo especialmente bien con la escena.

Se internaron en silencio por uno de los numerosos pasillos de aquella casa, y se detuvieron ante una gran puerta de madera labrada. Dos sirvientes se adelantaron y se situaron cada uno a un lado, mientras Astor se volvía para dirigirse a ellos teatralmente:

—Señorita De Leo, señores. Si todo hombre es dichoso por haber conseguido en su vida al menos un logro que le llena de satisfacción, entonces están probablemente ante uno de los más dichosos del mundo. Haber tenido que esperar más de sesenta años para tener el juguete con el que siempre has soñado puede ser demasiado tiempo. Pero hay demasiados que no lo consiguen en ningún momento; yo mismo, con toda mi fortuna, estuve a punto de ser uno de ellos. Por ese motivo, espero que como mínimo sean comprensivos con lo que quizá consideren una mera excentricidad...

Y diciendo esto, hizo una seña a los sirvientes, que procedieron a girar las manijas y abrir las puertas. Como respondiendo a una señal proveniente del exterior, el interior oscuro se fue iluminando con el encendido sucesivo de las luces del techo. Seleno entró el primero en la gran estancia, aparentemente feliz por tener tanto espacio por explorar. Le siguieron los recién llegados, que no dejaron de admirar la grandeza de aquella estancia, decorada en el techo con imágenes relativas a la música. Edgar pudo reconocer los rostros de Bach, Mozart y Beethoven, entre otros cuya identidad desconocía.

Se encontraban en un auditorio con un centenar de asientos, algo a todas luces excesivo para las dimensiones de aquella casa. Edgar se preguntó si alguna vez se habrían llenado con la gente que vivía en el complejo. De otra forma, parecía un esfuerzo sin sentido, fuera lo que fuese para lo que estuviese concebida aquella estancia.

Pero, con llamarles la atención el techo, aquello no era nada comparado con lo que pudieron ver en la parte delantera. Los frescos de arriba parecían encontrarse a varios pisos de altura, y seguramente las paredes eran tan altas como el edificio mismo. Y en la cabecera, todo ese espacio vertical quedaba ocupado por un inmenso órgano, una construcción que escalaba hacia las alturas, con un brillo apagado que una estratégica iluminación hacía aún más magnífica.

Ante el teclado se sentaba un autómata cuyo diseño recordaba poderosamente al piloto del *Oxtrott*, con una carcasa exterior que hacía pensar en una especie de frac metálico. Su rostro apenas sin rasgos, pero con una leve evidencia humana en él, permanecía girado sobre su cintura, en la dirección por la que habían entrado. Seleno se detuvo un momento ante él, pero no le ladró; resultaba una escena curiosa ver juntos a aquellos dos autómatas, uno tan grande y complejo y otro tan pequeño y simple.

Astor avanzó hacia él y Seleno volvió a colocarse a su lado. El millonario se volvió, apoyándose en su bastón, y, tras invitarles a sentarse, les anunció con solemnidad:

—Amigos, como les dije antes, no hay mayor satisfacción que lograr con creces lo que siempre has deseado. Puede que les parezca algo excesivo, quizá incluso ridículo, pero tienen ante ustedes el mayor órgano automatizado que nunca se haya construido. Sus once mil tubos son la plasmación de mi esfuerzo por superar la frustración de tener que renunciar a las pianolas de mi juventud —sonrió al añadir—: imagino que ese doctor austriaco del que todo el mundo hablaba cuando desaparecí tendría mucho que decir al respecto.

—¡Vaya! —dijo Swezey—. Es... impresionante...

—Gracias. La verdad es que ha sido todo un reto, y un entretenimiento que me ha ocupado mucho tiempo a lo largo de estos años. He de decir que sin la ayuda del señor Landler no sé si habría podido llevar a buen fin mi obra pero, afortunadamente, aquí la tienen convertida en realidad.

Hubo unos comentarios apagados. Astor contempló con orgullo nada disimulado el examen que sus invitados hacían del ingenio. Landler le señaló algo a Swezey, quien parecía visiblemente admirado.

Finalmente, cuando le pareció que era el momento, Astor se acercó hasta un teclado situado en un lado del enorme instrumento. Pulsó las teclas, marcadas con letras del alfabeto como las que habían visto en el submarino, y una tira de papel agujereado surgió y desapareció por un costado del autómata. Éste levantó su cabeza, miró a un lado y a otro, y por último la inclinó, en un extraño y mecánico saludo. Con un sonido de engranaje y relojes, giró hasta situarse frente a la acumulación de teclas y palancas. Al mismo tiempo, la iluminación se suavizó y todo quedó bañado en una atmósfera suave. Astor se sentó. Observaba con innegable satisfacción las maniobras, comprobando las reacciones de sus invitados.

Durante un instante, no ocurrió nada. En un momento, comenzaron a oír un suave sonido de engranajes, y entonces las cuatro manos del autómata se situaron sobre los distintos teclados que se extendían ante él.

Y en ese momento, obedeciendo una orden muda, los dedos se plegaron y buscaron cada uno su tecla. El sonido surgió, al principio con suavidad, como si se acercara desde algún lugar lejano, mientras aquellos ágiles apéndices desgranaban las notas de una fuga de Bach. La música llenó el espacio de una manera pura, perfecta, mostrando la acústica del recinto. Las escalas subían y bajaban hasta que, en un momento del desarrollo de la interpretación, la potencia se incrementó y los graves les hicieron vibrar los estómagos.

Sin fallar una nota, con la serena eficacia de su estructura mecánica, el autómata fue tejiendo una pieza que, finalmente, culminó en un clímax que sacó toda la potencia de la estructura, un sonido vibrante que quedó resonando en el espacio durante varios segundos, incluso después de que los dedos metálicos se hubiesen alzado.

Sólo entonces volvieron a ser audibles los engranajes, y el autómata intérprete giró sobre su cintura para encararse de nuevo con el público. Repitió sus inclinaciones de cabeza, primero a la izquierda, luego hacia la derecha, recogió sus cuatro brazos y quedó finalmente inmóvil.

Fue Tesla el primero que comenzó a aplaudir, y pronto le siguió el resto. Eran pocas palmas aunque entusiastas, y el aplauso sonó algo extraño en el interior de aquella gran estancia.

—Maravilloso. ¡Estupendo! —dijo Tesla—. Jack, es la locura más deliciosa que haya presenciado nunca...

—Creo, Tesla —respondió Astor con una sonrisa—, que es el mayor elogio que nunca me hayan dedicado...

Y se detuvo un instante a contemplar su obra con expresión de padre satisfecho, antes de ponerse en pie y hacer una ceremoniosa salutación con la cabeza a los presentes, que arreciaron en su aplauso.

29

Edgar tardó un tiempo en comprender que no estaba soñando. Los golpes que habían irrumpido en algún momento en su cabeza no eran un producto de su cerebro dormido, sino que alguien estaba llamando de verdad a la puerta de su habitación.

Soñoliento, encendió a tientas la luz de la mesilla y miró la esfera del reloj. Para su sorpresa, eran sólo las cinco de la mañana. Con razón no se filtraba ninguna luz por la ventana, aunque no estaba seguro de que los postigos ajustados y la gran cortina fuesen a permitirlo de todas maneras.

Los golpes se repitieron. Estaba claro que no cesarían, a menos que abriera. Moviéndose rápidamente a causa del frío que sintió en cuanto hubo abandonado el refugio de las mantas, y mientras se ataba torpemente una bata que de manera evidente le quedaba grande, llegó hasta la puerta, aferró la manija y la abrió.

No sabía a quién esperaba encontrar, pero desde luego a ella no.

—Vamos, vístete.

—¿Qué?

Anna le miró, burlona. Se había cambiado de uniforme, ahora llevaba uno perfectamente limpio, y a juzgar por su rostro fresco y despierto parecía llevar levantada ya un rato.

—Vamos, confía en mí, que no muerdo. Vístete. Te espero al pie de la escalera, no tardes. Eso sí, trae ropa de abrigo: te va a hacer falta.

Y sin esperar su respuesta, se fue con paso rápido; Edgar se preguntó si aquella chica alguna vez se estaría quieta, o si siquiera sería capaz de moverse con lentitud.

Abrió el armario y los cajones y buscó las prendas de más abrigo que encontró, sin preocuparse demasiado por si casaban entre ellas. Se cambió rápidamente y, por las dudas, optó por ponerse encima varias capas de ropa. Luego pensó que semejante estrategia le haría parecer más gordo de lo que era en realidad, así que se quitó algunas. Se calzó unas botas altas que, al igual que la bata, también estaban pensadas para alguien más grande que él; finalmente, cogió un pesado abrigo con solapas de pelo y un gorro que le recordaba a los que había visto en su edición de *Miguel Strogoff*. De esa guisa salió de la habitación, llegó hasta la escalera y la bajó para encontrarse con Anna.

Ésta le esperaba con un abrigo y un gorro similares a los suyos, sólo que, en su caso, le sentaban bastante mejor. Además, a diferencia de los de Edgar y para envidia del joven, lucían sendos emblemas de la versión aérea de los cuerpos de Astor.

La chica estaba de cuclillas, inclinada sobre Seleno, acercándole la mano desnuda a su cabeza, que el pequeño autómata seguía con secos movimientos de cabeza.

—¡Por fin! —dijo cuando le vio aparecer—. Menos mal que mi tío diseñó esta casa para que fuera ignífuga, porque como hubiera un incendio y tuvieras que ponerte a salvo corriendo...

Seleno le miró y se dirigió hacia su pierna.

—¿Es que no sabe hacer otra cosa? —preguntó Edgar—. Es un trasto un poco idiota, ¿no?

Anna frunció el ceño.

—Hace lo que tiene que hacer, y lo hace muy bien. Cuando yo era pequeña, siempre quise tener un perro, pero mi madre era alérgica al pelo. Mi tío me construyó a Seleno para que tuviera uno. Y te puedo asegurar que a mí nunca me ha fallado: siempre ha estado ahí.

Edgar suspiró. ¿Cuándo aprendería a pensarse dos veces las cosas antes de decirlas?

—Vale, de acuerdo. Lo retiro. ¿Podrás hacer como si no hubiera dicho nada?

—Vale. Pero que conste que sí que has dicho algo.

El joven prefirió probar otra estrategia y cambió de tema:

—¿Puedes decirme qué hacemos aquí cuando ni siquiera ha salido el sol?

Ella le puso la mano en el hombro y se llevó un dedo a los labios.

—Ssssh... Confía en mí. Vamos. —Y le hizo un gesto para que la siguiera.

Y así lo hizo, ¿acaso podía ser de otro modo? Edgar no podía negar que estaba fascinado por aquella chica que se movía con tal desenvoltura por una casa en la que cada centímetro cúbico de aire parecía contagiado del deseo de elegancia y orden de Astor. Como si también tuviera un sensor de movimiento como el de Seleno, se veía imposibilitado para hacer otra cosa. Pero, más allá de su pelo rubio, de sus ojos o de la buena figura que se adivinaba bajo las capas de ropa, había algo más intangible que ejercía ese efecto en él: la impresión de haber encontrado por fin algo que conectaba de verdad con sus ansias más íntimas. De alguna manera, sentía que Anna, de entre todos los que se cobijaban bajo aquel techo, le entendería mejor que nadie.

Tras doblar por varios pasillos, bajaron por una escalera estrecha y se detuvieron ante una puerta metálica.

—Abrígate bien ahora. Vas a echar de menos el control climático.

Y sin esperar a que Edgar terminara de abotonarse el abrigo, abrió con su mano enguantada la puerta. Una bocanada de aire frío, muy frío, les golpeó, y Edgar no pudo evitar encogerse.

—Vamos. Tenemos un terrestre justo aquí al lado. Seleno, vete.

El autómata no se fue, pero se quedó quieto y no hizo ademán de seguirles. O bien era también capaz de detectar las bajas temperaturas, o de alguna manera podía reconocer la voz de Anna.

En cuanto pusieron los pies fuera, sus botas se hundieron en la nieve blanda que había caído toda la noche, sin que nadie la pisara. Afortunadamente, en ese momento se había instaurado una pequeña tregua, y sólo algún que otro copo aislado era visible en el reducido radio de acción de las farolas.

Llegaron al terrestre. Anna se sentó en el asiento del piloto y procedió a encender el motor, mientras Edgar abría la otra puerta y se sentaba a su lado. A Edgar le pareció que el ruido que hacía al arrancar sería capaz de despertar a todo bicho viviente en kilómetros a la redonda. Cada vez que se subía a algún vehículo del feudo de Astor, tenía la impresión de que estaba a punto de fallar. Sin embargo, siempre respondían bien; también en este caso: el sonido ronroneante del motor indicó que ya estaba preparado. En cuanto se pusieron en marcha, a la sinfonía se unieron el roce de los limpiaparabrisas y los chirridos de los amortiguadores cada vez que los esquíes pasaban sobre un desnivel.

—¿A dónde vamos? —preguntó a su chófer, que maniobraba ya para alejar el terrestre de la mansión.

—No temas, no te estoy secuestrando ni nada por el estilo. No vamos a salir del complejo.

Por un instante, Edgar fantaseó con esa posibilidad, la del secuestro. Era una tontería, pero aun así la retuvo durante unos instantes; era una tontería que no carecía de atractivo.

—Por cierto, me llamo Edgar —dijo, no supo muy bien por qué.

—Lo sé.

Edgar no recordaba que Astor les hubiera presentado cuando se encontraron la noche pasada.

—¿Es que hay algo que no sepas?

Ella se giró para mirarle.

—Tienes razón, estoy siendo una maleducada —le extendió la mano—. Anna Astor.

—Edgar Kerrigan —respondió él, estrechándosela a su vez. Sin embargo, el que entre las dos manos se interpusieran dos capas de cuero de buena calidad le restó intensidad al momento.

—Encantada. Mi tío me ha hablado de ti.

—¿De mí? ¿Y qué sabe él de mí?

—Lo que le ha contado Tesla, imagino... Que quieres volar, y que por eso tu amiga te llama Orville... —Edgar se ruborizó; visto desde fuera, sonaba estúpido—. ¿Sabes que estuvo aquí?

—¿Quién?

—¡El zar de Rusia! ¿Quién va a ser? ¡Orville Wright, claro!

—Creí que vivía en Londres...

—Y allí debe de seguir, me imagino. Mi tío se ha encargado de que tenga una vida digna. A veces me pregunto qué habría sido de él y de su hermano si las cosas hubieran sido diferentes, si la tecnología de Tesla no hubiese permitido la Red Mundial. Me gusta fantasear con un cielo lleno de dirigibles, aviones, helicópteros y autogiros, donde los Wright tuviesen el mérito que se merecen...

—Tienes razón: volar de manera autopropulsada es la única manera en la que uno se convierte de verdad en piloto.

—Y tú quieres ser uno, ¿verdad?

—Más que nada en el mundo...

Anna le volvió a mirar. Esta vez, su sonrisa no parecía tener una doble intención.

—Chico, chico... Veo que sabes lo que quieres.

Él negó con la cabeza.

—No, no sé muy bien qué es lo que quiero... Salvo eso, volar. Quiero saber lo que se siente cuando todo lo que necesitas para hacerlo depende de ti y de tu máquina, cuando tienes que estar atento ante cualquier cambio inesperado porque no hay nada externo que te sujete. A veces, cuando hacía mis servicios, forzaba el aéreo para sentir algo parecido...

—Nada se le parece. Pero eso ya lo comprobarás por ti mismo...

Edgar ya había perdido cualquier residuo de sueño, pero el tono de promesa que parecía flotar en esas doce sencillas palabras hubiese sido suficiente para arrebatarle el que le pudiera quedar.

—Ya hemos llegado.

Ante ellos se levantaba una gran masa oscura, un hangar cuyo contorno era difícil de discernir en la semioscuridad que todavía imperaba, porque las nubes sofocaban al tímido sol que comenzaba a alzarse en el horizonte. Descendieron del terrestre y se dirigieron a una puerta recortada en otra mucho mayor. A pesar de la nieve caída, Edgar aún fue capaz de distinguir dos grandes rastros que desaparecían bajo la entrada, que delataban que hacía poco tiempo que algo había sido introducido allí.

Anna puso la mano en la manija de la puerta pero, antes de abrir, lanzó un último consejo a Edgar:

—Ten cuidado con la emoción, chico. No se te vaya a escapar el corazón por la boca...

Y dicho esto, le franqueó el paso. Entraron, y sin necesidad de tocar nada, las luces del hangar comenzaron a encenderse, empezando por las más cercanas y terminando por las más lejanas.

Gracias a ese recorrido, unas formas se hicieron visibles. Unas formas que alteraron la respiración de Edgar.

—Son... son una belleza.

Tres aparatos voladores («aviones», los llamó Anna) descansaban en el hangar. Dos de ellos eran biplanos preparados para llevar sólo a dos personas, pero tras ellos reposaba un gran artilugio, con una bodega con capacidad para varias personas o una buena cantidad de material.

Edgar temió por un momento estar soñando. Luego, dedicó una mirada a Anna que debía de ser tan suplicante, que la joven no pudo evitar reírse.

—¿Pu... puedo?

—¡Claro que sí! Pero no rompas nada, ¿de acuerdo?

Edgar caminó hasta el primero de los biplanos, el que parecía haber sido utilizado hacía menos tiempo —los otros dos estaban cubiertos por lonas—. Supuso que era el que había dejado las huellas en el exterior. Se quitó el guante y pasó la mano por el fuselaje, frío, imponente. Como el resto de las cosas de aquel lugar oculto, tenía algo de mal acabado, como si hubieran terminado demasiado pronto de rematarlo: un saliente algo excesivo, un pulido insuficiente... Y sin embargo, en conjunto, era hermoso. Probablemente, uno de los aparatos más hermosos que hubiera visto jamás.

—Es... increíble —dijo con una voz demasiado baja, llena de respeto ¿Lo... lo diseñó él?

—Ayudado por unos cuantos ingenieros del equipo de Landler, sí. Ya los conocerás.

—Resulta increíble que haya tanta gente repartida por el mundo que haya trabajado para tu tío, y que sin embargo nadie le haya delatado...

—Mi tío sabe escoger bien en quién puede confiar y en quién no. Te sorprendería saber cuánta gente tuvo ideas geniales en los mismos años en los que Tesla diseñó el primitivo esquema de la Red. Algunos disfrutaron de su momento de gloria, pero otros muchos no llegaron a conseguirlo. Cuando en 1901 Wardenclyffe, la primera torre experimental de Tesla, y la única que pudo construir antes de que le fuera arrebatada la tecnología, comenzó a funcionar, todo terminó para ellos. Su superioridad fue tan aplastante que nadie quiso saber nada de ningún avance que no pudiera ensamblarse en el sistema que comenzaba a nacer. Algunos aún pudieron adaptarse, como el teléfono de Bell, pero muchos otros tuvieron que abandonar.

»Los propios hermanos Wright tuvieron que vender sus patentes a uno de los consorcios de Ford, a pesar de los éxitos del *Flyer I* y el resto de sus prototipos. Pero ¿quién querría invertir en aquellos aparatos cuando la incipiente Red ofrecía una cobertura de energía capaz de permitir el vuelo seguro y eficaz de los aéreos? Al final, se diseñaron unos pocos modelos de biplanos, poco avanzados, para las zonas a las que no había llegado aún la energía inalámbrica. La ciencia de la aeronáutica se quedó paralizada, sin avanzar apenas en treinta años... Salvo aquí.

»A cambio de los servicios de Orville, el único superviviente de los dos hermanos, el tío Jack le facilitó una cómoda situación económica en su retiro de Londres. No lo que hubiese merecido, pero al menos era una vida digna; con la miseria que le pagó Ford, no habría tenido para nada.

»Creo que, en realidad, a la gente como Orville Wright le gusta pensar que al menos hay un lugar sobre la Tierra donde sus ideas han podido convertirse en realidad. Y eso, para los verdaderos inventores, puede ser un incentivo más que suficiente para la lealtad.

—¿Es difícil de pilotar?

—Más que un aéreo, desde luego. Pero a cambio te regala una sensación de libertad que no se parece a nada.

Edgar señaló hacia la cabina.

—¿Puedo?

Anna extendió el brazo.

—Por favor.

El joven se aupó hasta la cabina abierta desde una escalerilla pegada al costado del avión. Una vez arriba, se sentó ante el cuadro de mandos. No comprendía muy bien para qué servían algunos, aunque sus lecturas le permitieron identificar la mayoría. Aun así, acribilló a Anna a preguntas que ésta respondía con la celeridad de una estudiante privilegiada. Velocidad, autonomía, estabilidad...

—¿Cuánta gente sabe pilotarlo?

—Me temo que sólo yo. Y mi tío, claro, aunque él siempre ha preferido el mar al aire. No nos vendría mal ganar un piloto para la causa...

Edgar volvió a sentir el rubor subir a sus mejillas. Puso las manos sobre los mandos y se imaginó llevando aquel aparato, cruzando el aire con la sensación de estar haciendo algo nuevo, de ser un pionero como lo fue Orville Wright en aquel vuelo imposible que prácticamente nadie pudo repetir.

Y era tan fácil... Bastaría con que le ofrecieran quedarse, u ofrecerse él mismo. La misma Anna había dicho que no tenían pilotos, y si Tesla les había hablado de su pasión por volar, seguramente lo habría dicho alabándole (¿cómo le había despedido el inventor cuando les había dejado en Welfare Island? «¡Buen pilotaje!», eso había dicho).

Sí, sería perfecto quedarse allí con Astor, con Anna, hacerlo todo mucho más sencillo, sin necesidad de pasar por la Aeroescuela, algo que de todas maneras se había convertido en un imposible desde que estrenara su condición de fugitivo.

Y sin embargo, le costaba aceptar lo que eso le exigiría a cambio: dejar Nueva York, aquella ciudad que amaba, para siempre, olvidarse de ver a su madre, decir no a todo lo que había sido su forma de vida y rechazar algo que le debía a su padre: cuidar de Pamela, de que nunca le faltara nada y procurar que nunca más tuviera que trabajar. Si a Francesca aún le asaltaban los remordimientos por haber salido de casa de sus tíos, ¿qué le esperaría a él?

Pero una parte en su interior, una parte que se despertaba y se desesperaba, le gritaba que sí, que era un precio, pero que nada se había conseguido nunca gratis, y que en todo caso el premio lo compensaba con creces. Desde que había comenzado aquella locura, todos habían obtenido el suyo arriesgándolo todo: Astor lo había hecho, desde luego; incluso, a su manera, el propio Tesla. Y en la otra parte, y a sus retorcidas maneras, sucedía lo mismo: ¿o no se lo jugaron todo De Bobula o los mismísimos Morgan, Edison y Marconi, cada uno a su modo?

Sí, las opciones estaban claras. Pero era incapaz de tomar una decisión.

Anna le puso la mano sobre el hombro.

—Tenemos que irnos, chico. Mi tío ya se debe de haber levantado. Además, aún tenemos que desayunar, y el día será largo.

Con desgana, Edgar se incorporó y salió de la cabina, alejándose a su pesar de aquel magnífico aparato hasta que las luces se apagaron esta vez en secuencia inversa, comenzando por las más lejanas, y haciendo que volvieran a hundirse en la oscuridad.

Esta vez, durante el viaje de vuelta, Anna, hasta entonces tan locuaz, no dijo nada. Parecía intuir que la mente de Edgar era un hervidero de preguntas, emociones y dudas. O quizá es que ella también estaba preguntándose algo a sí misma.

30

Entraron en la casa por la misma puerta por la que habían salido y se sacudieron las botas cubiertas de nieve. Seleno seguía en el mismo lugar en el que lo habían dejado, y les recibió con sus acostumbrados y peculiares deslizamientos, olisqueos y ladridos. Anna se rió al verle, y jugó a despistarle mientras golpeaba el suelo con sus botas. Edgar contemplaba fascinado la escena, su risa, que dejaba ver unos dientes perfectos, su vitalidad.

Un sirviente se hizo cargo de sus abrigos llenos de nieve. Fueron hacia el comedor, donde ya estarían sirviendo el desayuno. Allí se encontraron con Astor y Tesla, los primeros en levantarse. El sol apenas había comenzado a alzarse sobre el horizonte, pero ya estaban impecablemente vestidos. Kaplan en persona se encargaba de servir los cafés que los sirvientes traían de la cocina. Extendidos sobre la mesa, podían ver varios periódicos de todo el mundo.

—¡Vaya! Buenos días —saludó el dueño de la casa en cuanto los vio aparecer—. Veo que ya habéis dado un paseo matinal. Respirar el aire justo antes del alba es bueno, pero temo que os lo hayáis tomado con demasiado entusiasmo...

—Hemos ido a ver la escuadrilla, como me pediste —dijo Anna, sentándose con soltura en una silla y cogiendo con la mano un bollo de una fuente que tenía ante sí.

—Te lo pedí, sí. Pero no hacía falta que fuese antes de que hubiese el más mínimo rayo de sol.

Anna se encogió de hombros.

—Bueno, ¿para qué perder el tiempo?

—Y bien... ¿Qué le ha parecido nuestra modesta flotilla, señor Kerrigan?

—Es... un sueño, señor Astor. Nunca había visto nada parecido. Sé que se utilizan aparatos como éstos en las zonas a las que aún no ha llegado la Red, e incluso he visto fotos y grabaciones... pero nada se parece a tocar uno de ellos.

—No encontrará fotografías de estos modelos en concreto, señor Kerrigan. Como imagino que le habrá explicado mi sobrina, fueron diseñados en exclusiva por Orville Wright. Tienen una autonomía mucho mayor que cualquier otro aparato que exista ahora mismo en el mundo; son las ventajas de no tener límites de presupuesto. Aquí no son un complemento, sino que son esenciales para no quedarnos aislados.

—Pero tienen escasez de pilotos.

—En efecto. Hasta hace poco tiempo contábamos con otro, el joven Hughes.

—¿Qué le ocurrió?

—No lo sabemos. Desapareció hace dos meses en un vuelo sobre el norte. Y con él, el tercero de nuestros aviones. Suponemos que fue atrapado por una tormenta, y o bien cayó o bien aterrizó en algún lugar que nos resulta imposible de localizar. Durante dos meses, un equipo encabezado por Tavernise y Savage estuvo buscándole por todos lados, incluso bajo el mar. Pero no encontramos rastro alguno de un posible accidente. La propia Anna fue incapaz de detectar ningún rastro desde el aire.

—Howard era muy bueno. El mejor. —La mirada de Anna se endureció—. Y sobre todo, era prudente. No es justo que le pasara a él.

—Eso no importa, querida. Lo hemos hablado suficientemente. Lo importante ahora es que necesitamos reclutar a un nuevo piloto.

»Tesla —dijo Astor, ladeando la cabeza hacia el inventor, que permanecía ajeno a la conversación, absorto en la lectura de un ejemplar de *La Stampa*— me ha hablado de su pasión por el aire, señor Kerrigan. Y dice que no se defiende nada mal con un aéreo.

—Es verdad. Pero un autopropulsado es algo mucho más complicado.

—Lo es. Pero en definitiva es sólo cuestión de técnica, y eso se puede aprender. Lo que es imposible de enseñar es algo que debe existir de forma previa: el instinto. Y tengo entendido que es algo de lo que usted no carece. Si lo desea, nosotros nos encargaríamos de su formación. Estoy seguro de que, en no demasiado tiempo, Villa Astoria podría enorgullecerse de contar con usted como tripulante de nuestra escuadrilla. ¿Qué le parece?

—¿A las órdenes de... ella? —Edgar no pudo evitar una expresión burlona mientras señalaba a Anna con el dedo. Ésta no tuvo reparo en darle un golpe en el brazo—. ¡Ouch!

Astor sonrió.

—Comprendo que la perspectiva de tener como superior a alguien tan indisciplinado como Anna le produzca sudores fríos, señor Kerrigan. Pero no se preocupe: por fortuna, esto no es la Fuerza Aérea de los Estados Unidos. Y en el peor de los casos, siempre podrá acudir a quejarse a su coronel. Es decir, a mí.

Edgar sonreía. No se atrevía a dar una respuesta, estaba indeciso, lo cierto era que le halagaba enormemente que pensaran en él como en alguien aceptable para convertirse en piloto. Y sabía a quién tenía que darle las gracias.

—Señor Tesla, yo... le agradezco que haya hablado de mí al señor Astor.

El anciano siguió sin levantar la cabeza. Edgar tuvo que repetir de nuevo su nombre, pero aun así tardó un momento en volver de donde estuviera su mente. No parecía consciente de que Edgar le estuviera hablando. En lugar de eso, se dirigió directamente a Astor.

—Jack... las noticias. Tenemos que ver las noticias.

El millonario se quedó observándole, sorprendido.

—¿Por qué? ¿Qué sucede?

—Algo está pasando. Lo sé...

Astor miró a Edgar y a Anna. Después, se quitó la servilleta del cuello y se limpió pulcramente la comisura de los labios, cogió su bastón y se levantó.

—Está bien. Vamos.

Tesla le siguió como un resorte, y también los dos jóvenes. Los cuatro se dirigieron a la biblioteca, seguidos a corta distancia por Seleno y, un poco más atrás, por Kaplan. Nada más entrar, y a una orden del millonario, uno de los sirvientes subió el volumen de uno de los televisores, mientras tomaban asiento ante ellos.

Un locutor de gafas redondas estaba leyendo algo, con evidente rostro de preocupación.

—... como decimos, la grabación llegó hace dos horas, con la exigencia de ser difundida. Tras consultar con las autoridades federales, la RCA va a proceder a emitirla. No nos hacemos responsables de su contenido, y evidentemente tampoco lo compartimos, pero nuestro deber para con nuestra comunidad nos obliga a pasar por este insoportable trago. Esperamos que nuestros espectadores puedan perdonarnos.

La imagen se puso en negro durante un instante. A continuación, un rótulo ocupó la pantalla completa:

MENSAJE DE INTERÉS PARA LOS CIUDADANOS
DE ESTADOS UNIDOS

—Es el mismo tipo de letra que el otro mensaje —dijo Edgar, señalando la pantalla—. ¡Es de De Bobula!

—¿Por qué lo habrá enviado grabado esta vez? —preguntó Anna—. Ya demostró que interferir las transmisiones no le supone ningún problema...

—Sí, pero de esta manera demuestra que puede obli-

gar a la cadena y a las autoridades a hacer lo que él quiera
—terció Tesla—. Le sirve para dejar claro quién está al
mando.

Finalmente, el rótulo desapareció. En su lugar, pudieron ver de nuevo la silueta con el rostro oscurecido que por desgracia tanto conocían. Si no fuera por las palabras que siguieron, podrían pensar que se había grabado a continuación del primer mensaje porque todo, desde el traje hasta la colocación, era idéntico. Como lo era, de nuevo, la voz con su acento amenazante:

—¡Queridos habitantes de la tierra de los valientes! Dicen que los pueblos tienen los gobernantes que se merecen, pero yo prefiero pensar que ésa es una afirmación errónea. Porque, si fuera cierta, y el imbécil que ahora ocupa la Casa Blanca y la panda de politicuchos que se desparraman por el Capitolio son lo mejor que pueden aportar ustedes como pueblo, permítanme decirles que tienen un grave problema.

»Cuando hace unos días hice públicas nuestras exigencias, no creo haber dicho en ningún momento que fueran optativas. Es decir, que unas pudiesen ser cumplidas y otras no. Antes al contrario, se trataba de un paquete que no podía ser troceado. Quizá a alguien se le ha ocurrido pensar que nos contentaríamos sólo con alguna de nuestras condiciones, como la entrega del oro, que sabemos que ya está casi dispuesta y se producirá en breve. O con la alocución que esta noche piensa emitir el presidente admitiendo la verdadera paternidad de la tecnología inalámbrica. O incluso mediante el recurso a iniciativas que nosotros no hemos pedido, pero que evidentemente se han puesto en marcha para acariciarnos los oídos, como renunciar a ofrecer al cuerpo de Thomas Alva Edison un entierro de estado. Esto no nos desagrada, no vamos a engañarles, pero en ningún caso lo aceptaremos como sucedáneo de nada.

»Todo lo cual nos conduce a la única condición de la que aún nada sabemos, y que para nuestra sorpresa no parece que preocupe a nadie. No tenemos ninguna noticia del doctor Tesla, y sospechamos que eso se debe a que no saben dónde está. O eso, o es que algo le ha sucedido. Una posibilidad esta última que, les aseguro, desearán con todas sus fuerzas que no sea cierta. —La voz de De Bobula se endureció, e incluso el plano se acercó y la imagen en sombra de su rostro fue llenando la pantalla de una manera ominosa—. Escuchen atentamente —añadió, después de una pausa—. Escuchen, porque no lo volveré a repetir:

»Queremos que nos entreguen a Nikola Tesla en el plazo de dos días. Este punto no es negociable. Si para las ocho de la tarde del domingo próximo eso no ha sucedido, consideraremos que nuestras exigencias, independientemente de lo que haya ocurrido con las otras, no habrán sido satisfechas. Y, por tanto, obraremos en consecuencia. De la misma forma, esperamos que sean liberadas todas las personas relacionadas con él que han detenido en la última semana.

»Recuerden. Dos días. Y ¡que Dios bendiga a América!

La pantalla volvió a quedarse en negro, hasta que el cariacontecido rostro del presentador ocupó su lugar de nuevo. Pero nadie le escuchaba. Edgar se giró para comentar lo que acababan de ver, y su mirada se cruzó con la de Francesca, que, junto con Swezey, había entrado en la biblioteca sin que les hubiese visto. Por su expresión, parecía bastante interesada en el hecho de verle sentado junto a Anna, con ropa que evidenciaba que habían salido al exterior. Edgar sintió un remordimiento extraño, como si hubiera hecho algo malo.

Los presentes se pisaron unos a otros, intentando hablar a la vez. Sólo Tesla permanecía en silencio.

—No lo entiendo —se impuso al final la voz de Astor—. ¿Por qué tiene tanto empeño contigo, Tesla?

Éste se reclinó. Su voz sonó con un hilo.

—Porque no creí en él y quiere demostrarme que me equivoqué, quiere oírme decírselo. La última vez que hablamos, me reí de él, y califiqué de locura todo lo que pretendía hacer. Ya sabes que no es persona que acepte fácilmente que se le menosprecie, y ha tenido décadas para ir acumulando rencor.

»Jack, ya no es una cuestión de opiniones. Tengo que ir, no hay otra opción. Tenemos que intentar ayudarles, pero si no es posible hacer nada, al menos mi entrega puede que le aplaque un poco. Es tu país, no puedes dejarlo tirado. Puede que te haya tratado mal, pero es así. Os dio mucho a vuestra familia, os permitió enriqueceros. Y eso quiere decir que, te guste o no, si no fuera por Estados Unidos, no tendrías nada de lo que tienes ahora. Además, si De Bobula se hace con el poder, hará de encontrarte y destruirte una prioridad. No lo dudes, tú serás el siguiente...

Jack le miró pensativo. Tardó en dar una respuesta, asintiendo primero de forma casi imperceptible.

—De acuerdo —dijo con expresión resignada—, pero con una condición: mi nombre no debe salir a la luz en ningún momento. A cambio, pondré a vuestra disposición todos los recursos de Villa Astoria.

Tesla asintió.

—Me parece justo. Serás un héroe anónimo, Jack. No cabe mayor honor.

—Eso, o me convertiré en el mayor de los estúpidos. Pronto lo sabremos. —Le hizo una seña al mayordomo—. Kaplan, dígale a Landler que venga. Y que le acompañe Kuznetsov. Convóqueles dentro de quince minutos en la Sala de los Mapas.

El grupo se puso en marcha. Una excitación repentina, sorprendente, pareció afectarles a todos. El propio Edgar se sentía en el centro de un torbellino de sensaciones que tocaba muchas fibras en su interior: los biplanos, el mensaje, el dejar de huir para por primera vez reaccionar, la inesperada salida con...

—¿Qué hacías con esa niñata?

Edgar sintió que el vuelo de sus pensamientos tocaba suelo abruptamente.

—¿Cómo...? ¿Qué?

Los ojos oscuros de Francesca le escudriñaban, atentos a cualquier variación en su expresión.

—Hablo de Lady Pájaro. ¿Es que te ha llevado a dar un paseíto?

—Sí... me ha enseñado la escuadrilla. Frances, es increí...

—¿Cuándo?

—¿Cuándo qué?

—Que cuándo te la ha mostrado.

—Antes del amanecer...

Todo el furor de su mirada italiana pareció concentrarse en sus ojos cada vez más entrecerrados.

—Una hora muy lógica. Me pregunto cómo pudiste quedar con ella, teniendo en cuenta que anoche no nos acostamos precisamente pronto...

—Bueno, se presentó en mi habitación y...

Le hubiese gustado continuar con el relato, pero comprendió que sólo lo estaba empeorando.

—Frances, sólo fuimos a ver los aviones porque su tío se lo pidió. Quieren que me una a ellos.

—¿Tú? ¿Y qué pasa con Pamela? ¿Vas a dejar a tu madre sola?

—Tú lo hiciste con tus tíos, ¿no?

Ella le puso el índice en el pecho y lo apretó con fuerza.

—¡No te atrevas a compararte! Yo era un peligro para ellos...

—¡Y yo lo soy para mi madre! ¿Es que no lo entiendes? ¿Qué daño puedo hacer? Sabes de sobra que ha sido siempre mi sueño...

Por el rostro de la chica desfilaron con rapidez toda una sucesión de posibles respuestas. Finalmente dijo, con voz cortante:

—No, desconocía que tu sueño fuese quedarte con una rubia aristócrata y dejar de lado a los tuyos...

Y sin dejarle siquiera la posibilidad de replicar, se dio la vuelta y se dirigió hacia la puerta por la que estaban saliendo todos. En su camino, casi arrolló a Swezey, que se estaba acercando hacia ellos. El periodista la vio pasar; luego se volvió, con expresión algo azorada, hacia el chico.

—Tenemos... —dijo— tenemos que pasar a la Sala de los Mapas. Un sirviente nos espera para llevarnos hasta allí.

Edgar asintió. Sentía su rostro arder, casi como si Francesca se lo hubiera cruzado de una bofetada.

—¿Todo bien, chico? —preguntó Swezey, señalando hacia la dirección por la que se había ido Francesca.

Como si se adelantara a responder, sonaron unos ladridos metálicos a la altura de sus pies. Edgar bajó la mirada; Seleno le miraba con atención, su cola balanceándose frenéticamente.

—Sí, todo bien. Vamos, no les hagamos esperar.

Swezey asintió, comprensivo, y no añadió nada. Se pusieron en marcha y se unieron al grupo, que ya esperaba en el pasillo.

31

En las veinticuatro horas siguientes, un torrente de actividad se apoderó de Villa Astoria. Por primera vez en la historia del complejo, se hizo necesario realizar los preparativos para lanzar una misión a cara descubierta al mundo exterior. Nada de remontar el Hudson a bordo del *Oxtrott* ni de enviar algún comando encubierto, como hacían siempre que necesitaban conseguir algún tipo de suministros del exterior.

—La única forma de llegar a tiempo será en el *Eagle*.

Astor había hecho esa afirmación mientras señalaba una gran maqueta de Manhattan que los sirvientes autómatas habían colocado sobre la mesa central de la Sala de Mapas. El grupo se había repartido alrededor; Edgar puso el máximo interés por colocarse entre Swezey y una persona que no conocía, un hombre de unos cuarenta años, moreno, con un fino bigote y ojos tan azules que casi parecían de hielo. Dedujo que debía ser el tal Kuznetsov.

—¿Cómo lo ves, Anna? —le preguntó Astor a su sobrina.

Ella asintió.

—Puedo tenerlo listo en veinte horas.

Edgar miró de reojo a Francesca. La mirada de la chica era acero puro.

—Perfecto —se dirigió hacia Tesla y Swezey—. Y una vez allí, ¿qué hacemos? ¿Cuál es el plan?

El inventor observaba los edificios en miniatura, reconstruidos con una precisión que hacía de la maqueta una auténtica obra de arte. Podían ver perfectamente el edificio Chrysler, el Empire State, la gran superficie de Central Park, a su lado la imponente Torre Morgan y, más hacia el sur, la espectacular Torre Uno, que con su forma de champiñón había derivado en centro principal de control de la Red Mundial.

—Resulta imposible prever cuál será el siguiente movimiento de De Bobula —dijo por fin el inventor—. Técnicamente, con la capacidad que ha demostrado para interferir la Red, podría hacer cualquier cosa que se le antojara. No tenemos tiempo para preparar planes de contingencia para cada uno de los posibles escenarios, así que nuestra única posibilidad es privarle de su acceso al sistema.

—Quieres decir que tenemos que sacarle de la Red —terminó Astor por él.

Tesla asintió.

—¿Podemos hacerlo? —dijo Astor, mirando a Landler y Kuznetsov. Este último asintió levemente. Sólo entonces Landler respondió a su jefe:

—Podríamos intentar instalar en la Torre Uno un intercod. Sería una jugada a ciegas, porque nunca lo hemos intentado con un centro de tanta potencia. Pero, en teoría, tendría que funcionar.

—¿Es que ya lo han probado? —preguntó Francesca.

Landler asintió.

—Con las torres más cercanas a Villa Astoria. Pero no pueden compararse en potencia y complejidad con la Torre Uno.

—¿Y qué haría ese intercod? —preguntó Swezey.

—En teoría, nos daría el control de la Red.

El periodista, Francesca y Edgar miraron sorprendidos al técnico. No imaginaban que la tecnología desarrollada por Astor llegara hasta ese punto.

Éste se apresuró a intervenir:

—Ése no es nuestro objetivo. Nosotros no queremos

sustituir a De Bobula, sino tan sólo permanecer ocultos. No pretendemos ser una amenaza.

—Con permiso, coronel...

—Adelante, Kuznetsov.

El acento de éste terminó por confirmar lo que ya decía su apellido: que era ruso.

—Si conseguimos conectarlo a la torre, el intercod nos permitirá neutralizar la señal de De Bobula. Qué hagamos a continuación depende sólo de nosotros; pero tengo que advertir que se trata de una operación de un calibre al que nunca nos hemos enfrentado. Una cosa es elevar una muralla de protección que abarque Villa Astoria y nuestros vehículos, y otra muy distinta extenderla al mismo corazón de la Red. No hay precedentes de que algo semejante se haya intentado jamás; ni siquiera De Bobula ha accedido desde el control central.

—Pero aquí funciona... —dijo Edgar.

El ruso se giró hacia su lado, como si le descubriera por primera vez.

—Como digo, eso no garantiza nada. Nunca se ha intentado algo así.

—Tenemos planos detallados de la Torre Uno, y estoy seguro de que Tesla nos será muy útil con eso —le respondió Astor.

El aludido asintió.

—Sí, la torre sigue el esquema que yo diseñé, pero desde entonces se han introducido mejoras de las que no estoy informado —se dirigió a Swezey—. Necesitaremos ayuda de alguien que la conozca lo suficientemente bien.

Éste comprendió al instante lo que el anciano quería decir.

—No se preocupe. Yo me encargo de ello.

Astor les miró, intrigado, pero no preguntó nada. Por el momento, pareció confiar en el criterio de Tesla y Swezey.

—Bien, sólo nos queda entonces determinar quiénes irán. Anna, ¿cuántas personas podrán viajar en el *Eagle*?

—Con todo el material que tendremos que transportar y aparte de mí, cinco como máximo.

—Bien, evidentemente Tesla debe ir... si aún estás convencido de que quieres hacerlo, querido amigo. Supongo que eres consciente de que no hay garantías de seguridad para ti en este viaje. Si todo sale mal, estarás a merced de De Bobula. Y si sale bien, aún tendrás que vértelas con Morgan y el FBI.

El anciano no dudó en la respuesta:

—Lo sé, pero en parte me siento responsable de lo que sucede. No puedo rehuir eso.

—Bien... Landler, había pensado pedir al señor Kuznetsov que se uniese a la expedición. Nadie como él conoce el arte de la interferencia y la privacidad.

—Si él está dispuesto, por mí no hay ningún problema.

El ruso se cuadró.

—Coronel, es para mí un honor que me dé la oportunidad de devolverle una pequeña parte de lo que ha hecho por mí.

Astor le miró con digna marcialidad.

—El honor es para mí, Kuznetsov. Su padre fue un gran hombre; estoy convencido de que estaría orgulloso de usted.

»No sabemos qué nos vamos a encontrar ni si será necesario recurrir a la fuerza, así que Savage irá también. Es nuestro mejor hombre. Así que quedan aún dos plazas...

—Coronel, me gustaría acompañar a Tesla... si no le importa, doctor. Llevo años con él, y creo conocerle lo suficiente para ser de utilidad ante cualquier situación que se presente.

En las palabras de Swezey era inevitable entender una velada alusión a los transitorios problemas de conciencia y actitud de Tesla. Era indudable que nadie como él sabría cómo enfrentarse a ellos, pero aun así una mención tan explícita era algo incómodo de oír.

—¿Tesla? —le preguntó Astor.

El anciano asintió, levemente cohibido.

—Sí, Jack, me parece bien. No quiero ser un estorbo...

Tras esas palabras hubo un molesto silencio que nadie supo muy bien cómo romper.

—Aún queda una plaza... —dijo finalmente Anna—. Propongo que Kerrigan venga con nosotros.

Edgar sintió una sacudida cuando oyó eso.

—¿Yo? —no pudo evitar que la pregunta surgiese de su boca antes aun de convertirla en un acto consciente.

—Sí. Coronel, la única posibilidad que tenemos para aterrizar en Manhattan es hacerlo en la Terminal Internacional. Lo que nos deja la cuestión de cómo nos desplazaremos y cómo moveremos el material hasta la Torre Uno.

—No seremos nosotros los que lo hagamos —respondió Astor—. Una vez allí, Tesla se pondrá en contacto con la persona que esté al mando y le convencerá de que nuestras intenciones son pacíficas. Serán ellos mismos los que se encargarán de llevarles hasta la torre.

—Sí, pero ¿y si por alguna razón eso no es posible? Tío —dijo Anna, olvidándose de nuevo del rango de Astor, algo que parecía ser moneda corriente cuando el asunto le interesaba de manera especial—, tú mismo has dicho que desconocemos cuál será el siguiente movimiento de De Bobula. Puede que, cuando aterricemos, nos veamos en la obligación de ocuparnos nosotros mismos de llegar hasta la Torre Uno. La única posibilidad será hacerlo con un aéreo, y creo que estaremos de acuerdo en que la persona más indicada para ello es Edgar —dijo esto último mirando fijamente al joven, quien, para su sorpresa, no sólo no se intimidó ante sus ojos verdes clavados en él, sino que fue capaz de mirar a Tesla, luego a Astor y responder:

—Sí, señor. Será... será un honor.

—Gracias, chico —Astor inclinó la cabeza en señal de reconocimiento—. Bien, señores. Tenemos sólo veinticuatro horas para hacer todos los preparativos y que nuestra expedición se ponga en marcha. No podemos perder ni un momento.

La reunión se disolvió, y todos salieron disparados hacia el lugar donde más útiles serían sus servicios. Edgar buscó con la mirada a Francesca; cuando la encontró, la chica estaba mirándole con los ojos humedecidos. Vio la señal de una gran decepción en ellos, y él sabía a qué se debía: el no haber sido incluida en la expedición. Pero no podía ser de otro modo; además, sobre ella seguía pendiente la posibilidad de que la deportaran a Italia.

No, pasara lo que pasara, estaría más segura en Villa Astoria. Pero Edgar, a pesar de su poca experiencia en el trato femenino, comprendió que en aquel momento hacérselo entender sería una tarea condenada al fracaso.

Se acercó hasta ella y le puso la mano en el hombro.

—Lo siento... —le dijo.

Ella le cogió la mano y se la quitó de encima, violentamente. A continuación, se fue. A Edgar le hubiese gustado poder decir algo que la aliviase, pero fue incapaz de decidir qué. El silencio se impuso en la habitación. Nadie sabía muy bien qué decir, o más bien se prefería evitar que la mera verbalización de la idea pudiese contribuir a que se hiciese realidad...

Durante el resto del día, la pequeña comunidad de Villa Astoria vivió inmersa en los preparativos para el viaje. Tesla y Swezey acompañaron a Landler y Kuznetsov hasta la fábrica para que el inventor tuviera la oportunidad de examinar el intercod que llevarían con ellos (cuando Edgar le preguntó a Anna, ésta le explicó que el nombre era el acrónimo de «interferir-codificar», sus dos funciones principales).

Saldrían cuando aún fuera de noche, con tiempo suficiente para llegar hasta Nueva York antes del fin del ultimátum. Afortunadamente, no parecía que la nieve tuviera intención de volver a presentarse, aunque la temperatura seguía siendo muy baja. Pero lo único que en ese momento tenían sobre ellos era un cielo despejado que, en cuanto el sol se puso, dio pie a una imagen soberbia, en la que cada pequeño rincón sobre sus cabezas quedó cubierto por miríadas de estrellas. Aquél era otro espectáculo prácticamente inédito para Edgar: la Aurora era la mayor fuente de contaminación lumínica que pudiera imaginarse, y casi ningún astro era capaz de atravesar aquella cortina electromagnética.

Pocas horas antes del alba, Anna sacó el *Eagle* del hangar. Un equipo de mecánicos, encabezados por un hombre más bien gordo que mordía un puro que se le apagaba constantemente, sin que pareciera importarle, y que Anna le informó que respondía al nombre de Brian, había puesto a punto el gran pájaro en un tiempo récord.

Edgar, que no pudo conciliar el sueño, estaba presente cuando el avión se desplazó sobre la pista, sus ruedas protegidas por el mismo sistema de esquíes que compartían los terrestres de Astor. En este caso, se trataba de grandes palas que, en circunstancias normales, se plegaban sobre las ruedas. Según creyó entender entre las palabras que tenían que abrirse paso a través de la boca semicerrada de Brian, el compartimento en el que se recogían era totalmente estanco, de manera que el avión podía flotar en el agua sobre su vientre.

Eclipsando el espectáculo del firmamento, los focos de la pista se reflejaban en el fuselaje pulido por los hombres de Brian, y esto, más las hélices girando con ruido ensordecedor, despertó en Edgar un cosquilleo que se enseñoreó de la boca de su estómago.

Cuando el *Eagle* se detuvo, Anna abrió la puerta de la cabina y descendió la escalerilla, su rubia cabeza cubierta por un gorro de aviador y las gafas colocadas hacia arriba. La pelliza de su chaqueta se movía con el viento frío de la noche. Una fila de autómatas surgió de la oscuridad y se acercó al aparato: llevaban todo lo necesario para el viaje, incluidas las armas y el escaso equipaje que les acompañaría. Al fin y al cabo, no sería una estancia larga... para bien o para mal.

—Vaya, chico. Veo que te han encontrado uno de tu talla. Tenía mis dudas, la verdad...

Edgar obvió el tono burlón. En realidad, aunque nunca se lo confesaría a ella ni a nadie, se sentía muy orgulloso del uniforme que le había facilitado Astor. No tenía ningún distintivo especial, e imaginó que era aún de menor rango que el de un cadete, pero lo importante era que en la pechera lucía el emblema de la «A» con las alas. En aquel momento, aquello le valió por una vaga propuesta de futuro... Al menos, pasara lo que pasara, durante unas horas se sentiría como si hubiese conseguido su sueño último.

—Ah, ahí viene nuestro tesoro —dijo la chica.

El grupo miró en la dirección en la que dos terrestres se acercaban. Uno de ellos era un vehículo como el que habían cogido Anna y Edgar aquella mañana, que parecía tan lejana en el tiempo. Detrás iba un carguero con una gran caja de madera que seguramente contenía el intercod. Otra caja algo más pequeña llevaba el resto del material procedente de la fábrica.

Cuando llegaron hasta el avión, el terrestre pequeño se detuvo, mientras el carguero maniobraba hacia la gran puerta corredera del lateral del avión. Del primero descendieron Tesla, Swezey y Kuznetsov, convenientemente abrigados.

—Cuidado al cargar el equipo —dijo Tesla—. No puede sufrir ningún desperfecto.

Un gran autómata se hizo cargo de las cajas, las colocó sobre una plataforma que se movía sobre orugas y la acompañó hasta el flanco del avión. Allí, con un mecanismo elevador, la plataforma fue alzándose hasta llegar a la altura de la portezuela, donde las cajas fueron dispuestas sobre otras plataformas sobre ruedas con autonomía suficiente para desplazarse, y que habían sido adaptadas para aprovechar la energía inalámbrica.

Cuando hubieron terminado, volvieron a la mansión para recoger su ligero equipaje y prepararse para el viaje. Con una mezcla de sorpresa y preocupación, sólo entonces Edgar se dio cuenta de que no había visto a Francesca desde la reunión de la mañana. Se preguntó si estaría encerrada en su habitación, pero cuando llamó a la puerta con los nudillos, no obtuvo respuesta.

Cuando aún quedaban un par de horas para el alba, el grupo al completo se reunió en el aeródromo. Aparte de los seis expedicionarios, Astor (sin Seleno, que se había quedado ladrando desconsoladamente en la puerta de la casa, al no estar preparadas sus ruedas para desplazarse sobre la nieve) y Kaplan acudieron a despedirse de ellos. Al cabo de unos minutos, Edgar vio aparecer a Francesca. Suspiró, aliviado.

El millonario se quedó mirando a Tesla con la regia solemnidad que tan famosa había hecho a su familia.

—Te daría la mano, amigo, pero sé que el contacto físico no es algo que te entusiasme. Ten cuidado; De Bobula es peligroso, y no se puede decir que el resto de los que te vas a encontrar te adoren precisamente...

—¡Jack! Eso es algo que no tienes que recordarme. Llevo casi treinta años experimentándolo a cada momento de mi vida. No te preocupes, todo lo que has arriesgado no será en vano.

Astor sí que fue dándole la mano al resto, salvo a Anna, que se adelantó a besarle en las dos mejillas. Edgar fue al último al que saludó, y a éste le pareció sentir que el apretón de manos tenía una fuerza especial.

—En cuanto a usted, querido amigo, ya sabe que aquí tiene un lugar esperándole. Y una gran oportunidad, añadiría.

—Gracias, señor... Pero aún no sé si...

Astor levantó una mano pidiéndole que no siguiera.

—Dejémoslo aquí. Tanto si vuelve con Anna y el resto como si no, sabré que ha tomado una decisión. Y sea cual sea, no me cabe la menor duda de que será la correcta.

Edgar asintió.

—Pasajeros, ¡última llamada para el vuelo Villa Astoria-Ciudad de Nueva York! —dijo Anna, imitando la megafonía que podía oírse en las terminales de los oceánicos. Parecía la más divertida de todos, como si en realidad fuesen a vivir una aventura infantil en alguna inofensiva excursión.

Edgar miró una última vez a Francesca. La joven seguía mirándole con sus ojos oscuros, aún más visibles porque una gran bufanda cubría su boca y el gorro de piel tapaba su pelo negro.

—Adiós, Frances...

Ella no dijo nada. Notando un aguijonazo, Edgar se volvió, sintiéndose, de una manera absurda, torpe y, en cierta forma, desvalido. Pero de repente, sintió que alguien le cogía por detrás y le obligaba a volverse. Cuando quiso decir algo, unos labios se pegaron a los suyos. Llevado por la sorpresa, se dejó envolver por el cálido aliento de ella, hasta que finalmente Francesca se retiró y le cogió el rostro con sus manos enguantadas.

—Como esa aprendiz de aviadora no te devuelva sano y salvo, te juro que la mato, Orville.

En medio de su azoramiento, Edgar sonrió. Pensó que debía decir algo, una réplica que estuviera a la altura, pero no le salió nada. La situación la resolvió Savage, que cogió a Edgar por el hombro, mientras decía entre carcajadas:

—¡No te preocupes, morena! Yo me encargaré de que su culo flaco vuelva a sentarse en los mullidos sillones de Villa Astoria...

Cuando se unieron al grupo, que se había detenido a contemplar la escena, Edgar pudo entrever la expresión divertida de Anna, que aún tuvo tiempo de girarse para contemplar a Francesca, quien le devolvió la mirada con la barbilla alzada y desafiante. Anna se cuadró, la saludó militarmente y se dio la vuelta, burlona, echando a correr para llegar hasta el grupo.

Astor sonrió levemente ante la escena, mientras le comentaba a Kaplan:

—La juventud, Kaplan. Pura inconsciencia...

—Quizá sea lo mejor, señor. Dentro de pocas horas, es probable que no abunden los motivos para la risa.

El anciano no respondió nada. Sólo una nube de vaho se disolvió con rapidez en el aire.

Subieron todos por la escalerilla y se acomodaron en sus asientos. Edgar acompañó a Anna hasta la cabina y se instaló en el asiento del copiloto. Sabía que no sería de gran ayuda durante el viaje, pero Anna insistió en que debía vivir su primer despegue desde allí.

Mientras la piloto seguía el protocolo de revisión y puesta en marcha de los distintos sistemas, una operación que hizo que el interior del aparato fuera llenándose de ruidos y sonidos, Tesla aprovechó para mascullar ante el resto de su compañía:

—Un aparato de despegue horizontal, ¡qué atraso! ¿Por qué no adoptaría Astor mi sistema vertical?

—Probablemente no encontró los materiales para desarrollarlo, señor —respondió con diplomacia Swezey, sentado a su lado.

Tesla no respondió nada a eso. En su lugar, permaneció callado, mientras el estruendo de las hélices iba aumentando su volumen y el avión comenzaba a moverse.

Cuando Anna dio la orden desde la cabina, Savage se levantó y cerró la portezuela. Estaban listos para comenzar el viaje.

—Bien, señores, en breves momentos ya no habrá vuelta atrás. Salimos dentro del horario previsto; si todo va bien, deberíamos llegar a Nueva York poco antes del fin del ultimátum. Esperemos que no nos sorprendan condiciones meteorológicas que nos retrasen.

»Ahora, agárrense. Temo que este viento lateral hará que el despegue no se encuentre entre los más finos de mi carrera.

El aparato se desplazó, al principio lentamente, y se colocó en el extremo de la pista, y Anna llevó el motor al máximo. Tuvo tiempo de intercambiar un gesto de despedida con su tío, la figura del bastón situada entre Kaplan y Francesca. Por fin, el pájaro comenzó a desplazarse, cada vez más rápido, deslizándose sobre los esquíes. Cuando parecía que los temblores y las sacudidas que iban recorriendo toda su estructura podrían dar al traste con su integridad, alzó el morro y se elevó sobre las copas de los árboles. Edgar sintió una sensación maravillosa en su cabeza y en su estómago, y contempló admirado, como si fuera la primera vez que volara, cómo Villa Astoria al completo quedaba de forma vertiginosa atrás, y bajo sus pies, un reducto iluminado iba disminuyendo rápidamente entre la oscuridad aún reinante. Nunca había sentido la aceleración de una manera tan intensa como le había transmitido el despegue, y comprendió hasta qué punto sus juegos con el aéreo no pasaban del nivel de lo ridículo.

Pocos minutos después, volvían a estabilizarse, a pesar de que los vientos hacían que el aparato se deslizase un poco a los lados. Pero la ruta estaba fijada, la misma que, en unas catorce horas, les situaría en los límites de una ciudad seguramente muy diferente de la que habían dejado atrás, la ciudad hasta ahora orgullosa de sí misma y confiada en su futuro. Y comprendió que, en realidad, ése era el cargamento principal que llevaban en la bodega del avión, un futuro encarnado en un gran armatoste del que dependía todo.

Miró a Anna. Ella pareció notarlo y le devolvió la mirada.

—Disfrútalo, chico. Has nacido para esto, lo sabes.

Edgar no respondió nada, sólo mostró la más amplia y feliz de sus sonrisas. Quién sabe qué pasaría horas después, pero ahora nada de eso importaba, sólo la maravillosa sensación de volar por sí mismos, dueños del aire y de su rumbo, sin que ningún hilo invisible tirara de ellos.

A sus pies, el bosque parecía extenderse de manera infinita, pero era sólo una ilusión: en algún momento se terminaría y, como por sorpresa, grandes torres comenzarían a surgir ante ellos.

Sólo tenían una idea aproximada de lo que ocurriría a partir de entonces.

Tercera
parte

32

El lápiz se deslizaba sobre el cuaderno para enfrentar las preguntas que la profesora había preparado. Para la niña, encontrar cada respuesta era un juego divertido que le apasionaba. De hecho, aunque se la supiera, le gustaba bajarse de la silla, ir hacia el mueble de un lado del salón y recorrer con el dedo los gruesos y prometedores volúmenes de la enciclopedia. Cuando encontraba el que buscaba, lo sacaba con esfuerzo y, sujetándolo con ambas manos, lo transportaba hasta la mesilla, donde lo posaba con un golpe seco. Sólo entonces volvía a subirse a la silla y abría sus páginas, repletas de letra abigarrada tras la entrada en negrita.

No fallaba: la respuesta siempre estaba ahí, esperándola. A veces no de forma directa; de vez en cuando, tenía que rodear la palabra usando una estrategia indirecta, a través de alguna entrada relacionada. Pero el final nunca decepcionaba. La enciclopedia era la prueba de que el mundo era un lugar ordenado.

Diana Grosstower hacía siempre los deberes a la misma hora en que su padre se sentaba ante el televisor para ver las noticias de la noche. Mientras, en la cocina, su madre solía afanarse en dar los últimos toques a la cena. Y cuando ésta avisaba de que ya estaba lista, se sentaban los tres a la mesa, mientras el televisor continuaba desgranando información sobre la última maravilla presentada en algún lugar del país, el avance de la reconstrucción en Europa o una toma de la divina Greta Garbo llegando al estreno de su última película. A esa hora ya no era posible ver a Mickey Mouse, pero no importaba. Podía disfrutarlo ella sola a la hora de la merienda, con su trozo de chocolate y su pedazo de pan.

Pero ése era un día diferente. Por alguna razón, su madre no estaba en la cocina y se había sentado en el sofá al lado de su padre, llevando aún el mandil y con las manos entrelazadas sobre el regazo. Otra cosa extraña, otro cambio, era que ese día no emitían el informativo; en su lugar, el presidente ocupaba la pantalla, sentado ante su mesa del Despacho Oval, leyendo un papel frente a un redondo micrófono. Diana oía el sonido de su voz de fondo, pero no seguía muy bien sus palabras. Para ella, lo único que importaba era el ejercicio que tenía ante sí, y cuyo enunciado decía: «Ordena los objetos y adivina el nombre del inventor.»

Y debajo, diversos modelos del aparato inventado por el personaje que se debía descubrir, que contenían mezcladas las letras de su apellido y que ella debía ordenar para que pudieran ser leídas.

Así, por ejemplo, acababa de responder al primero. Bajo cuatro dibujos de otros tantos modelos diferentes de teléfonos (del primitivo aparato comercializado, con su tubo para llevar al oído, al último y espectacular aparato inalámbrico), aparecían las letras «B», «L», «L» y «E».

Éste había sido fácil pero, aun así, no quiso privarse del placer de acudir al mueble, coger el volumen «SHE-TOL» de la enciclopedia, llevarlo hasta la mesa donde se acumulaban ya un par de tomos más por las búsquedas anteriores («Aéreo»/«Ford», «Rayos X»/«Röntgen») y buscar la entrada «Teléfono».

Tampoco ahora le falló. Ahí estaba el nombre del inventor del aparato que tenían sobre el mueble del recibidor. Cuando le hablaban de cosas de uso tan cotidiano como ése, le maravillaba pensar que hubo un tiempo en que éstas no existían. Entonces, las preguntas inevitables eran: «¿Cómo se las arreglaban? ¿Cómo podían hacer las cosas?». El abuelo, incluso, iba más allá, y le hablaba de una época en la que ni siquiera existía la electricidad. Aquello, para Diana, rayaba en lo inimaginable. Era imposible, tenía que ser un cuento del abuelo Grosstower. Sin electricidad no podía haber nada, eso lo sabía todo el mundo. Para Diana, plantearse otra cosa era lo mismo que pensar en el mundo de ficción de sus cuentos.

Diligente, cogió el lápiz y procedió a escribir el apellido con cuidado, la primera letra mayúscula y el resto en minúsculas, convenientemente enlazadas unas tras otras, como en un tren:

B-e-l-l.

En efecto, así se lo decía la infalible enciclopedia: el teléfono lo había inventado él. Y por si tenía dudas, la entrada terminaba con las contundentes palabras: «véase Bell, Alexander Graham».

Pero otro día lo haría, otro día vería la entrada «Bell, Alexander Graham». Ahora quería acabar el resto de los ejercicios. Pasó al siguiente; éste tenía más letras. Los dibujos representaban, esta vez, distintos modelos de aparatos de radio, desde uno inmenso como el de casa del abuelo hasta otros pequeños como maletines. En este caso eran siete las letras: «M», «C», «A», «O», «N», «R» e «I».

De nuevo se bajó de la silla y se dirigió al mueble. Al pasar por detrás del sofá, le llamó la atención el silencio con el que sus padres seguían las palabras del presidente, con el semblante realmente serio. Debía de estar diciendo algo importante, pero Diana no alcanzaba a descifrar qué; términos como «no real», «historia» y «verdad» se deslizaban aquí y allá, pero no lograban trenzar un significado inteligible para la niña.

Cogió el volumen «PUS-RED» y continuó con su cómico viaje de vuelta a la mesilla. Esta vez, su padre le dedicó una rápida mirada, pero no dijo nada. Una vez abierto el volumen y buscada la entrada correspondiente, Diana encontró el nombre y procedió a rellenar el hueco que le dejaban para la respuesta: «M-a-r-c-o-n...»

Justo cuando iba a terminar, del discurso sin sentido del presidente Hoover se descolgó, como por encantamiento, la misma palabra que estaba escribiendo:

Marconi.

Diana levantó la cabeza y la dirigió hacia la tele, sin terminar de soltar el lápiz.

—¿Qué ha dicho?

Ninguno de los dos adultos le contestó. Seguían escuchando, con cara de asombro. Diana se bajó de la silla y sacudió el hombro de su padre.

—¡Papá! ¿Qué ha dicho?

—Ssssh... Diana, ahora no.

La niña continuó esperando que le contestara, pero la respuesta no llegó. Siguió la mirada de él hasta la boca del presidente, y oyó a éste componer las palabras:

—... porque todo, desde la radio hasta los autómatas y el resto de las aplicaciones derivadas de la tecnología inalámbrica, y erróneamente atribuidas a Edison y Marconi, son en realidad creación de Nikola Tesla, a quien esta nación debe...

Diana, por supuesto, no entendió el significado de todas esas palabras, pero sí lo suficiente como para comprender la terrible situación que estaba desplegándose ante ella: el presidente decía una cosa, la enciclopedia otra. ¿A quién debía creer?

Su mente infantil le decía que no había ninguna duda: la verdad residía en aquellos tomos de papel. Siempre le habían dado la respuesta correcta, siempre podía confiar en ellos.

Pero entonces, ¿por qué decía Hoover lo que decía?

En la escuela tenían un retrato suyo en el vestíbulo, junto a la bandera que miraban cuando cantaban el himno. ¿Es que ese hombre podía ser capaz de mentir? No tenía ningún sentido...

—Mamá, la enciclopedia dice otra cosa...

—Lo sé, Diana —le respondió su madre sin mirarla, como si estuviera ausente—. En todas partes dice otra cosa.

Para Diana, sólo había una forma de dilucidar lo que era real y lo que no. Cogió de nuevo el volumen donde había buscado la entrada dedicada al teléfono, pero en esta ocasión rastreó el apellido raro que había pronunciado el presidente, cinco letras que no le decían absolutamente nada. Fue pasando páginas, volvió hacia atrás, forzó la vista por si se había olvidado cómo se leía...

Pero no estaba. La entrada «Tesla», simplemente, no existía.

Se echó hacia atrás en su asiento, sintiendo que algo se derrumbaba bajo ella. Una grieta de inseguridad, un atisbo de cómo debía ser de verdad el mundo... Sólo que ella no lo sabía aún. Percibía en su interior un sentimiento inquietante y difícil de explicar; quizá era ése el motivo por el que sus padres seguían el discurso del presidente con esa expresión de preocupación.

Sin terminar de saber si era lo correcto, y tras mirar unos minutos al televisor, alzó los hombros, cogió la goma de borrar e hizo desaparecer el «Marcon», que apenas dejó un ligero rastro que indicara que alguna vez había estado sobre el papel. Apartó los hilillos que había desprendido la goma y escribió en el hueco correspondiente esa palabra que se había incrustado en su mundo, destruido una rutina y, sobre todo, despertado su desconfianza. Escribió «T-e-s-l-a», y luego releyó lo escrito. Por algún motivo, eso no consiguió tranquilizarla.

Dedicó una última mirada de reojo al montón de viejos y gruesos volúmenes, repentinamente inservibles, preguntándose qué otras cosas ignorarían.

33

Jonathan Cohen comenzó su ronda con una enorme pereza. Como guardián de los Almacenes Federales de Máxima Seguridad de Fort Dix, en Nueva Jersey, en realidad su trabajo poco tenía que ver con un nombre tan rimbombante. Prácticamente, lo único que se esperaba de él era que a las horas convenidas pasara revista a los grandes hangares que, uno tras otro, se extendían hasta donde podía alcanzar la vista. Desde hacía años, había habido pocas entradas de nuevo material en ellos, y desde luego nada había salido.

Subido a su terrestre individual, un vehículo de color gris con el emblema del Ejército de los Estados Unidos en sus dos puertas, se sabía de memoria lo que iba a encontrarse tras cada giro, en cada esquina. Tan sólo una disciplinada sucesión de filas de cientos de máquinas silenciosas, inmóviles, que nadie había vuelto a conectar desde que volvieran de Europa hacía más de una década. Se trataba de los excedentes de la expedición que el país había enviado a la Gran Guerra y que se habían repartido a lo largo del Viejo Continente para conseguir la más aplastante, rápida y contundente victoria que un país hubiese alcanzado nunca. Con un mínimo coste de vidas por parte norteamericana, había traído la paz al castigado continente en un tiempo récord, terminando con el enquistamiento sin avances significativos de ninguno de los bandos enzarzados en la guerra de trincheras.

Una vez implantada la paz, pronto se vio que no era necesario mantener de manera permanente una presencia tan masiva en Europa. De hecho, esa presencia podía llegar a ser contraproducente. El acuerdo firmado en Versalles obligaba a los vencidos (Alemania y los ahora troceados imperios austrohúngaro y otomano, porque Rusia, como Italia, cambió de bando con celeridad suficiente para librarse de las sanciones) a unas obligaciones de desarme que, sobre todo, se tradujeron en la prohibición de dotarse con sus propios ejércitos de autómatas. La Sociedad de Naciones se ocupaba de velar por que esos acuerdos se cumplieran y, como vigilancia más psicológica que otra cosa, Estados Unidos dejó, en sus bases europeas, una guarnición lo bastante significativa de autómatas como para mantener un recuerdo constante de que incumplir los tratados firmados era, básicamente, una mala idea.

El resto fue enviado, a bordo de grandes oceánicos, a los nuevos territorios anexionados a Estados Unidos (los recientemente incorporados Estados de Cuba, Filipinas o Puerto Rico), y otra parte almacenados en varias bases del país. En principio, para ser mantenidos operativos por si era necesario transferirlos a cualquier lugar del mundo. Pero, en la realidad, tal cosa nunca había ocurrido: nadie en su sano juicio se había planteado siquiera, desde el fin de la Gran Guerra, ofrecer la más mínima oposición al ejército norteamericano.

No sólo porque era algo condenado al fracaso: sin la tecnología adecuada, cualquier enfrentamiento tenía las mismas posibilidades de prosperar que un grupo de indios asaltando con hachas y flechas a un regimiento de caballería armado con rifles de repetición. Y además, era un esfuerzo sin ningún sentido: resultaba mucho más provechosa la cooperación, pues Estados Unidos se había comprometido a ayudar a la reconstrucción de las naciones que siguiesen las nuevas reglas del juego. Una cooperación que, todo había que decirlo, había dado pingües beneficios a las sucursales y socios de las empresas de Morgan, Edison, Rockefeller, Carnegie y otros, y que quizá por eso merecía calificativos menos amables entre los movimientos radicales que salpicaban las metrópolis europeas. Pero, al fin y al cabo, ¿alguien hace caso realmente a los radicales?

De todas maneras, eso ocurría muy lejos, al otro lado del gran océano. Y por mucho que la Red hubiese empequeñecido el mundo, ésa seguía siendo mucha distancia. Cuando Jonathan comenzó a trabajar en Fort Dix, en 1925, la mayor parte de los autómatas ya estaba allí. Nunca los había visto en movimiento, y aunque había pagado la novatada de ser convenientemente asustado cuando hizo su primera ronda, con las obligadas historias de soldados descuidados que habían trasteado demasiado entre las interminables filas de grandes máquinas y que habían recibido a cambio su correspondiente castigo, pronto la rutina se había impuesto a todo lo demás. De hecho, y aunque nunca lo reconocería ante sus superiores, hacía tiempo que apenas prestaba atención a lo que veía, más allá de algún que otro rápido vistazo a los reflejos que el foco de su linterna lograba extraer de los monótonos bultos metálicos.

Tres veces al día, cinco días a la semana, fuera de día o de noche, siempre veía lo mismo y escribía en el correspondiente informe: «sin novedad». Si lo pensaba, era un bucle aburrido y sin alicientes. Pero era también un trabajo cómodo y no mal pagado para lo que exigía a cambio, algo no digno de desdeñar cuando, de hecho, las Fuerzas Armadas estaban reduciendo su tamaño debido a que ahora se necesitaban menos hombres para realizar la tarea de disuasión a la que estaban destinadas. Hacía ya más de una década que no había habido un conflicto armado, y la Pax Americana gozaba de buena salud.

Por eso, cuando al terminar de pasar ante una fila de

oscuras máquinas, y cuando estaba a punto de salir del almacén para dirigirse al siguiente, oyó un ruido único, contundente, que parecía surgir del otro extremo de la fila, no le dio mayor importancia. Ni siquiera se asustó, por más que sonara con una especial intensidad en aquel silencio de engranajes aparentemente muertos. Detuvo el terrestre y giró el foco hacia atrás. El haz de luz pasó sobre líneas curvas, esquinas rectas y atisbos de garras metálicas, pero no vio nada.

Se bajó del vehículo y dio unos pasos, pero todo seguía tan tranquilo como siempre. Decidió que no había sido nada y que posiblemente algún conejo había vuelto a colarse en el almacén. Los autómatas permanecían tan quietos que, de hecho, se habían encontrado con que, en algún caso, bandadas de palomas habían anidado en los huecos de las junturas, e incluso alguna familia de murciélagos había descubierto que aquellas masas inmóviles y que todo el mundo quería tener lejos eran el mejor lugar donde conseguir sus correspondientes dosis de insectos y una vida tranquila y segura.

Jonathan se dio la vuelta y regresó a su terrestre. Ya que tenía que hacer la ronda, al menos esperaba no tener que retrasarse y perder más tiempo. Como todos los norteamericanos, estaba más preocupado por saber lo que ocurriría al día siguiente, cuando finalizase el ultimátum que ese terrorista anónimo, cuya filiación llenaba las especulaciones de los medios, había lanzado al Gobierno. Como prácticamente todos sus conciudadanos, a Jonathan todo aquello le parecía una locura: jamás en la vida había oído el nombre de ese tal Telsa o como se llamara, y desde luego no estaba dispuesto a admitir que nadie pudiera manchar el nombre de Thomas Alva Edison. Como todos, había pasado por unas aulas en las que, junto al retrato del presidente de turno, no era raro encontrar otro del Mago de Menlo Park. De hecho, en la escuela de Jonathan, que había crecido en una pequeña localidad de Illinois, podían vanagloriarse de contar con uno especialmente dedicado y autografiado por el propio Edison, un regalo del genio a su profesor, que durante años había trabajado para él.

No, nada de esa historia tenía sentido. Y sobre todo, no podía entender por qué el presidente no había dado ya la orden de terminar con todo aquello. No era ningún ingeniero ni experto en la Red, pero sabía lo que todos: que nada podía hacerse de manera anónima. El fraude fiscal era ya prácticamente inexistente, y aunque eso había producido algún problema con los defensores de las libertades individuales, al final todos habían terminado por aceptar que el mundo resultante era mejor. Y sin embargo, en Washington parecían indecisos, paralizados... ¿Cómo podía ser eso? Sólo con que enviaran la décima parte de los autómatas allí almacenados a donde se escondiera ese loco (porque tenían que saber dónde estaba, de eso no le cabía ninguna duda) sería suficiente para acabar de raíz con esa situación...

«¡Políticos! —pensó—. Siempre son un problema. Menos mal que al final está la gente como Edison. Si no fuera por ella, este país se habría ido al mismo infierno al que se precipitaron esos estúpidos europeos.»

Otro sonido metálico, similar al anterior, le hizo volverse instantáneamente, cuando estaba empezando a sentarse de nuevo en su terrestre. Esta vez había sonado más cerca, en la otra fila. Y no se extinguió de manera inmediata. Quedó algo, un leve zumbido, casi imperceptible, que permaneció en el ambiente, al límite de lo audible. Un sonido que simulaba desaparecer cuando le prestabas atención, pero que volvía a estar presente en cuanto lo abandonabas, como hacían los gatos, en su infancia, cuando los perseguía.

De improviso, el mismo sonido se multiplicó, más cerca, más lejos, chasquidos metálicos que recorrieron las formaciones de autómatas. Y la suma de los zumbidos, apenas perceptibles por sí solos, formó una masa perfectamente audible, creciente, de mecanismos en espera...

... que ya no era lo único que surgía de allí. También había movimiento.

Al principio, fue más una intuición que una visión real. Hasta que percibió claramente cómo una de las decenas de cabezas que formaban en aquel almacén se alzaba y giraba con lentitud. A los ruidos mecánicos, se unieron otros prolongados, neumáticos, de articulaciones desperezándose, de sistemas recolocándose para abandonar su estado de hibernación.

Y finalmente, la luz. Desde un rincón, cuando los primeros focos de los grandes e inhumanos ojos se prendieron. Y luego, como una marea que fuera extendiéndose por la oscuridad, de las formaciones enteras que comenzaban a elevarse, mientras las máquinas abandonaban sus posiciones semiflexionadas para alzarse sobre sus poderosas patas.

Demasiado, en todo caso, para Jonathan, que logró superar la parálisis de su boca abierta y su cuerpo inmovilizado para saltar, no sin antes perder la linterna por el camino (no la necesitaba, el almacén entero era ya un hervidero de luz, ruidos y vida mecánica), hasta su terrestre y arrancarlo.

Nunca le pareció más lento aquel vehículo, apenas una modificación de los que los oficiales empleaban en los campos de golf, ridículo mientras intentaba alcanzar, con dificultad, el portalón de salida. No se atrevió a mirar hacia atrás; los retrovisores apenas dejaban ver otra cosa que grandes pechos metálicos, brazos potentes con ametralladoras y tenazas, cabezas grotescamente pequeñas con los focos de los ojos mirando en la misma dirección que él, la de salida.

Finalmente, ganó el exterior. Por un momento, se engañó pensando que todo seguía igual, que lo ocurrido en aquel almacén era tan sólo una alucinación, un momentáneo error que pronto sería devuelto al estado previo, el que debía tener. Pero no tardó en comprender que no sería así, que estruendos similares estaban surgiendo de los otros almacenes. Y, de hecho, pudo ver cómo las primeras formas levemente humanoides, pequeñas por la distancia, estaban saliendo del más alejado.

Procedió a girar el vehículo para moverse en el sentido contrario, en busca de refugio en el edificio del regimiento. Pero, en ese momento, el terrestre se detuvo, quedó muerto por más que intentara girar un volante que se había quedado inmóvil como una piedra. Las pequeñas luces de posición y el foco delantero se apagaron.

Y no sólo ellos: la entera iluminación del complejo dejó de funcionar. Todo lo que podía abarcar su vista se desvaneció. Hacia delante, fue como si una mano oscura descendiese sobre las instalaciones de Fort Dix, un viento helado suficiente para apagar de una sola vez miles de pequeñas velas de cumpleaños. Ante los ojos asombrados de Jonathan, la mancha de negrura se extendió más y más hacia el horizonte, y pronto sólo algunos resplandores a lo lejos, lo que llegaba hasta allí del gran conglomerado de la metrópolis de Nueva York, parecía arañar algo de la repentina oscuridad.

Eso, y el resplandor multiforme que cada vez se acercaba más, de toneladas de metal ahora vivo, determinado, que avanzaba en formación y amenazaba con arrollarle. Un caminar rítmico, sin descanso, que hacía temblar el suelo bajo sus pies y que la vibración llegase hasta la misma base de su cráneo. Vio ante él su propia sombra alargada y temblorosa, inclinándose de izquierda a derecha y volviendo después en el sentido contrario, siguiendo el ritmo marcado por los pasos del ejército que se aproximaba.

Sin saber cómo, fue capaz de darse la vuelta. El brillo de centenares de ojos luminosos le cegó por un momento, pero no lo suficiente para no dejar de ver que con ellos había algo todavía más horrible. Aquí y allá, unas formas se elevaban sobre la masa con sus grandes patas, unas máquinas que resultaban aún más inhumanas que los letales autómatas.

Todos estaban libres. Y parecían saber exactamente hacia dónde querían ir.

34

El *Corsario* sobrevolaba el Atlántico como una gran luciérnaga en medio de la noche. Sumido en la invisible corriente de energía de una de las rutas privadas tendidas sobre el océano, las reservadas a los oceánicos de uso particular, devoraba a buen ritmo la distancia entre Nueva York y Londres. Alguien que estuviese abajo, en el mar, apenas oiría nada, tan sólo vería un gran objeto acercándose hasta su posición para luego superarle, recortado en el cielo estrellado con sus luces de posición y la iluminación que se filtraría por las ventanillas. Quizá ese hipotético testigo reconocería la nave y se preguntaría por qué uno de los hombres más poderosos de Norteamérica estaba abandonando el país en uno de los momentos más críticos de su historia reciente.

Había una explicación, por supuesto. Morgan iba a reunirse con su familia; sus hijos y sus nietos ya habían salido hacía cuatro días hacia Londres, uniéndose a Henry, quien vivía desde hacía un año en la capital del Imperio británico llevando los asuntos de la firma en Europa y la India. Ahora, con su incorporación, la Casa Morgan al completo residiría en el país que tan ligado estaba al origen de su fortuna; como emperadores modernos, abandonaban un territorio convulso para situarse en otro desde el que continuar gestionando los intereses de su particular corona.

Sentado a la mesa del despacho, situado en la planta superior del cuerpo central de la nave, y desde donde podía ver el cielo atlántico a través de la serie de ventanas que ofrecían una panorámica completa, intentaba concentrarse en unos papeles que había llevado consigo. Pero el discurso del presidente le había producido tal malestar que le resultaba casi imposible. Por supuesto, había desaconsejado la emisión del comunicado y movido todos los hilos posibles para que el pusilánime de Hoover no cediera al chantaje, pero no había servido de nada. El inquilino de la Casa Blanca se sentía acorralado y, por primera vez, los dueños del poder en la sombra no eran capaces de ofrecerle una forma de salir del atolladero, así que había decidido obrar por su cuenta.

Y todo, para nada. Morgan estaba convencido de que la confesión pública de la gran mentira iba a traer muchos más problemas sin a cambio resolver ninguno de los que ya tenían. No es que le preocuparan los aspectos legales: el conglomerado empresarial encabezado por Edison estaba bien asentado, y cualquier intento de impugnar su constitución y la propiedad de las patentes desembocaría en una costosísima batalla legal que tardaría décadas en decidirse y ocasionaría un gasto exorbitante al Tesoro norteamericano. Pero, cuanto menos, la intervención de Hoover sembraría la semilla de la incertidumbre, y ése es siempre el peor escenario para hacer negocios. Francamente, no necesitaban nada de todo aquello.

¿Qué importaba quién fue el inventor, quién tuvo la primera idea? ¿Es que alguien en el mundo recordaba quién había sido la primera persona a la que se le ocurrió utilizar una hoja de papel para escribir? Y sin embargo, nadie sentía estar estafando a nadie por usarlas a millones cada día. Utilizar a Edison había sido inteligente, porque sólo alguien como él podía disipar todas las dudas y ayudar a conseguir las inversiones necesarias para echar a andar la Red Mundial. En cambio, ese Tesla... ¿Qué tenía? ¿Genio? Sí, era posible. Pero también arrogancia, en una cantidad tal que espantaba al dinero. Nada constraido sobre un soñador ha durado mucho tiempo: Alejandro Magno conquistó medio mundo, pero su imperio se disolvió como un azucarillo en cuanto murió. En cambio, los romanos, con su gris eficacia y su engrasado aparato administrativo encabezado, eso sí, por los correspondientes césares, fueron capaces de construir algo que duró siglos. Morgan estaba convencido de que habían sido esos gestores en la sombra, quizá patricios o banqueros sin ningún aparente poder real, los que de verdad habían hecho de Roma el imperio que aún se enseñaba en las escuelas.

Y ahora, más de un cuarto de siglo después, aquel hombre derrotado había regresado de un modo teatral y peligroso para reivindicar, como en un manido serial, lo que consideraba que le había sido robado. Era absurdo, un ataque al orden que había hecho de Estados Unidos un gran país; los bárbaros llamaban a la puerta de la arrogante Roma, y ésta se descubría incapaz de ofrecer una respuesta, como si tuviera algo de que arrepentirse.

Ignoraba qué ocurriría a las ocho de la tarde del día siguiente, cuando el chantajista descubriese que no podían entregarle a Tesla. Todo había sido un desastre; incluso Nelson, que nunca le había fallado, había sido incapaz de encontrar a ese vejestorio y traérselo, el encargo más sencillo que nunca le había hecho. Y lo peor era que ni siquiera sabían quién le había ayudado a escapar; de hecho, ni siquiera descartaba la idea de que hubiese sido el misterioso chantajista el que le hubiera hecho desaparecer para así tener un motivo más de agravio hacia ellos. Aunque, en realidad, se trataba de una medida superflua: eran ellos los que controlaban el juego, ¿acaso necesitaban una excusa más para lo que, de todas maneras, eran perfectamente capaces de hacer por sí mismos?

Un zumbido le anunció una llamada desde la línea privada. Descolgó; era Shear desde la Torre Uno, donde se había instalado para coordinar los trabajos contrarreloj para desactivar la amenaza. Hasta ahora, sin éxito: incluso la medida extrema de desconectar el sistema de sus fuentes de energía (las centrales eólicas, solares, hidroeléctricas repartidas por todo el mundo, allá donde hubiese recursos suficientes: una buena parte del desierto del Sáhara estaba cubierto por paneles que aprovechaban la luz del sol) no era una opción: para desesperación de Morgan, los técnicos de Gernsback habían descubierto que no tenían capacidad para intervenir sobre ellas; los atacantes habían bloqueado el sistema, que seguía funcionando en su automatismo, sin que nadie pudiera impedirlo.

—Michael, dígame que tiene buenas noticias.

—Me temo que no, señor.

En los últimos días, descolgar el teléfono sólo servía para que automáticamente la vida fuese mucho más complicada que antes de hacerlo. Por un momento, Morgan añoró los viejos tiempos en que cruzar el Atlántico significaba varios días de completo aislamiento.

—¿Qué es lo que sucede?

—Algo muy grave. El departamento de Guerra informa de que los autómatas almacenados en la base de Fort Dix, en Nueva Jersey, han sido activados y puestos en marcha.

Morgan sintió cómo algo subía por su garganta y se condensaba en gotas de sudor frío que le perlaron la frente.

—¿Desfilar? ¿Hacia dónde?

—Hacia aquí. Si nada les detiene, llegarán a Nueva York por la mañana.

Morgan se quedó mudo. Así que en eso consistía el golpe. Debería haberlo supuesto: de todas las acciones que podían acometer, no había otra más coherente que aquélla. Recordaba a la perfección, como todos los norteamericanos de su generación, el Desfile de la Victoria que había recorrido la Quinta Avenida en 1919, un espectáculo soberbio, sin precedentes. El público había recibido enfervorizado a aquella sucesión de ordenadas filas de figuras mecánicas de ligero parecido a hombres, tres metros de perfección técnica con un único fin: obedecer órdenes para matar y destruir. Y sobre sus cabezas, las de ellos y el público, avanzaban los trípodes, aquellas grandes máquinas que habían sido diseñadas con la inspiración puesta en los artefactos marcianos que sembraban la aniquilación en la novela *La guerra de los mundos*, de H. G. Wells.

De nada sirvió que el propio Wells, un ingenuo pacifista, si no criptocomunista, emprendiera una campaña en la prensa repudiando que los ingenieros de Estados Unidos hubieran llevado a la práctica sus ideas sobre unas máquinas con capacidad de destrucción no sólo infinita, sino también capaces de despertar los temores más íntimos de los hombres. A Morgan siempre le pareció que era una postura cínica; al fin y al cabo, una de las razones que habían convertido a la novela en un éxito, y a su escritor en un hombre muy rico, era precisamente su acierto a la hora de despertar terror entre sus lectores. No había sido ningún militar, ningún obsesionado con la guerra, el que había tenido la imaginación suficiente para concebir un horror como aquél. No, había sido un inofensivo escritor que seguramente no había sido consciente del alcance y la capacidad de sugerencia de su invención. Como dijera el secretario de la Guerra de aquel momento en una de sus comparecencias:

—Quizá lo que moleste al señor Wells es descubrir que ha sido capaz de crear uno de los mayores horrores que hayan surgido de la imaginación de un hombre. Pero cuando le entren las dudas, debería ser capaz de repetirse a sí mismo que su visión ha servido para algo, para traer la paz a un continente invadido por guerras continuas. Una paz que, entre otras cosas, ha salvado también a su país, Inglaterra, y a la civilización, permitiéndole no sólo mantener, sino también extender un imperio que hoy es la envidia del mundo. Sí, debería sentirse orgulloso, no consumido por una ira que, simplemente, carece de sentido.

De todas maneras, los autómatas llevaban ya muchos años fuera de circulación, y en Estados Unidos casi nadie había vuelto a pensar en ellos. Pero ahora, Morgan volvía a verse de nuevo en aquel estrado habilitado para las personalidades invitadas, sintiendo cómo el suelo temblaba al paso de aquellos seres mecánicos, bañados por una lluvia de confeti tricolor y adornados con escarapelas con barras y estrellas. Era inevitable dar las gracias por haber forjado un país con tal fe en la tecnología que había permitido que fuesen ellos, y no los rusos ni los alemanes, los primeros en desarrollar unas armas como aquéllas. No quería ni imaginar lo que podría suponer lo contrario, que aquellos artefactos se desplegaran en Manhattan no para desfilar, sino para hacer lo que mejor sabían. Técnicamente, nada en el mundo podía detenerlos.

—Deben esforzarse más, Michael. ¿Qué dice Gernsback?

—No tenemos ninguna novedad, señor. Los técnicos dicen que lo más probable es que no haya un único punto de interferencia, sino muchos de baja intensidad que atacan la Red simultáneamente. Eso los hace indetectables en la práctica.

—¿Gernsback sigue en Nueva York?

—Sí, señor. Por lo que yo sé, se ha instalado en su despacho. No parece que tenga intención de abandonar la ciudad.

Morgan sintió un relámpago de sospecha en su interior. Aquello era extraño y para nada típico de Gernsback, por muy excéntrico que fuera. ¿Por qué motivo se quedaría en una ciudad que, si las noticias de los autómatas eran ciertas, en breve sería atacada? Estaba claro: sabía algo que ellos desconocían.

—Quiero hablar con él.

—¿Señ...?

—Que quiero hablar con Gernsback...

Morgan aún tardó un instante en darse cuenta de que la conversación se había interrumpido.

—¡Michael! —gritó inútilmente al auricular, perdiendo su característico autocontrol—. ¡Mike!

No había nadie al otro lado. Absolutamente nadie. Ni siquiera un ruido de estática: simplemente, la comunicación había muerto.

Morgan marcó de nuevo el número de Shear, pero obtuvo el mismo resultado. Intentó entonces llamar al puente para preguntarle al capitán Pear qué ocurría con las comunicaciones, pero descubrió que tampoco el circuito interno funcionaba.

Comprendiendo que debería desplazarse en persona hasta allí para saber qué era lo que ocurría, se levantó de la silla y cruzó el amplio espacio del salón para salir por la puerta, pero vio algo a través de la ventana que le hizo detenerse.

Al principio, fue más una intuición de movimiento que una verdadera impresión visual. Hasta que comprendió que había sido el autómata de proa, una adaptación propia de los utilizados en Europa e incorporado a la defensa del *Corsario*, el que había girado 180 grados su cintura ensamblada al fuselaje para mirarle de frente con su rostro inmutable. Si a Morgan le había costado comprender en un primer momento lo que estaba ocurriendo, había sido sólo por el color oscuro de la máquina, que dificultaba verla con detalle bajo la noche atlántica.

Y fue ese instante de duda lo que marcó su perdición. Porque si la iluminación hubiera sido otra, habría visto que el movimiento no se había limitado a un giro sobre sí mismo, sino que sus brazos armados con ametralladoras se habían elevado. Incluso, si no hubiera sido por el ventanal y la mampara, habría oído los chasquidos de las armas al eliminar los seguros y ponerse en posición de disparo.

Cuando las ráfagas barrieron el interior del despacho, atravesando el grueso cristal de las ventanas para atravesar su cuerpo, por fin comprendió, pero ya era tarde. Fue golpeado una y otra vez por proyectiles que terminaron incrustados en la madera de la mesa ante la que había estado sentado, en la pared y en las valiosas obras de arte que colgaban de las paredes y reposaban en las estanterías.

Morgan cayó al suelo; sintió la sangre que le empapaba el vientre, los ojos bien abiertos ante la comprensión última de que había sido acribillado, una sensación que por un momento se impuso al dolor de sus múltiples heridas y el sabor de la sangre que comenzó a manar de su boca. El autómata de proa se había detenido ya, aparentemente satisfecho por el resultado, los cañones de sus brazos humeantes, pero desde la mullida y cara alfombra que estaba manchando de rojo oscuro, el financiero pudo oír el sonido del otro autómata, el de popa, que disparaba hacia sus propios objetivos, puntuados por los gritos de los hombres, que se extinguían casi en el momento de comenzar.

Pronto también éstos quedaron en silencio. El *Corsario* continuaba deslizándose sobre el Atlántico, pero se había convertido en una tumba volante. Quizá contuviese a algún otro hombre que agonizaba como él mismo, pero no sería por mucho tiempo. Mientras luchaba porque su mente no se desvaneciera, Morgan tuvo la visión de la nave atracando pocas horas después en Londres, sólo para que el personal de la terminal acabase descubriendo su macabro contenido.

Desde la posición en la que se encontraba, sintiendo el viento de la noche que penetraba por las ventanas ahora destrozadas, Morgan sólo podía ver el techo, sobre todo la gran lámpara compuesta de muchas y pequeñas luces inalámbricas. Ante sus ojos, éstas se apagaron y el leve zumbido, el único sonido que emanaba del vehículo en su desplazamiento, desapareció. Su sentido del equilibrio detectó entonces que el suelo se inclinaba, algo que el encontronazo con objetos que habían caído sobre la alfombra a causa de los disparos corroboró.

Cuando el *Corsario* se hubo precipitado al mar, la nave tan muerta como lo estaba la mayoría de sus ocupantes, Morgan comprendió que la visión macabra que había tenido poco antes nunca sucedería, y eso le supuso un sorprendente alivio. Cuando el impacto desplazó su agonizante cuerpo hasta golpearse contra la pared, se dijo que, al fin y al cabo, el *Corsario* era un vehículo capaz de flotar... Si es que se quería que flotase, claro.

Cuando el agua fría del Atlántico comenzó a verterse en el despacho, empapando sus ropas y subiendo a toda velocidad para ahogarle, comprendió que ésa no era la intención de quien había decretado su muerte. Su último pensamiento no fue para su familia, para su padre, su fortuna, los autómatas ni Nueva York. Por algún extraño motivo, sólo podía pensar en bárbaros. En bárbaros a las puertas de Roma.

35

El aire, agradable, le acarició la cara. Kachelmann cerró un momento los ojos y dejó que la brisa le llenara los pulmones. Después de la semana de encierro, aquello era una bendición.

Bajó las escaleras que daban a las oficinas del FBI en Nueva York. Se sentía más cansado que nunca, pero también satisfecho de no haberle sido de utilidad a los federales.

—¿Conoce usted a Nikola Tesla? —le habían preguntado, una y otra vez. Y la respuesta había sido siempre la misma:

—Sí.

Si insistían, volvía a contar de nuevo la vieja historia del joven serbio que había llegado un buen día a Pearl Street, su choque con Edison, su posterior marcha... Resultaba curioso poder narrar una y otra vez lo que había mantenido en silencio durante todos esos años. Y cada vez que lo hacía le producía una sensación distinta, pero siempre teñida de una mezcla de orgullo por conocer la verdad y, a la vez, de irresistible melancolía por lo que nunca llegó a ser. Porque, ahora lo comprendía plenamente, la oportunidad que se abrió cuando aquel joven alto y elegante puso el pie en la estación de Edison fue una ocasión perdida, que nunca volvería.

Luego, le sacaron las cartas que había estado enviando, puntual como un reloj, a los periódicos. Al ver el montón, no pudo evitar sentir un leve pinchazo de orgullo; no habían servido para gran cosa, pero al menos nadie le podía acusar de haber abandonado totalmente al anciano solitario que dejaba que le cubrieran las palomas del parque.

Nadie le golpeó, pero probaron todas las formas plausibles de preguntarle con quién trabajaba, qué posibles claves encerraban aquellas cartas. Él se hartó de responderles que difícilmente podría haber alguna información en aquellas misivas que, en el fondo, sabía que nunca verían la luz. Pero ellos insistieron, una y otra vez, durante siete días.

Hasta que al fin se cansaron, o tal vez entendieron, por último, que era tan sólo un patético viejo que hacía aquello más por sentirse en paz consigo mismo que por conseguir algo. Finalmente, comprendieron que era inútil tenerle allí, o quizá necesitaran a sus interrogadores para objetivos más trascendentes, porque esa mañana habían liberado a un grupo importante de detenidos.

Ante la entrada de la sede estatal del FBI, Kachelmann se entretuvo unos momentos en escudriñar los rostros de los que abandonaban el edificio. En lo arrugado de sus ropas y en los detalles que delataban que no habían podido ocuparse de su aspecto como hubiese sido deseable en los últimos días (el mismo Kachelmann no podía evitar pasarse la mano por el mentón, fascinado por la sensación raspante que anunciaba la imperiosa necesidad de un buen afeitado), reconoció a sus compañeros de cautiverio, pero ninguno le era conocido. Qué relación, directa o indirecta, podían tener con Tesla, se le escapaba.

Caminó hacia el metro. A su alrededor, la ciudad, siempre nueva y diferente, pero también tocada por la insolencia de quien lleva la confianza en sí misma hasta el extremo, parecía cambiada. Según fue caminando, se sorprendió al descubrir la cantidad de pequeñas cosas que no funcionaban o lo hacían de forma errónea: pantallas apagadas, varios de los tornos automáticos del metro inutilizados, autómatas limpiabotas con el brazo mecánico que sujetaba el cepillo detenido en una posición ridícula...

Se preguntó qué había ocurrido durante el tiempo que había estado bajo custodia. Le habían mantenido en completo aislamiento, sin oportunidad siquiera de compartir celda con nadie más (ellos no las llamaban así, claro, sino «habitaciones de acogida»), pero no hacía falta ser muy sagaz para darse cuenta de que algo había sucedido, algo sin una explicación sencilla. Hasta el vagón de metro parecía especialmente silencioso. La hiperactividad, que había hecho de los neoyorquinos el pueblo más optimista, capaz de mirar con desafío al porvenir, parecía haberse desvanecido. Una madre permanecía en silencio, concentrada en algún pensamiento, mientras a su lado su hijo buscaba constantemente su atención, haciéndole mil y una preguntas:

—¿Cuándo vendrá, mamá?

Kachelmann frunció el entrecejo ante la pregunta. ¿Quién se suponía que iba a venir?

En el transbordo de la línea de metro que le llevaría hasta Brooklyn, sintió una inquietud cada vez mayor. Y el hecho de que las pantallas, antes siempre llenas de imágenes felices que incitaban a comprar, a disfrutar o a celebrar, apareciesen ahora invariablemente fijas en el escudo de la ciudad y la leyenda «PERMANEZCAN ATENTOS AL CANAL DE EMERGENCIA-AYUNTAMIENTO DE NUEVA YORK», no contribuía a aminorarla.

Kachelmann se dirigió a un quiosco. El luminoso superior lanzaba frases desasosegantes e imprecisas, que no llegaba a comprender del todo. Compró un ejemplar instantáneo. La portada del *Post* era lacónica:

A ONCE HORAS DEL FIN DEL ULTIMÁTUM
LA CASA BLANCA NI CONFIRMA NI DESMIENTE
QUE TENGA A TESLA

Kachelmann sintió un escalofrío recorrer su columna vertebral. ¡Tesla! Ahí estaba, en letras bien grandes, en la primera plana de un periódico. Sólo que no lograba entender del todo qué papel jugaba en aquella historia. El periodista que firmaba el texto daba muchas cosas por sabidas por parte del lector, cosas que debían de haber ocurrido en los últimos días, y que Kachelmann lograba entender tan sólo en parte. Hablaba de sabotajes, de amenazas, de alguna oscura organización que reivindicaba su nombre y mencionaba cosas terribles que sucederían si no les entregaban al inventor.

«¿Entregárselo? Se ve que le han olvidado tanto que ya ni saben dónde lo han dejado...»

Siguió su camino en el metro, bajo el río, en busca de la seguridad de su habitación en la pensión. Esperaba que la policía no hubiese molestado demasiado a la señora Kerrigan, ni a su hijo ni a Francesca. Aquél era un hogar tranquilo, feliz, como tantos otros, habitado por una familia que intentaba salir adelante a pesar de los problemas y las dificultades. Y el chico, Edgar, era uno más de los miembros de una generación que había crecido sin saber nada de lo que había ocurrido antes. Durante esos días, se había estado preguntando si en realidad había tenido sentido dejarle el cilindro con la verdadera historia del origen de la nueva tecnología. ¿Para qué? En el fondo, eran viejas batallas de gente como él, a la que ya no le quedaba mucho tiempo. Cuando hubieran desaparecido, quedaría una única versión, indiscutible y verdadera, que pasaría de manera definitiva a los libros de historia, y el nombre de Tesla quedaría olvidado para siempre...

...o quizá no, dados los últimos acontecimientos. Pero nunca debería haber sido así, el nombre del inventor no se merecía reaparecer entremezclado en esa historia difusa de amenazas y extorsiones. El anciano no podía hacer nada que supusiera una amenaza para nadie, de eso estaba totalmente seguro. Para eso, era mejor el anonimato.

Cuando llegó a su estación, descendió del vagón tras la apertura de las puertas automáticas, se colocó en la escalera mecánica y ascendió hacia la luz de la calle. Volvió a reconocer el entorno, a pesar de que en los últimos años había pasado cada vez más tiempo en la pensión, sin apenas poner el pie fuera. Las maravillas se sucedían, o eso decía todo el mundo, pero él, en cierta manera, había permanecido ajeno a todo. Había vivido su particular era de los prodigios, había visto cómo la ciudad había abandonado la servidumbre del gas y la práctica oscuridad para convertirse en una metrópoli moderna, llena de futuro. Pero él, que había sido un niño fascinado por las novedades, de infinita fe en el progreso, en algún momento había cambiado y se había transformado en un renegado, en alguien que no confiaba en esa fuerza humana primigenia que era el deseo de hacer las cosas cada vez mejor, de tener una vida progresivamente más completa, más sencilla, más cómoda, donde el dolor y el sufrimiento fueran desapareciendo.

«Pero no, no desaparece. Nunca del todo.» Y ahora, desde la soledad de su vejez, sentía que con su inofensiva resistencia ante el poder había hecho lo único de cierta importancia que daría sentido a su existencia. Pero si miraba hacia atrás, a su vida sin hijos, sin nadie que verdaderamente le pudiese llorar cuando al final se fuera, se daba cuenta de que era un balance demasiado pobre...

Algo inesperado interrumpió el hilo de sus pensamientos, justo cuando llegaba ante el portal de la pensión. El sonido de una sirena, largo, desquiciante, atronó sus oídos. Una sirena acompañada por otras que venían de más lejos. La megafonía comenzó a dejarse oír, con dificultad, sobre aquel estruendo:

—Les habla el servicio de emergencias de la ciudad de Nueva York. Por favor, acudan a los puntos de refugio más cercanos. Esto no es un simulacro; repetimos, esto no es un simulacro.

El resto de las personas que se encontraban por la calle miraron también hacia arriba, buscando de forma inconsciente el origen de las voces, pero a continuación echaron a andar, la mayoría en la dirección contraria a la que iban antes del aviso. Los aéreos que pasaban sobre sus cabezas modificaron también sus trayectorias, olvidando hacia dónde iban, en busca de lugares seguros. Un autómata de tráfico señaló hacia la boca de metro, y el luminoso que recorría su pecho comenzó a mostrar una flecha en la misma dirección y la palabra parpadeante «REFUGIO».

Kachelmann entró en el portal y subió las escaleras con rapidez inusitada para su edad. A medio camino, se encontró con la señora Kerrigan, que bajaba, apresurada.

—¡Señor Kachelmann! Está usted aquí...

Algunos otros huéspedes les adelantaron, pero no eran demasiados.

—Sí, ¿qué ocurre?

—Nada bueno, tenemos que refugiarnos... Nosotros tenemos asignada la estación de metro.

—Sí, pero... ¿por qué?

—¡Por Dios! Ahora se lo explico. Venga conmigo.

—¿Y Edgar? ¿Y Francesca?

Pamela ni siquiera le miró mientras la contestaba. Mala señal.

—No están aquí. —«Y tampoco sé dónde están», parecían añadir sus tristes ojos.

Llegaron a la calle y se sumaron a los grupos de personas que, sin demasiada prisa, como si no acabasen de tomárselo en serio, se dirigían a los refugios. Una familia avanzaba con tres niños visiblemente divertidos con la experiencia, uno de ellos con un gran labrador al que llevaba sujeto por una correa. Lejos de correr aterrorizados, todos parecían presos de una gran pereza.

Kachelmann recordaba que, de niño en Alemania, cuando sonaba una sirena o repicaban las campanas, todos reaccionaban con rapidez y sabían, casi como si hubieran nacido con ese conocimiento, lo que tenían que hacer. Era la diferencia entre vivir en un país en el que cada generación había conocido la destrucción de la guerra, o hacerlo en otro que sólo la había sufrido una vez en más de ciento cincuenta años.

De repente, las sirenas callaron. También los mensajes de la megafonía.

Todavía sus oídos seguían manteniendo el recuerdo del estruendo, cuando notaron una sombra que crecía rápidamente sobre el asfalto, y el primer aéreo se precipitó sobre una casa a su derecha. En cuestión de segundos, varios más cayeron sobre las calles, obligando a la gente a buscar lugares seguros, chocando unos contra otros. Vio pasar al perro de la familia corriendo, arrastrando la correa por el suelo, ladrando al aire, mientras un aéreo de la policía se desplomaba sobre la calzada, arrollando todo a su paso, como un peso muerto, sin luces, sin evidencia alguna de que hubiera alguien en su interior intentando controlarlo...

Kachelmann y Pamela se refugiaron bajo la escalera de entrada a uno de los portales. Varias personas estaban ya allí, y pudieron oír los comentarios consternados de una señora que se las arreglaba para ser audible por encima de la lluvia de vehículos.

Una lluvia que cesó tan instantáneamente como había comenzado. Cuando pasaron varios minutos sin evidencias de que ningún otro vehículo se estrellaba, se animaron a volver a la calle. El espectáculo era dantesco; como lanzados por un sembrador gigantesco, los aéreos se repartían por todos los sitios, arrojados al suelo, contra las casas, algunos habían detenido su caída al chocar contra otro vehículo que había caído antes... aquí y allá se levantaban columnas de humo, y el agua salía como un enorme géiser en el punto en el que uno había arrancado de cuajo, en su caída, una boca de incendios.

—¿Qué... qué ha sido eso? —preguntó el anciano.

Pamela miró a su alrededor, boquiabierta y estupefacta.

—Ya vienen... Nos atacan.

—¿Quién, quién nos ataca?

—Ese hombre extraño que nos amenaza... ése y su jefe, Tesla. ¡Malditos sean! Por culpa de ellos he perdido a mi hijo... ¡Y mire ahora!

—Tesla no tiene nada que ver...

—¿Cómo lo sabe? —le miró—. ¿Es que es usted uno de ellos?

—¡No diga tonterías! Me conoce desde hace años...

—¿Que le conozco? ¿Qué conozco? Era usted un huésped silencioso, que no daba problemas... Y un buen día aparece el FBI y se lo lleva. Y al día siguiente, a mi hijo y a la chica. ¿Qué ha traído usted? ¿Qué le hemos hecho? ¡Maldito!

Pamela, presa de un ataque de furia, literalmente cogió al anciano por las solapas de su abrigo y lo empujó contra la pared. Le golpeaba una y otra vez el pecho, y sus palabras se volvían cada vez más inconexas, los ojos enrojecidos de rabia, mientras sólo era audible una palabra que repetía una y otra vez: «¡Devuélvamelos! ¡Devuélvamelos!».

—¡Señora Kerrigan! ¡Pamela! ¡Por Dios, tranquilícese! Estoy tan desconcertado como usted... De hecho, me han soltado, ¿es que no lo ve? Yo no tengo nada que ver con lo que está pasando...

Finalmente, Kachelmann logró sujetarla por las muñecas. La mujer siguió forcejeando, hasta quedarse sin fuerzas. Al final, su lloro se convirtió en algo más fluido y abundante, y posó la cabeza en el hombro de él. Kachelmann la sintió llorar, sin saber muy bien qué hacer, salvo abrazarla y susurrarle palabras tranquilizadoras.

Finalmente, ella se separó de él. Se pasó las manos por el rostro intentando secarse, pero aceptó el pañuelo que el anciano le tendió.

—Yo... Lo siento, lo siento de verdad. —Su pelo pelirrojo surcado de canas se había descompuesto, y su moño amenazaba con deshacerse completamente—. Es sólo que... No sé nada de mi hijo desde hace casi una semana. Ni de Francesca.

—¿Qué les ha pasado?

—No lo sé. Se los han llevado. Se presentó un joven, un piloto de la Casa Morgan. Cogió a Francesca y se encerró con ella en la cocina. Ante mis gritos subieron dos policías, pero el piloto les enseñó un papel y, en lugar de ayudarme a mí, evitaron que entrara en la cocina. Sólo salieron cuando comenzó a sonar el teléfono. Me taparon la boca para que no pudiera decir nada e hicieron que respondiera Francesca. Por lo que decía, comprendí que estaba hablando con Edgar; quedaron en verse, creo que en Grand Central Station, y entonces se la llevaron... Y no he sabido nada más, ¡hasta hoy no he sabido nada!

»¿A dónde se los llevaron? ¿Usted les ha visto?

Kachelmann negó con la cabeza.

—No, yo...

Un grito recorrió la calle, repetido por decenas de gargantas, como el cumplimiento de una profecía:

—¡Ya vienen! ¡Ya están aquí!

Una joven pasó ante ellos, señalando hacia atrás mientras gritaba:

—¡Van hacia el puente! ¡El puente!

Kachelmann y Pamela miraron en la dirección en la que venían los que corrían. Pocas manzanas detrás estaba el río, y junto a él, el puente de Brooklyn, una de las principales vías de acceso hacia Manhattan. Sólo entonces se percataron, ahora que había quietud, de que la electricidad había desaparecido —lo decían no sólo los aéreos, sino también los autómatas que definitivamente se habían quedado inmóviles, en una posición imposible, tan ridículos como los limpiabotas del metro— y de que algo se movía al final de la calle, casi a la altura de MacLaughlin

Park, una masa como un ejército, cuyos pasos podían oír, mejor dicho, sentir vibrar bajo sus pies en el pavimento. Sólo que eran demasiado altos, demasiado grandes y demasiado extraños para ser soldados...

Y en ese momento, sobre ellos apareció una gran pata que se posó en el suelo y que sirvió de soporte para que otras dos hicieran acto de presencia. Sólo pudieron ver la parte superior cuando rebasó un edificio inusualmente alto para aquel barrio y comprendieron que se trataba de un gran trípode que, en lo alto, sostenía una máquina ovalada, con una gran bóveda de cristal que no permitía ver nada en su interior, una máquina que, a pesar del contraste con la luz encapotada del día (se había ido cubriendo con el paso de las horas), tenía un aspecto absolutamente amenazador, inquietante, como si caminara protegiendo y completando a los soldados que avanzaban.

De repente, el gran trípode se detuvo y giró en la dirección en la que se encontraban. Un grito de miedo recorrió a la multitud, que echó a correr mientras la gigantesca máquina emitía un sonido aullante, triunfal, que helaba la sangre.

Pamela y Kachelmann también corrieron. Él sentía que aquél era un esfuerzo excesivo para sus viejas piernas, pero ella tiraba de él con firmeza, empeñada en no dejarle atrás también a él. Y no se detuvieron ni siquiera cuando llegaron hasta la boca de metro y tuvieron que abrirse paso como pudieron entre la masa que bloqueaba la entrada ahora que la escalera mecánica no funcionaba. Bajaron a trompicones, y en más de una ocasión estuvieron a punto de caerse. Pero lograron ganar el andén y sentarse en una esquina. Pronto no quedó ningún lugar donde poder hacerlo ni donde apoyarse en la pared, así que en cierta forma fueron afortunados.

En medio del ruido de la gente amontonada, de los lloros y los rezos, Kachelmann distinguió un llanto que, por algún motivo, se destacaba sobre los demás. Cuando localizó su origen, vio que correspondía al niño que había perdido a su perro, el animal que, ahora mismo, estaría corriendo por una calle hasta hacía pocos minutos tranquila y que ahora se había convertido en una locura donde vagaban monstruos y el mundo se caía a pedazos.

36

A Edgar le asaltaron los malos recuerdos cuando vio que las nubes comenzaban a cubrir el cielo. A pesar de que una parte de sí mismo repetía como una letanía que el *Eagle* era mucho más fiable para volar entre la lluvia que un aéreo, el recuerdo de la caída con el aparato de Nelson era demasiado reciente como para no haberle dejado huella.

Sentado en el asiento de copiloto, junto a Anna, había observado con ojos abiertos de niño cada una de las acciones de la chica, cómo había llevado con destreza aquella máquina cuyo ruido ya comenzaba a no oír, hasta tal punto lo había interiorizado. Y no dejaba de ser curioso que él, que estaba acostumbrado a la inmediata e inmutable comodidad de los aéreos, pudiese tan pronto no sólo aceptar, sino incluso hasta disfrutar, los vaivenes de un aparato que sufría los golpes de viento de una manera más acusada que los vehículos voladores que había conocido hasta ese momento. Era como si se hubiese pasado su corta vida preparándose para aquel momento, para extraer la más mínima información de cada gesto, de cada maniobra... Sí, cada vez tenía menos dudas de que era para aquello para lo que había nacido, por más que se tratara de algo que no había conocido hasta entonces.

Savage se asomó a la cabina.

—¿Cuánto tiempo queda?

—En una hora y media estaremos sobre Manhattan —contestó Anna.

—¿No sería mejor aterrizar a las afueras de la ciudad? —preguntó Edgar.

—No, eso nos retrasaría demasiado —replicó el soldado—. Si tomamos tierra en la Terminal de Castle Garden, estaremos lo bastante cerca de la Torre Uno. Desde allí se controla todo el sistema.

—Puede ser peligroso...

—Lo será si la tecnología de mi tío no resulta tan efectiva como pensamos —intervino Anna—. Será cuestión de confiar en él; al menos, hasta ahora, no parece que nadie haya podido detectarnos.

—Puede que tengan cosas más importantes en que pensar —dijo Savage con un tono algo siniestro—. Hemos visto columnas de humo negro en el suelo. Y estas nubes indican que están teniendo problemas con el control climático.

—¿Hemos recibido alguna señal?

Savage negó con la cabeza.

—Negativo. Hace dos horas perdimos cualquier comunicación. No sabemos si se trata de un fallo general o de un problema de nuestros equipos.

—Quedan poco más de cuatro horas para el fin del ultimátum —terció Edgar—. De Bobula debe de haber movido ficha.

El capitán, al mando de la expedición, permaneció en silencio durante unos segundos, antes de contestar:

—Justo eso es lo que más me preocupa. No saber cuáles son esas fichas.

»Chico, sígueme. Vamos a dar los últimos toques al plan.

Edgar se quitó a su pesar los auriculares y siguió a Savage. En la parte de carga, los otros tres expedicionarios intentaban mitigar como podían la tensión y el abotargamiento de tantas horas en el avión. Savage hizo una seña a Swezey, que desplegó un mapa de la parte sur de Manhattan sobre una mesa improvisada en un cajón. Edgar miró a Tesla. Permanecía con los ojos cerrados, como en letargo. Se preguntó si aquello no sería demasiado para alguien de su edad, pero en su rostro se dibujaba una serenidad que no le había visto antes de que tomaran la decisión de embarcarse en aquel loco viaje.

De alguna manera imposible de definir, no le quedó duda de que estaba escuchándoles y de que su mente estaba analizando la situación desde todos sus ángulos. Quizá lo estaba haciendo en medio de una de sus tormentas internas, entre relámpagos y destellos surgidos de su cráneo.

—Aterrizaremos en la pista de la Terminal —señalaba la mano enguantada de Savage mientras tanto—. Los inhibidores harán su trabajo, neutralizando cualquier defensa automática. Pero tendremos que estar atentos a las armas no eléctricas. Una vez que estemos en el suelo, Kerrigan y yo buscaremos un aéreo lo suficientemente amplio como para llevarnos a nosotros y al material. Me temo lo peor con respecto a la posibilidad de contactar por radio con alguien...

—Pero no lo entiendo —dijo Edgar—. Si han bloqueado el sistema, ¿quién nos asegura que funcionen los aéreos?

—Nadie —intervino Kuznetsov—. Por eso llevarás esto —dijo, y le tendió una mochila negra que había sacado de la caja pequeña de material. Edgar la cogió y le sorprendió lo pesada que era.

—¿Qué es esto? ¿Qué tiene dentro?

—Un pequeño intercod. No es demasiado potente, pero sí lo bastante como para recuperar el control de todo aparato movido por energía inalámbrica que se encuentre a cinco metros de distancia. Suficiente para un aéreo.

Edgar asintió, no sabía si suficientemente convencido. Pero tendría que valer. No se engañaba, además, sobre lo que significaba el hecho de que Savage fuese a acompañarle en la búsqueda del aéreo. Eso sólo podía significar una cosa: que no esperaban ser recibidos con los brazos abiertos.

El resto del plan era sencillo... de decir, pero no tanto de hacer. Una vez que todos estuviesen en el aéreo, cargarían el gran intercod y todos, menos Anna, se desplazarían hasta la Torre Uno para instalarlo allí, mientras la chica llevaría el *Eagle* al punto de encuentro con el *Oxtrott* con el fin de repostar y hacer el vuelo de regreso hasta Villa Astoria.

Lo que sucedería en la Torre Uno era aún más sencillo de explicar: Tesla, con la ayuda de Kuznetsov y los técnicos que conocían el sistema, conectaría el intercod a la corriente principal, recuperaría el control y bloquearía la señal intrusa.

Era fácil. Demasiado, incluso. En verdad, no sabían cuál sería la situación real que se encontrarían en Nueva York, ni cuáles serían los siguientes movimientos de De Bobula. Más que un plan tenían unas directrices, y nadie se hacía ilusiones sobre hasta qué punto tendrían que improvisar. Cada acción vendría dictada por las circunstancias del momento. Y eso contando con que pudieran convencerles de que no formaban parte del plan de ataque, sino que en realidad venían a ayudarles... Demasiados factores que se escapaban no ya a su control, sino incluso a su valoración.

La voz de Anna se dejó oír por el sistema de comunicación interna.

—Capitán, debería echar un vistazo hacia el oeste.

Savage miró al grupo con el ceño fruncido. A continuación, se puso en pie y se dirigió hacia la ventanilla. Los demás le siguieron.

Afuera estaba lloviendo. Definitivamente, las frecuencias meteorológicas habían dejado de funcionar. Y bien por el gris del cielo, bien por la cortina de agua que caía de las nubes, iluminadas aquí y allá por el destello de relámpagos en su interior, el suelo parecía más extraño que nunca.

Pero no tanto como lo que había allá abajo. Anna había hecho descender algo el *Eagle* para que pudieran verlo mejor.

—¿Lo veis? —preguntó.

—Lo vemos —confirmó Savage desde su intercomunicador.

Un gran fuego ardía allá abajo, en medio de unas construcciones. El complejo tenía también una aeropista, y aquí y allá las llamas parecían indicar que había vehículos ardiendo en ella.

—¿Qué es eso? —preguntó Swezey.

—Un desastre... —Savage cogió de nuevo el intercomunicador—. Anna, confirma localización.

—Es Fort Drum, señor.

—¿Fort Drum? —preguntó Swezey—. Dios mío, ¿qué ha pasado?

—Que alguien los ha atacado, eso está claro.

—¿Quién? —preguntó Kuznetsov—. ¿De Bobula? ¿Con qué?

—Probablemente con autómatas.

—Sí, con *nuestros* autómatas.

El grupo se giró. Tesla ahora tenía los ojos abiertos, y les miraba.

—Es lo peor que podía pasar. Los ha despertado.

Edgar observó el efecto de estas palabras en cada uno de los miembros del grupo. Ninguno podía olvidar las historias de los periódicos sobre aquel ejército metálico. Incluso, Edgar había devorado, como todos los niños, las tiras del sargento Liptak, un personaje que vivía sus aventuras durante la Gran Guerra, en las trincheras. Allí, se hacía acompañar de Jonesy, un autómata parlanchín que, por un fallo de construcción, había salido cobarde. Jonesy era divertido, sobre todo por su tendencia a tartamudear cuando se enfrentaban con algún peligro, pero el resto de los que iban apareciendo por las distintas aventuras eran siempre duros, una muralla de fuego y metal que resolvía cualquier situación de los protagonistas, por desesperada que ésta fuese.

Jonesy fue muy popular entre los niños de su generación, pero eso no evitó que, a pesar de ello, anidara en él una desconfianza innata hacia aquellas máquinas, demasiado poderosas, demasiado implacables. Tanto fue así que, cuando desfilaron por la Quinta Avenida a su regreso de Europa, hubo niños que no pudieron contener el llanto. Había algo inquietante en esos perfectos mecanismos, construidos con un único fin, al que se habían dedicado de manera intensiva.

—¿Cómo? ¡No puede ser! —dijo Savage.

—¿Por qué no? La Red es un todo. Tal y como está configurada, si alguien es capaz de penetrar en uno de sus ámbitos, puede llegar a todos. Pensar que los autómatas estaban fuera de su alcance era una ingenuidad.

—Pero... ¡nadie podrá detenerlos! A menos que...

—...a menos que recuperen el control. Y eso sólo podrán conseguirlo con nuestra ayuda.

—Ya... —dijo Swezey—. El único problema es que no sabemos si nos darán tiempo para que se lo expliquemos.

Tesla sonrió enigmáticamente.

—No estaremos solos. Hay alguien que nos ayudará —y diciendo eso, volvió a cerrar los ojos. A todos los presentes les hubiese gustado pedirle más información, pero sabían que sería inútil. Tesla había regresado al mundo que existía en el interior de su cráneo, uno que ninguno de ellos podía imaginar siquiera.

37

Hugo Gernsback había entrado en la Torre Uno tras identificarse en un solo control: ventajas de ser el presidente de la RCA y la persona que había enviado a los ingenieros sobre los que descansaba la responsabilidad de buscar una salida al desastre. Tuvo suerte; fue poco antes de que la Red colapsase. Si lo hubiera intentado ahora, pensó, habría tenido que enfrentarse a tres controles más, aparte del pequeño detalle de que le habría resultado casi imposible llegar hasta el edificio. Como precaución adicional, había hecho que Nossiter incorporara al terrestre (no quería pasar por la experiencia de que su aéreo se viera repentinamente privado de energía, como en efecto había ocurrido poco después) un par de bicicletas que guardaba en su despacho, de un modelo sobre el que había estado trabajando para aumentar su eficacia y disminuir el esfuerzo. Como tantas otras ideas, ésta se había quedado también a medias, pero de forma oportuna la recordó cuando la pequeña caja negra que había sacado de la caja fuerte y guardaba en uno de los cajones de su mesa había comenzado con su característico sonido de taladro.

En ese momento, se encontraba solo en su despacho, inmerso en alguna de las miles de llamadas que habían punteado los días del ultimátum, unas jornadas caóticas en las que nadie parecía tener muy claro qué era lo que había que hacer: la Casa Blanca esperaba que Morgan les sugiriese un plan de acción; éste, a través de Shear, presionaba a sus técnicos para que encontraran una manera de rechazar la interferencia; y mientras, el secretario de Guerra se desesperaba porque no encontraba la forma de enfocar aquella agresión con los medios tradicionales, sin enemigo claro, sin objetivos que conquistar, sin un lugar a donde mover las tropas.

Y luego estaban, claro está, los Marconi, Ford y compañía. Hacía tiempo que Gernsback no sabía nada de ellos, lo que le hacía sospechar que ya no debían de estar en la ciudad, sino que habrían buscado refugio en algún lugar, incluso fuera del país. Él mismo había sopesado esa posibilidad. De hecho, lo estaba haciendo cuando oyó los golpes de ritmo cambiante del pequeño cubo negro.

Sabía perfectamente que la crisis era incontrolable, y aquello no iba a terminar bien. Había perdido la pista de Tesla; estaba convencido de que tampoco marcaría mucha diferencia el que lo tuvieran localizado, pues una nueva exigencia imposible de satisfacer habría sustituido a aquélla, pero su entrega quizá habría servido para ganar tiempo. Como solución intermedia, había pedido a su hijo Harvey que se hiciera cargo de su mujer, Dorothy, y se la llevara a su casa de Nueva Jersey. Al despedirse, Gernsback les había asegurado que les seguiría muy pronto.

Y lo iba a hacer, de verdad que ésa era su intención. Hasta que el intercomunicador, su juguete secreto, cuando nadie lo esperaba, había vuelto a la vida y había escupido una diminuta tira de papel por un extremo con el siguiente mensaje:

«Envío devuelto. Torre Uno.»

Gernsback había sonreído al leer el mensaje. ¡Así que el viejo no sólo estaba bien, sino que además estaba de vuelta! Nunca le habían faltado agallas, desde luego. Se preguntó desde dónde le estaría escribiendo. Desde que los hombres de Morgan habían fallado al intentar atraparle en Welfare

Island, todos los lugares donde cabía alguna posibilidad de encontrarle habían sido peinados. Chicago, Pittsburgh, Colorado Springs... Hasta San Francisco y Los Ángeles, ciudades en las que Tesla no había estado en su vida, fueron puestas en alerta, sin éxito.

El mismo Gernsback tenía que reconocer que estaba sumamente intrigado. ¿Quién le habría dado cobijo? Porque estaba claro que alguien le había ayudado: no era fácil esconderse en el mundo actual como lo había hecho, desaparecer en la nada, sin más señal que aquel mensaje críptico y camuflado entre el torrencial tráfico de la Red. Un único intercambio con escasa cantidad de información, y prácticamente indetectable.

Indetectable, pero no indescifrable: Tesla quería que se reuniera con él en la Torre Uno.

—¡Nossiter! —Su ayudante apareció de inmediato en su despacho—. Nos vamos a la Torre Uno. Por favor, encárguese de hacer los preparativos necesarios.

—¿Puedo preguntar para qué, señor?

—Puede, pero no le va a servir de nada: no voy a responderle... Y por favor, haga que carguen esas dos bicicletas en el terrestre.

Nossiter miró los velocípedos y a continuación escrutó el rostro de su jefe, muy probablemente en busca de signos que indicaran que estaba bromeando. Para su sorpresa, no los vio, así que no le quedó más remedio que pedir ayuda a una de las secretarias para trasladarlas.

Desde el edificio de la RCA hasta la Torre Uno había poca distancia, pero la circulación de terrestres estaba casi imposible. La discontinuidad en el servicio de los autómatas de tráfico estaba produciendo muchos problemas que agentes humanos intentaban compensar, pero resultaba inevitable que la velocidad a la que se movían fuera mínima. Les costó hora y media llegar al control de la Guardia Nacional que se situaba en la base del gran champiñón que marcaba el punto cero de la Red Mundial.

Una vez en el interior, un viejo conocido había acudido a saludarles al gran vestíbulo.

—¡Hugo! ¿Qué demonios estás haciendo aquí?

—Bueno, esa pregunta creo que también podría hacértela a ti, Mike. No sabía que fueras un experto en ingeniería eléctrica inalámbrica.

—Aquí ya hay suficiente gente que sabe de eso. Me preocupan más otro tipo de problemas.

—No queremos que nos quiten la novia, ¿verdad?

—Algo así —dijo, y los acompañó hasta un ascensor. Shear pulsó el botón de la planta 18. Cuando las puertas se hubieron cerrado, miró decididamente a Gernsback—: Bien, y ahora, ¿vas a decirme por qué estás aquí?

El aludido abrió los brazos, con una expresión de ofensa amistosa.

—¡Mike! ¿Cómo puedes recibirme así? ¿Cuánto tiempo hace que nos conocemos?

—Demasiado, te lo aseguro.

Gernsback pasó su brazo sobre el hombro de Shear y bajó la voz para hablarle confidencialmente al oído.

—Esta noche tuve un sueño. Se me apareció con claridad la Torre Uno, y una voz que salía de ella me decía: «Hugo, tienes que venir. Venir. Veniiiiiiiir». —Se separó de Shear. Su voz recobró el tono normal—. Y aquí estoy. Nunca subestimes la sabiduría que se esconde en los sueños, Mike.

Shear frunció el entrecejo. Iba a contestar algo, pero en ese momento un sonido de campana les indicó que habían llegado a la planta 18.

Salieron a una sala llena de consolas de mando, presidida por un gran mapamundi por el que se repartían pequeñas lámparas que representaban las torres repartidas por todo el mundo, con una enorme concentración en Estados Unidos y densidades diferentes en el área del Imperio británico, Rusia, Europa o Sudamérica. África y gran parte de Asia tenían una presencia casi testimonial.

Una gran multitud se afanaba de un lado a otro; la vestimenta que más abundaba allí eran las batas blancas, salpimentadas por el verde oliva del traje de los militares, salvo el beige claro de la Casa Morgan, portado por un Nelson que se dirigió al trío en cuanto hubo cruzado la puerta.

—¡Nelson! Otra cara conocida... ¡No sabes cómo me alegro! —le saludó Gernsback, los ojos muy abiertos en una exagerada expresión de sorpresa.

El aludido, que llevaba aún el brazo en cabestrillo, no respondió nada. En su rostro aún eran visibles las marcas que se había hecho al estrellarse.

—¿Qué hace aquí, señor Gernsback?

—Venir a ayudar, por supuesto. Y me da la sensación de que no os vendrá mal; veo esto un poco caótico hoy. Hay demasiadas de esas lucecitas parpadeando o apagadas.

Era cierto. Nunca la Red había dado una imagen tan evidente de inestabilidad. Numerosas torres estaban teniendo problemas en la continuidad de sus servicios (las que parpadeaban), mientras que algunas habían dejado directamente de funcionar (las apagadas).

—Tu gente te informará puntualmente, imagino —preguntó Shear.

—Lo intentan. Lo único malo es que sus informes suelen pasar por Nossiter, cuya formación inalámbrica deja bastante que desear. Por fortuna, prepara un té delicioso, razón por la que no acabo de decidirme a prescindir de sus servicios. ¿No es así, Nossiter? Quizá tenga una oportunidad para hacer una demostración a estos caballeros de sus dotes hirviendo el agua.

—Cuando... gusten, señor Gernsback.

—Yo, con unas gotas de limón —se volvió para preguntar a Shear y Nelson—: ¿Y ustedes?

—¡No tengo la más mínima intención de tomarme un té de...!

Shear le hizo un gesto a Nelson para que no culminara la frase. Como siempre, desconocía si Gernsback estaba haciéndose el excéntrico para desconcertarles o si en efecto tenía la intención de tomarse un té en medio del caos. Pero no tenía ni ganas ni tiempo de ponerse a averiguarlo; prefirió seguirle la corriente.

Aunque ya puestos, prefirió ponérselo aún más difícil a Nossiter. Si su jefe quería jugar, jugarían:

—Yo con leche. Y si pudiera ser con un poco de canela, sería perfecto.

Nossiter se quedó mirándoles desconcertado.

—Pero, pero... ¿De dónde voy a sacar yo...?

—Sorpréndanos —interrumpió Gernsback a su asistente. Éste, negando con la cabeza, se alejó, sin saber muy bien a dónde dirigirse entre aquella muchedumbre que gritaba órdenes e informaba de noticias a cada cual peor.

—Bien; ahora que Nossiter ha dejado de hacernos perder el tiempo, volvamos a hablar de cosas serias. —Gernsback les miró con una repentina seriedad que borró cualquier rasgo de su anterior diversión—. ¿Cuál es la situación? Y más exactamente, ¿dónde están mis hombres?

—Bajo tierra.

—No en el sentido literal, espero...

Shear le hizo un gesto.

—Sígueme.

Haciéndole un evidente gesto de despedida a Nelson, que se quedó mirando con expresión de disgusto cómo se alejaban, Shear lo guió hasta un rincón. Un hombre calvo se afanaba ante un gran plano desplegado sobre una mesa. A su lado, un militar con la pechera llena de condecoraciones y otro hombre en bata blanca escuchaban sus explicaciones.

—Hugo, supongo que ya conoces al doctor Baker, el responsable de la Torre Uno. Y éste es el general Rich, la persona encargada de organizar su defensa.

—Un placer, general. —Gernsback rescató el saludo militar que recordaba de su juventud. A Baker le estrechó la mano con firmeza—. Mucho tiempo sin verte, Jeremy. Dime, ¿a dónde has mandado a mis chicos?

—Buenas tardes, Hugo. Están en las plantas subterráneas.

—¿Y eso? ¿Por qué?

Como todas las torres de la Red, la Uno tenía prácticamente la misma extensión bajo tierra que sobre ella. No sólo el sistema lanzaba la electricidad a la ionosfera, sino que también necesitaba utilizar la resonancia de la corteza para enviar energía a través de ella. La combinación de ambos canales era lo que permitía la difusión sin apenas pérdidas; básicamente, las torres no eran otra cosa que grandes bobinas de inducción que se coordinaban unas con otras.

—No hemos sido capaces aún de localizar el punto por el que proviene la información intrusa —explicó Baker—, aunque no descartamos que en realidad estemos ante un ataque múltiple, con varios puntos de interferencia. Hemos dividido a los hombres disponibles en varias brigadas...

—... y a mis chicos les ha tocado la parte menos lucida. Ya veo. Bueno, quizá sean ellos los que terminen salvándonos el culo a todos a pesar de ser los más escondidos. Tendría gracia, ¿verdad?

A nadie le dio tiempo a replicar nada porque en ese momento se quedaron a oscuras.

De forma literal. No hubo ninguna advertencia, ningún aviso de mal funcionamiento. Simplemente, fue como si alguien presionara un interruptor y apagara la luz de una habitación.

—¿Qué demonios ocurre? —oyó la voz de Shear gritar a su lado.

—¡No tenemos conexión!

—¡Señor, se ha caído la Red! ¡Se...!

Algunos gritos de sorpresa seguían sonando cuando volvió la luz. Despacio, los monitores se calentaron y comenzaron a fijar una imagen aún temblorosa. Pero, al cabo de unos minutos, todo había vuelto, aparentemente, a la situación actual. Incluso, las lámparas habían dejado de parpadear en el mapamundi, y estaban todas encendidas.

Aparentemente. Sólo aparentemente. Porque no pasó mucho tiempo antes de que el primer técnico se pusiera en pie y comenzara a llamar al doctor Baker.

—¡Doctor! ¡Señor! Ocurre algo, ¡no tengo acceso a las comunicaciones!

—¡Lo mismo ocurre con el clima, señor!

—¡Las comunicaciones marítimas tampoco van!

Y a partir de ese momento, fue imposible entender lo que decían los hombres repartidos ante las consolas. Básicamente, estaban descubriendo que la Red funcionaba a pleno rendimiento por primera vez en muchos días. Sólo que ya no la controlaban.

—Pero... es imposible —murmuró Shear—. No podemos haber perdido todo el control.

—Pues eso parece, Mike... Eso parece —respondió Gernsback, su mirada atrapada por las pantallas llenas de informes que dibujaban el peor de los escenarios posibles, digno de una pesadilla.

—¿No podemos detener las fuentes de energía? ¿Cortar los suministros desde las grandes centrales? —preguntó el general Rich.

—Es imposible. Sólo se puede hacer desde el mismo corazón de la Red —explicó Baker—. La gran paradoja es que el sistema fue diseñado para que no pudiera ser alterado ni interferido desde fuera. Y ahora somos nosotros los que nos hemos quedado fuera.

—¡Suspendido el suministro de energía en todo el área metropolitana de Nueva York, señor!

—¿Cómo es posible? Las gráficas indican un alto consumo de electricidad justo en este momento... —preguntó extrañado Baker.

—Sí. Y la están utilizando para eso —señaló Gernsback en uno de los monitores, el que ofrecía una vista del puente de Brooklyn. Ante él, y en la orilla opuesta, podían ver una fila aparentemente interminable de autómatas detenidos, esperando para cruzar. Y entre ellos, era posible entrever unas formas ovaladas, con tres patas gruesas y que balanceaban unos largos tentáculos.

—¡Santo Dios! Sólo ellos tienen energía... —dijo el general Rich—. Y nosotros no tenemos comunicaciones, no...

—... no tenemos nada. Nada de nada —resumió Gernsback. Y empezó a decirse que la única ventaja que tendría para él estar allí sería tener una vista privilegiada del desastre. Nada más, tanto le daría estar en ese momento con Dorothy que en el ex cuarto de control del mayor logro de la humanidad, ahora poco más que un juguete roto en manos de un loco.

38

Como buen periodista, John O'Neill lamentaba no haber podido contactar con la redacción de su periódico, el *New York Herald Tribune*, desde que el FBI le detuviera en la habitación de Tesla del New Yorker. Una acción que, al menos, había servido para que el doctor tuviera el tiempo suficiente para huir.

Pero ahora, una vez disipada la satisfacción de haber podido ayudar a quien tanto admiraba y el alivio de haber sido liberado, el sentimiento que le dominaba era el de la frustración por encontrarse en medio de la mayor noticia que nunca iba a tener ante sí, pero sin forma alguna de contársela a nadie: las cabinas, no sólo dotadas de servicio telefónico, sino que también permitían enviar réplicas de escritos y fotos a distancia, e incluso grabaciones de voz e imágenes, habían dejado abruptamente de funcionar.

El derrumbe de la Red (literal, había visto precipitarse al suelo los aéreos al poco tiempo de abandonar las oficinas del FBI) había producido que la distancia de dos kilómetros que le separaba de la redacción se convirtiera en insalvable, sobre todo si tenía en cuenta que la noticia estaba desarrollándose en la dirección contraria. La tarde caía sobre Broadway, que se volvía cada vez más lúgubre bajo la luz mortecina de ese cielo anormalmente oscuro. En cualquier momento, puede que incluso entonces, se pusiera a llover. ¿Por qué no? Ya no quedaba demasiado espacio para la sorpresa.

O'Neill se cruzaba con los rostros desesperados de ciudadanos que no entendían nada. Alrededor de los aéreos estrellados, podía ver a grupos que intentaban socorrer a sus ocupantes, ante la imposibilidad de que las ambulancias pudiesen alcanzarlos. En otros lugares, cuerpos sin vida permanecían abandonados donde el violento choque les había impulsado, mientras que algunos aéreos (pocos, porque el corte eléctrico había reducido en gran medida la posibilidad de cortocircuitos) ardían en llamas.

Se dio cuenta de que caminaba en sentido contrario al de la mayoría de la población. Como siempre ocurre entre las masas, incluso cuando cualquier capacidad de comunicación o de sincronía se ha desvanecido, la gente parecía saber instintivamente dónde estaba el peligro y en qué dirección debía huir. Algunos de los que lo hacían, y con los que O'Neill había hablado, decían que Brooklyn estaba tomado por un ejército de autómatas. y que éstos pronto cruzarían el puente. Otros hablaban de extrañas máquinas volantes, e incluso de que misteriosas bombas habrían borrado Washington del mapa. Pero resultaba imposible distinguir lo real de lo que era mera exageración.

O'Neill seguía sin comprender con exactitud qué era lo que estaba sucediendo. Había estado muchos días aislado, sin recibir información, y tampoco Nossiter, en su visita, pudo darle ningún detalle. Sólo sabía, a diferencia de lo que pensaba la mayoría, que era totalmente imposible que Tesla estuviese detrás de lo que estaba pasando, aunque la identidad real del atacante era un misterio para él.

Pero no los efectos de sus actos, toda una gran ciudad paralizada, desarbolada, con el pulso detenido. Caminando por el centro de la calzada de Broadway, no podía evitar una sensación de fin de ciclo, de que se encontraban en un momento en el que, pasara lo que pasara, ya nada sería igual. Y ante todo, en él, que siempre había tenido una fe sin límites en que la tecnología traería un mundo mejor, sin miedos, la culminación de un proyecto en el que por fin el hombre tendría el control absoluto de todo lo que le rodeaba, y en sus manos la capacidad de hacer un mundo mejor, se abría la desazón de descubrir que su certeza se había revelado falsa. No, el mundo no había cambiado, y los mismos fantasmas de siempre seguían acechando, dispuestos a aprovechar las debilidades de los hombres, listos para destruir lo tan trabajosamente creado.

Si algo le había fascinado en Tesla era que también él compartía esa visión. Le había abordado en la lejana fecha de 1907, en una de las primeras estaciones de metro. Él era poco más que un meritorio en el *Herald*, pero para entonces ya había leído todo lo que años antes había aparecido sobre él en la prensa, antes de que la polémica sobre la autoría de sus patentes se terminara decantando por Marconi y Edison. Desde entonces, había permanecido a su lado, a la par que su carrera como periodista científico iba en ascenso. Mantuvo el contacto, incluso, cuando decidió retirarse bajo un nombre falso al New Yorker. O'Neill, desde entonces, había aprovechado cualquier momento para anotar los recuerdos de Tesla, su historia. Y con todo ese material estaba preparando un libro que, esperaba, haría justicia al genio.

Sin embargo, ahora O'Neill se preguntaba si ese volumen acabaría viendo finalmente la luz, o si tendría alguna importancia. Si Tesla terminaba siendo el gran villano, cualquier atisbo de oportunidad de rescatar su memoria se convertiría en una hipótesis sin fundamento.

De todas maneras, preocuparse ahora de eso parecía una frivolidad. Lo cierto era que estaban afrontando un tipo de guerra nuevo, sin precedentes en la historia. Si el conflicto europeo había supuesto la irrupción de un nuevo tipo de armamento que marcaba la diferencia entre un Estado todopoderoso y el resto, incapaz de presentarle resistencia, ahora asistían a una nueva vuelta de tuerca: nunca antes el armamento de un ejército se había vuelto contra su propio país. Esos días, estaba convencido O'Neill, marcarían un antes y un después en la historia militar. Para bien o para mal.

Llegó hasta la plaza del Ayuntamiento. Al otro lado se encontraba Park Row, la calle en la que desembocaba el puente de Brooklyn. Si efectivamente los autómatas iban a cruzarlo para acceder a Manhattan, tendrían que pasar por allí. Sería, por eso, el punto donde se decidiría el éxito o el fracaso del ataque.

Pero, si eso era así, el espectáculo no llamaba precisamente a la tranquilidad. Vio una mezcla heterogénea de uniformes, repartidos entre no demasiados hombres. Se mezclaban los colores de la Guardia Nacional, de la policía, hasta de los bomberos. Algunos particulares habían acudido desde sus hogares portando sus armas domésticas, sus Colt, sus Smith & Wesson de la era preinalámbrica... Todos habían llegado como habían podido, con las armas que podían portar, ahora que sus vehículos no podían desplazarse, llevados más por una intuición que por una orden, ahora que todas las comunicaciones habían cesado.

Pudo ver antiguos mosquetones sacados no sabía de dónde, portados por hombres de edad que habían desempolvado sus uniformes de la reserva. Otros llevaban rifles mecánicos procedentes de alguna tienda de antigüedades de armamento o directamente de un museo; incluso los bomberos atesoraban sus hachas y disponían sus cañones de agua. O'Neill no pudo por menos que sonreír ante la imagen de ese chorro lanzado contra una muralla de autómatas; le divertía pensar en qué les haría más daño: si la para ellos diminuta presión o el óxido resultante. A su pesar, se rio de su propio chiste.

O'Neill sintió su ánimo desfallecer. Si aquélla era la resistencia que eran capaces de ofrecer, no había esperanza. Pero ¿qué otra cosa podía esperarse si ningún transporte podía circular en Nueva York, si las versiones más avanzadas de las armas habían incorporado circuitos eléctricos que, también ellos, bebían de la misma Red Mundial que había dejado de existir?

Estaban perdidos. Irremediablemente perdidos...

Un sonido le hizo volverse. Vio movimiento por Murray Street, un grupo que se dirigía hacia el parque. Los hombres repartidos por allí también se volvieron en la misma dirección. Era toda una compañía a caballo, que asomó a la plaza con una prestancia que produjo un extraño efecto en la barahúnda que reinaba en el lugar. O'Neill se preguntó de dónde vendría; muy probablemente, sería una de las compañías que se mantenían por cuestiones protocolarias y de nostalgia, para desfilar en las ocasiones especiales y formar en los actos oficiales.

Flanqueando a los hombres montados, filas de soldados de infantería con armas de asalto caminaban con determinación. Entre el grupo a caballo, varios hatos de mulas tiraban de cañones que parecían salidos de una revista de historia. O'Neill no era ningún experto militar, pero le pareció que muchos de ellos bien podrían haber sido utilizados en la guerra contra España de 1898, e incluso alguno que otro no habría desentonado gran cosa en Gettysburg.

O'Neill se dirigió hacia el hombre que iba a la cabeza. Lucía el rango de capitán. Se llevó la mano a la frente en un torpe remedo de saludo militar.

—John O'Neill, señor. Periodista del *New York Herald Tribune*. ¿Puede decirme qué compañía es ésta?

El hombre, de unos sesenta años, con unos profundos ojos azules y un bigote primorosamente peinado, tan blanco como el pelo de su cabeza, le miró sin detener su caballo. O'Neill acompasó su paso al del animal.

—Noveno regimiento de caballería, señor O'Neill.

—Imagino que su experiencia de combate no debe de ser muy... extensa. Hace ya más de veinticinco años que los caballos desaparecieron de los campos de batalla.

—Puede ser —el hombre le dedicó una media sonrisa—. Pero me temo que estos jubilados son ahora mismo los únicos capaces de desplazarse. Al menos, mientras se encuentre una forma alternativa de que los vehículos consigan energía.

—Y dígame... ¿qué vienen a hacer?

El hombre le estudió detenidamente, reflexionando sobre si debía darle una respuesta. Debió de llegar a la conclusión de que, en realidad, no se trataba de ningún plan elaborado, sino de la única posibilidad para actuar, por lo que finalmente contestó:

—Hemos sabido que el enemigo viene hacia aquí. Venimos a apoyar los esfuerzos para detenerles.

—«Detenerles» quizá sea una palabra demasiado ambiciosa, capitán. Hablamos de los autómatas expedicionarios de Europa...

El hombre tardó un momento en contestarle. O'Neill creyó ver en él un orgullo militar, en cierta forma, contemporáneo de los cañones que arrastraban. Si las máquinas empleaban toda la potencia de que eran capaces, aquellos hombres no tendrían ninguna posibilidad, no ya de vencer, sino siquiera de salir vivos.

—Sea lo que sea, será más de lo que aguantaría la ciudad sin nosotros. —Justo en ese momento, unas pequeñas gotas comenzaron a caer. Siguiendo el instinto, el militar y O'Neill miraron al cielo.

—¡Sargento Lattman!

El aludido se adelantó.

—¡Sí, señor!

—Que los hombres cubran los cañones y que se pongan los capotes. Parece que vamos a tener que luchar también contra el tiempo.

—¡A sus órdenes, señor!

El sargento hizo girar a su caballo y se dirigió hacia las piezas de artillería. El capitán miró una última vez a O'Neill, le hizo un saludo que éste devolvió como pudo, y a continuación fue hacia la heterogénea representación de hombres allí presentes. Cuando llegó ante ellos, les saludó a su vez y se apeó del caballo, mientras sus soldados procedían a cumplir sus órdenes. Viendo la forma cómo le escuchaban los, hasta ese momento, descoordinados soldados, O'Neill no tuvo duda sobre quién estaba haciéndose, de manera natural, sin palabras, con el mando.

La columna de animales, hombres y armas fue llenando el parque. Y viéndoles pasar, bajo la lluvia que iba arreciando, no pudo reprimir un vuelco en su interior. Ofrecían una imagen más marcial que lo que hasta ese momento había podido verse, era cierto, pero aun así había sólo una certeza, la de que esas armas obsoletas, dignas ya sólo de las salas de un museo, no tenían ninguna posibilidad frente a los invasores...

Varios fogonazos se hicieron visibles en su campo visual. Durante un momento irracional, pensó que alguien podría estar atacándoles, pero pronto comprobó que eran sólo las pantallas, que hasta ese momento habían permanecido muertas. Alguien las había activado, y en un primer momento ofrecieron una superficie blanca, luminosa. Al cabo de unos instantes, una serie de imágenes comenzaron a llenar esa blancura, imágenes de ciudades arrasadas, de columnas de humo y edificios en llamas en grabaciones antiguas. Civiles corriendo asustados, mujeres con bebés en sus brazos, incendios arrasando grandes extensiones de tierras de cultivo, rostros asustados de niños y tomas lejanas de máquinas disparando, de grandes trípodes lanzando una especie de relámpago desde su parte superior. Durante unos minutos, contemplaron escenas que ningún noticiario les había mostrado antes, la verdadera labor que las máquinas que habían creado habían desempeñado no sólo en los campos de batalla, sino incluso entre la población civil de Europa.

El efecto que aquellas imágenes ocasionó entre las deslavazadas fuerzas concentradas fue evidente. Todos se habían quedado paralizados, con mirada de horror, comprendiendo por fin a qué se enfrentaban realmente.

La voz del capitán irrumpió entonces como un trueno sobre las imágenes mudas:

—Sargento, ¡que canten!

—¿Señor?

—¡Que canten! ¡Ahora mismo!

El sargento dudó un instante, pero tras pensárselo, se dio la vuelta y gritó a un soldado que estaba a unos diez metros de él:

—¡Walsh! ¡Comience a cantar!

—¿Señor?

—¡Que cante!

—Pero, ¿el qué?

—Lo que sea, ¡vamos!

El soldado Walsh lo pensó un momento. Pero finalmente, se arrancó con una canción:

—*I left my love, my love I left a sleepin' in her bed.*
I turned my back on my true love when fightin' Johnny Reb.
I left my love a letter in the hollar of a tree.
I told her she would find me, in the US Cavalry...

—No os oigo, muchachos. ¡Cantad todos, vamos!

El resto de los soldados se fue uniendo, al principio con timidez, hasta que todos terminaron cantando:

—*Hi-Yo! Down they go, there's no such word as can't.*
We're riding down to hell and back for Ulysses Simpson Grant...

O'Neill asistió maravillado a aquel espectáculo extraño en medio de una ciudad en la que la luz se iba y parecía derrotada antes incluso de presentar batalla. Bajo las imágenes que, como surgidas del infierno, les rodeaban desde las pantallas que aún funcionaban, sólo aquel puñado de hombres, que apoyados en la ridícula canción encontraron el soporte para recuperar la movilidad y continuar con los preparativos para instalar el puesto de defensa, parecía tener un mínimo de vida. Pero llegó un momento en que la canción, lentamente, fue muriendo. El grupo siguió moviéndose en silencio. El capitán impartía órdenes al sargento, y éste las transmitía por la cadena de mando. Las pantallas continuaban con su bucle de imágenes, pero nadie tenía agallas para mirarlas, y preferían concentrarse en lo que estuvieran haciendo. Al otro lado, la calle en la que desembocaba el puente, abarrotada de terrestres inmóviles, aún no mostraba actividad. Los vigías situados en la torre del edificio del ayuntamiento seguían sin informar de movimientos significativos en la otra orilla.

Un soldado le tendió un capote a O'Neill para resguardarse de la lluvia que no dejaba de caer, no muy fuerte pero sí constante. Ahora, la zona era un hervidero mientras preparaban la artillería y los hombres construían rápidamente parapetos tras los que instalarse.

En medio de aquel tumulto de voces, un sonido se volvió cada vez más presente e hizo a O'Neill mirar de nuevo hacia arriba. Lo que vio le dejó sorprendido: un aparato volador, ruidoso y autopropulsado pasaba entre los altos edificios. Algunos soldados, por instinto, echaron mano de sus armas y apuntaron hacia el cielo, pero no hubo ningún ataque. El aparato, que lucía en la parte inferior de las alas una «A» incrustada en un emblema aéreo, volaba hacia el sur, y no hizo ninguna maniobra hostil. Aun así, todos respiraron tranquilos cuando continuó su camino.

O'Neill se preguntó si formaría parte de los preparativos del ataque. Algo le decía que no, que venía de un sitio distinto, pero le resultaba imposible deducir exactamente de dónde.

39

—Dios mío...

Edgar no habría podido decir quién había sido el primero en dejar escapar la exclamación, si Anna o él, pero no importaba: el espectáculo que podían ver desde la cabina del *Eagle* la justificaba, en todo caso. Desde el aire, Nueva York era una ciudad detenida, sumida en el caos, más gris que nunca por el manto de nubes que la cubría y la lluvia que caía de manera constante.

Y lo que vieron al otro lado del río, junto al puente de Brooklyn, no era precisamente tranquilizador.

—¿Qué es eso? —preguntó Edgar, señalando a la izquierda dos formas enormes que se destacaban sobre una mancha oscura, muy probablemente los autómatas.

—Son los trípodes. Están esperando para cruzar —contestó Anna.

—¿Por qué se han detenido? ¿Por qué no cruzan?

—Esperarán a que termine el ultimátum. Y no queda mucho para eso. Al final, hasta va a resultar que el tal De Bobula es un caballero y todo...

A Anna no le pasó inadvertida la seriedad del rostro de Edgar.

—¿Qué te pasa, chico?

—Los autómatas están en Brooklyn.

—Sí, los acabamos de ver...

—Mi madre vive ahí.

Anna le miró. Por un momento, una leve expresión de conmiseración pasó por su rostro. Por fortuna para Edgar, fue algo fugaz, que quizá sólo imaginó, sin que en verdad estuviese allí.

—Oh, estará perfectamente, estoy seguro —respondió de forma atropellada Edgar, como queriendo disipar cualquier duda sobre sus verdaderos temores—. No te la imaginas, es la mujer más dura que te puedas encontrar.

Anna sonrió.

—Estoy convencida.

Quedaron en silencio, sin saber muy bien qué añadir. Pero no duró demasiado; enseguida la piloto volvió a hablar, más bien a mascullar.

—¿Qué demonios...?

Edgar miró al frente. Una gran columna de humo negro era perfectamente visible en el extremo sur de la isla, justo donde se localizaba la explanada de la Terminal Internacional de Castle Garden. Aquello no presagiaba nada bueno.

Mientras seguía soltando maldiciones, Anna cogió el intercomunicador e informó al resto de la expedición:

—Podéis ir sentándoos y poniéndoos los cinturones. Estamos llegando a nuestro destino, aunque no sé si me gustará lo que nos vamos a encontrar allí.

Cuando el *Eagle* dejó atrás los últimos rascacielos y apareció ya sin obstáculos la terminal, Edgar comprendió que no iba a ser tan fácil como pensaban encontrar espacio suficiente para aterrizar. Al igual que había ocurrido con los aéreos, los oceánicos también se habían precipitado contra el suelo al fallar sus rayos tractores. Uno de los de mayor capacidad, que lucía en su costado el nombre *Hindenburg* y la cruz de hierro alemana, se había desplomado sobre una de las torres de control, derribándola por completo. Los restos del aparato y de la construcción ocupaban una amplia superficie y estaban envueltos en llamas. Precisamente era de allí de donde procedía el humo negro que habían visto desde la distancia. Además, el poco espacio que había escapado del encontronazo directo con alguno de los gigantes del aire estaba salpicado de restos que hacían totalmente imposible encontrar una pista continuada que permitiese al avión tomar tierra.

Anna completó una vuelta en torno a la terminal, sin éxito.

—No lo veo. ¡Maldita sea, no veo dónde aterrizar! —miró el cuadro de instrumentos—. Y además, ya no nos queda mucho combustible; tengo el justo para llegar hasta el punto de encuentro. Tenemos que aterrizar ya.

—Pero ¿dónde?

—En el único espacio despejado que queda... —Sin añadir más explicaciones, tiró de una palanca en el lado derecho de los controles. Edgar sintió una serie de golpes y el chirrido de un mecanismo que provenía del vientre del aparato, mientras su compañera de cabina volvía a coger el micrófono—. Atención, todos. Cambio de planes. Iniciamos procedimiento para amerizaje. Sujetaos bien y poneos los chalecos salvavidas. Va a ser divertido —volvió a dejar el micrófono—. No te pierdas detalle, chico. Puede ser tu primer, único y último amerizaje en un aparato autopropulsado...

—¿Vamos... vamos a posarnos en el río?

—Sí. En teoría, esta preciosidad está preparada para hacerlo.

—¿En teoría?

—Sí, el fuselaje debería ser suficiente para flotar.

—¿Debería? ¿Es que nunca...?

—¿Se ha probado? Oh, me temo que no. Pero siempre hay una primera vez. Agárrate fuerte.

Edgar quiso añadir algo, pero ya tenían ante ellos el río, que ascendía con rapidez hacia el avión. Se agarró instintivamente a una manilla de cuero que tenía a un lado. Había algo hipnótico en cómo aquella masa de agua, que parecía de color gris y compacta, iba adquiriendo detalles y movimiento al acercarse. Anna ultimó un giro, levantó ligeramente el morro y descendió.

Cuando la parte inferior golpeó el agua, una sacudida les zarandeó, y Edgar sintió toda la tensión acumularse en su cuello. Por un momento, pareció que rebotaban sobre el agua, pero al primer bote siguió otro, más suave, y a éste otros, hasta que se detuvieron, mecidos por el balanceo del *Eagle*.

—Bueno —dijo Anna, quitándose el gorro y secándose con el dorso de la mano el sudor que se le había condensado en la frente—, al final sí que funcionó.

Edgar se desabrochó el cinturón, algo mareado por el movimiento del avión. Nunca había subido a un barco, sólo al *Oxtrott*, y el submarino no se balanceaba de aquella manera. Aun así, consiguió levantarse y dirigirse hacia la parte posterior.

Cuando llegó, Savage ya le esperaba, la mochila en la mano.

—Genial idea la de esta chica —dijo—. Y ahora, ¿cómo vamos a llegar hasta la terminal?

Anna apareció detrás de Edgar y alzó los ojos al cielo, en un gesto de paciencia.

—Le recuerdo, capitán, que mi tío es una persona de recursos. Y difícilmente habría adaptado el *Eagle* al mar sin dotarlo de los medios necesarios. —Y tirando de una portezuela, sacó una caja que, cuando fue abierta, reveló en su interior una barca hinchable de reducidas dimensiones.

—¿Vamos a ir ahí? —preguntó Edgar, mirando de reojo al más bien fornido Savage.

La chica se volvió. Sujetaba en su mano un tubo que salía de una máquina en forma de cilindro.

—¿Es que quieres ir nadando hasta la terminal? ¿Con la mochila?

—¿Por qué? ¿Pesa mucho?

—Quince kilos —terció Kuznetsov—. Pero no es ése el problema.

—¿Cuál es entonces?

—Que no se puede mojar. Una cosa es la lluvia: la mochila será suficiente para proteger el intercod. Pero el aparato no sobreviviría de ninguna manera al contacto directo con el río.

Edgar suspiró, resignado ante la evidencia de que no había otra solución.

Prefirió obviar el detalle de que no sabía nadar. Y no era porque su padre no lo hubiera intentado cada domingo que pasaban en Coney Island. Pero el resultado era, siempre e invariablemente, tan desastroso, que su madre decidió no continuar con la labor cuando se quedó sola. Además, de todas formas, hacía mucho tiempo que las excursiones dominicales habían llegado a su fin. A Pamela no parecía entusiasmarle la idea de visitar el lugar donde tantas veces había estado cuando su marido vivía.

Resignado, se sentó de lado en el banco y se dejó poner la mochila, que en efecto pesaba como un muerto. Sintió detrás los tirones, mientras alguien (quizá Kuznetsov, quizá Tesla) daba los últimos toques al aparato, ajustando los controles, asegurándose de que todo estaba perfecto. Finalmente, una ligera vibración que le recorrió la espalda le indicó que el intercod ya estaba en funcionamiento.

—Recuerda, chico. —Kuznetsov se puso delante de él para asegurarse de que le escuchaba—. Tiene un radio de acción de cinco metros. Todo lo que esté a esa distancia tomará energía de la Red y podrá funcionar. Pero no cuentes con ni un centímetro más; no queremos correr ningún riesgo.

A su lado, Tesla asentía.

—Vamos, chico —dijo—. Sé que puedes.

Aunque no dijo nada, Edgar agradeció interiormente su confianza. Pero en el fondo, algo le decía que esperaban demasiado de él, que todos, desde Kachelmann hasta Astor o Tesla, estaban engañados: él no era ningún héroe. No lo había sido nunca, y no podía serlo ahora.

El rostro adusto de Savage volvió a aparecer ante él, cortando de raíz la deriva de sus pensamientos.

—Vamos. No podemos perder el tiempo. Ayudadme a bajar la lancha.

La acercaron hasta la portezuela abierta y la dejaron caer, dejándola sujeta por una cuerda para que la corriente no se la llevase. Savage, que se había puesto la gruesa chaqueta del uniforme y colgado de un hombro el arma y del otro un pequeño motor que acoplar a la lancha, se acercó hasta la portezuela.

—Bajaré yo primero para mantenértela cerca.

Y sin esperar nada más, como si no estuviera dirigiéndose hacia un lugar potencialmente peligroso, descendió y vieron desaparecer su cabeza.

Anna y Swezey se asomaron. Savage se había descolgado desde la portezuela, salvando la distancia que les separaba del agua, que no era muy grande: el *Eagle* flotaba directamente sobre su vientre. Savage tiró de la cuerda que mantenía a la lancha unida con el avión, la acercó lo suficiente y bajó hasta ella.

—¡Kerrigan, baja! —gritó, mientras se sujetaba con fuerza a la cuerda para que la corriente no lo alejase.

—Recuerda, chico —le dijo Kuznetsov—. Escoge un aéreo lo suficientemente amplio para llevarnos a nosotros y al equipo.

—Y que además no esté dañado —añadió Edgar a la lista de requerimientos—. Todos se han precipitado al suelo. No podré saber si el que elija funcionará hasta que lo ponga en marcha.

—Tú eres el experto —dijo con tono confiado el ruso—. Ahora todo está en tus manos.

No sabía si eso debía tranquilizarle o ponerle más nervioso. Por lo pronto, tuvo el segundo efecto.

Un tirón algo más fuerte en su espalda le informó de que los arreglos habían terminado.

—¡Listo! —remachó la voz de Tesla.

Edgar fue a ponerse en pie, llevado por la urgencia del momento, pero calculó mal el peso que ahora sostenía en la espalda, y volvió a sentarse, o más bien a dejarse caer de nuevo sobre el banco. No sólo eso, sino que el balanceo del avión terminó por contribuir a que estuviera a punto de irse totalmente para atrás y de caer sobre su espalda, en una postura poco heroica. Por fortuna, los demás acudieron a sostenerle y, tras enderezarle, ayudaron a levantarle de nuevo.

—Tranquilo, chico —dijo Swezey—. Como te caigas así afuera, vas a tenerlo muy complicado.

—Kerrigan, ¿qué demonios haces? —tronó la voz de Savage desde el exterior.

—Menos mal que no estamos demasiado cerca de la costa —suspiró Anna—. Si no, ya sabrían hasta en Queens que estamos aquí.

En el segundo intento, Edgar logró mantenerse definitivamente en pie. Hubo dos o tres arranques de palmas para felicitarle.

—Muy bien, chico —le guio Swezey—. Ahora, desciende.

Le llevaron hasta la puerta abierta y le ayudaron a girarse. Tenía que dejarse colgar desde la portezuela, pero eso era más fácil de decir que de hacer contando con el peso que llevaba a la espalda. Se dio la vuelta y tanteó con el pie, sin estar muy convencido de lo que estaba haciendo.

Tesla se inclinó frente a él y le animó:

—Todos confiamos en ti, Kerrigan. Sé que puedes hacerlo.

Edgar deseó sentir lo mismo, pero no le pareció adecuado transmitir su escepticismo al respecto. En lugar de ello, siguió descendiendo, luchando porque el balanceo del avión, unido al peso de la mochila que sentía que tiraba de él hacia abajo, no constituyeran una combinación mortal.

Por fin, tras lo que le pareció una eternidad, sintió un brazo que le agarraba a la altura de la cintura.

—¡Te tengo! —le informó Savage, como si la fuerza que ejercía no fuera suficiente indicador de ello—. Pon despacio el pie en la lancha. Así, tranquilo.

Con cuidado, logró sentarle en la proa. Edgar se inclinó hacia delante para compensar el peso de la mochila. La lancha le pareció demasiado endeble, y de hecho se hundió ostensiblemente en cuanto hubo puesto el pie en ella. Pero parecía resistir, aunque con un hombretón como Savage no podía evitar que estuvieran rodilla contra rodilla.

—Bien, chico. Vamos a ello. Esperemos que no nos lo pongan demasiado difícil.

El militar tiró de un cordel, el motor lanzó un sonido como una cuchilla, y lentamente comenzaron a moverse.

Según fueron tomando mayor velocidad, Edgar, que iba sentado en la parte delantera, con el rostro hacia Savage y el *Eagle*, que se iba alejando, sentía los golpes de la proa de la lancha cada vez que se encontraba con una ondulación del agua demasiado elevada. Le pareció que tardarían una eternidad a aquella velocidad, pero lo cierto fue que, cuando quiso darse cuenta, el avión iba quedando cada vez más lejos. Ahora podía ver perfectamente los estabilizadores que se habían descolgado de las alas, y el vientre que reposaba sobre el río. En cambio, no pudo ver el rostro de nadie porque, por precaución, habían cerrado la portezuela. Por alguna razón, lamentó sobre todo no poder distinguir el rubio pelo de Anna.

Savage y él no intercambiaron una sola palabra. Edgar no sabía qué decir, y de todas maneras los ojos levemente rasgados del militar apenas le prestaban atención. Escrutaba con expresión alerta lo que se encontraba a la espalda del joven, que debía de ser la orilla llena de piedras a la que se encaminaban. Desde el primer momento, Savage descartó dirigirse hacia ningún embarcadero.

La lluvia no era especialmente fuerte, pero sí continua. Edgar notaba las gotas de lluvia que comenzaban a deslizarse desde su capucha por delante de su rostro.

—Sujétate, chico. Estamos llegando.

Ladeó un poco la lancha y, al cabo de pocos segundos, Edgar sintió la superficie de goma deslizándose sobre algo rugoso. Savage detuvo el motor y se incorporó.

—Vamos, rápido.

Le ayudó a levantarse y salir de la lancha. Las botas de Edgar se hundieron casi por completo en el agua, pero era evidente que ya estaban sobre tierra firme. Savage se descolgó el arma y la sujetó con la mano derecha, mientras que con la izquierda cogió con firmeza a Edgar por encima del codo y le ayudó a adoptar una posición lo bastante erguida como para permitirle avanzar.

Sin encontrar a nadie, subieron por un terraplén lleno de matojos, y al final unas escaleras de madera les hicieron alcanzar la zona asfaltada donde terminaba la aeropista.

—Ahora, cuidado. Aquí pueden vernos.

Se dirigieron hacia una caseta de material y se parapetaron detrás para examinar bien el terreno.

A ras de suelo, el espectáculo era aún peor que desde el aire. El *Hindenburg* se encontraba en el otro extremo de la aeropista y por fortuna el viento inclinaba la columna de humo en la dirección contraria, pero había más vehículos repartidos, caídos aparatosamente, y algún que otro pequeño incendio más cercano. Pero el conjunto era desolador; Edgar sintió un aguijonazo en su interior al ver lo destrozadas que estaban algunas de esas maravillosas máquinas, incluso partidas por el medio tras chocar contra el edificio administrativo de la terminal desde donde, no hacía tanto tiempo, contemplaba la llegada del oceánico para llevar su envío al edificio del MetLife. Algo que había ocurrido en el último día normal de su anterior vida, que parecía cada vez más lejana.

—¿Qué ves, chico? ¿Hacia dónde vamos?

La mirada experta de Edgar examinó con rapidez todos los aéreos a su alcance. Desechó los más cercanos, porque mostraban signos evidentes de tener demasiados desperfectos; alguno, incluso, estaba tendido de costado, y su carga desparramada sobre el asfalto.

Finalmente, se fijó en uno que estaba a un centenar de metros, un aeroterra de mercancías que le pareció lo bastante amplio. En apariencia estaba en perfecto estado, muy probablemente porque cuando se produjo el apagón no debía de estar volando.

Edgar se lo señaló a Savage. Éste asintió, echó una mirada escrutadora a todo lo que alcanzaba su campo visual y, con un movimiento de cabeza, le indicó que le siguiera. Los dos echaron a correr, las rodillas levemente flexionadas, Edgar más lento por el peso de la mochila que le obligaba a avanzar mirando todo el tiempo hacia abajo. Sentía el golpeteo de la lluvia en la tela de la mochila, en su cara, en su pelo.

De repente, le pareció oír un ruido seco, que en un primer momento no identificó bien. Sólo cuando volvió a sonar, esta vez más próximo, y sintió un soplo de aire cerca de la pernera de su pantalón, comprendió que les estaban disparando. Y que, además, el segundo tiro había sido mucho más ajustado que el primero.

—¡Vamos, vamos! —Savage se desvió hacia la derecha y tiró de él. Encontraron refugio en un fragmento de cola de un oceánico. Era muy probable que se hubiera soltado cuando el aparato al que pertenecía se habría precipitado desde mayor altura, saliendo despedida hasta aquella parte de la pista.

Savage preparó el arma, la sujetó contra sí y se asomó rápidamente. Disparó hacia algún lugar que Edgar no podía ver, pero seguro que era el edificio de la terminal. Los que les atacaban estaban cobijados allí, puede incluso que pertenecieran al cuerpo de seguridad de la instalación.

—¡Mierda! —maldijo Savage volviéndose a atrinche-
rar, mientras unos sonidos zumbantes indicaron que las
balas pasaban por donde había estado hacía un momento—. ¿Por qué no habrán modernizado su armamento
con el último grito? Esos disparos son de un fusil mecánico...

Volvió a asomarse rápidamente y a disparar. Cuando
se agachó de nuevo, y mientras sus contrarios respondían,
señaló a Edgar el otro extremo del trozo de fuselaje.

—Vete por el otro lado, chico. Yo les distraeré.

—¿Yo? Pero... ¡me verán!

—Con un poco de suerte, no. Sólo espera a que yo les
dispare, y luego ¡corre! Corre como nunca lo hayas hecho
antes. Con suerte, llegarás al aeroterra antes de que te hayan localizado.

A Edgar no le gustó como sonó el «con suerte». Pero
¿acaso tenía otra opción?

Savage contó en un susurro...

—Uno... dos... ¡tres!

Y entonces volvió a parapetarse y a disparar, mientras
Edgar echaba a correr, o a eso que la mochila le permitía y
que se parecía a correr, sintiéndose más torpe que nunca.
En cuestión de segundos desapareció la protección metálica y se encontró desplazándose en zigzag, procurando
pasar por detrás de cuantos obstáculos se encontraba en el
camino. Oyó a Savage disparar incansable, y al principio
nadie pareció haberle visto, o quizá fueran los disparos del
capitán los que les mantenían demasiado ocupados.

Pero, fuera como fuera, lo cierto fue que, para cuando la primera bala pasó zumbando a menos de un metro
de él, ya había alcanzado la seguridad de la carrocería del
aeroterra.

No se permitió recuperar el aliento hasta que entró
por la puerta que se había quedado abierta y se encontró
en la zona de carga. Por suerte, el aeroterra estaba casi
vacío. Probablemente esperaba la llegada de un oceánico,

y por eso la caída del sistema le había encontrado en el suelo.

Fue hacia el asiento del piloto. Se quitó la mochila y la dejó en el del copiloto. El parabrisas estaba en un ángulo que hacía imposible que pudiera ser alcanzado por una bala desde el edificio, pero prefería no correr riesgos. Se sentó ante los mandos agachado, mostrando lo menos posible su cabeza al otro lado. Su mano alcanzó el botón de encendido y lo pulsó, rezando porque el intercod no se hubiese estropeado ni por la lluvia, ni por las sacudidas ni por una bala.

Sintió un profundo alivio cuando vio que se encendían las luces. Por un momento, tras los días transcurridos entre una tecnología muy diferente, esperó oír algún sonido, un zumbido, una vibración. Casi se sintió decepcionado ante la limpia pulcritud de lo inalámbrico, la misma que antes tanto le fascinara.

Le parecía sentir el tacto del volante por primera vez. A continuación, sin levantar la cabeza, estiró el pie y presionó el pedal. Respondiendo a la perfección, el aparato comenzó a elevarse.

Aquello debió de ser entendido como una señal para que los tiradores del otro lado se despertasen, porque sonaron nuevos disparos, e incluso alguno atravesó la parte de atrás del aéreo, afortunadamente de manera transversal, sin dirigirse hacia los asientos de pilotaje.

Descendió junto al lugar donde seguía parapetado Savage. No había terminado de hacerlo cuando oyó la puerta corredera cerrándose; el militar, literalmente, se había arrojado dentro.

—¡Vámonos!

Se dirigió hacia la parte posterior. Rompió el cristal con la culata del arma y disparó, cubriendo la retirada.

Pronto dejaron atrás tierra firme y sobrevolaron el agua. Al acercarse hacia el *Eagle*, la euforia que iba creciendo en su pecho estalló en un grito de júbilo cuando estabilizó el aeroterra justo al lado del avión, puerta con puerta, manteniendo el equilibrio cada vez que el aparato, en su balanceo, les golpeaba.

Oyó cómo Savage abría la puerta del aeroterra. Al otro lado también abrieron la suya.

—¡Vamos, vamos, vamos! —volvió a repetir el capitán, que parecía incapaz de decir otra cosa desde que había subido a bordo. Echaba miradas nerviosas por las ventanillas, pero no pareció que nadie pudiera alcanzarles desde allí.

Lo primero que entró fue la gran caja del intercod destinado a la Torre Uno, que iba sobre la plataforma inalámbrica que Kuznetsov guiaba con extrema eficacia desde el *Eagle*. Cuando la hubo posado, cruzaron los demás expedicionarios, llevando con ellos el resto del material que habían traído consigo.

Edgar miró hacia atrás y pasó revista. Allí estaban todos: Tesla, Swezey, Kuznetsov y Savage. No faltaba nadie más. El inventor y el ruso se sentaron en el banco lateral que recorría la pared del lado contrario a la puerta, mientras el periodista cerraba la puerta y se dirigía al asiento del copiloto. Tras apartar cuidadosamente la mochila y posarla en el suelo, se sentó y se abrochó el cinturón de seguridad.

—¡Rápido, chico, vámonos cagando leches de aquí!

Así lo hizo. Dejó rápidamente atrás el *Eagle*, cuyas hélices comenzaban a girar. Vislumbró la cabeza de Anna en la cabina, su pelo rubio oculto por el gorro de piloto. Guiaría al avión hasta el punto de encuentro, a pocos kilómetros de allí, donde el *Oxtrott* le facilitaría el combustible suficiente para volver a Villa Astoria. Durante un tiempo, estarían solos y dependerían sólo de sí mismos. No le gustaba que la chica no fuera con ellos; echaría de menos su entusiasmo, siempre contagioso, su seguridad e, incluso, su temeridad. Y también, tuvo que admitirlo, su mera presencia.

No había tiempo que perder, así que Edgar dirigió el aéreo hacia tierra firme, procurando rodear el edificio administrativo de la terminal, desde donde todavía les llegó el sonido de algún disparo. Pero volaban lo bastante alto como para estar fuera de su alcance.

No tenían pérdida: su destino aparecía claramente ante ellos, la única y gigantesca masa iluminada que presidía, como una aparición, la línea del horizonte de la ciudad.

40

Pete tenía miedo. Era imposible no tenerlo, pero de ningún modo podía dejar que eso se trasluciera en su rostro. Sentía a su lado a Johnny y a Tom, los tres con los ojos apenas asomados al ras de la ventana sucia, en una de las casas situadas en Tillary Street, justo en el punto en el que comenzaba el puente de Brooklyn.

Una parte de él se preguntaba una y otra vez qué hacían allí, por qué no habían corrido a su refugio correspondiente, junto al resto de los chavales del reformatorio de St. James. Pero la ocasión de disfrutar de aquella libertad sobrevenida había sido demasiado tentadora. Habían echado a correr aprovechando el caos que se formó cuando los aéreos comenzaron a irse al suelo. El padre Patrick les había visto irse, estaba convencido, pero bastante tenía con conseguir primero un lugar donde ponerse a salvo de la pesada lluvia, luego de intentar que la fuga no fuera más masiva, y finalmente, de lidiar con los más pequeños, que lloraban asustados ante el estruendo que parecía surgir de cada rincón de la ciudad.

No necesitó hacerles ninguna señal a Johnny y a Tom; como siempre, le habían seguido instintivamente, como cuando en el patio sabían a quién tenían que apechugar sin que él les dijera nada. Incidentes que resolvían los problemas de jerarquía, en especial cuando llegaba alguno nuevo de su edad. Había que marcar el lugar de cada cual, y eso era algo que hasta el padre Patrick debía entender, por más que le pegara con la vara con su expresión de intenso sufrimiento, mientras le decía, con la misma voz suave y engolada con la que leía los salmos:

—Vas a ir al infierno, Peter Philpott. Como que Dios Nuestro Señor creó el mundo en siete días que eso será así, chico.

El siete era el número mágico del padre Patrick. Siete golpes de vara por pelearse en el patio, catorce por dejar secuelas en el contrario, veintiuno por robar el vino de misa. Claro que eso último Pete nunca lo había hecho, era un castigo absurdamente alto para algo que, en realidad, no traía aparejada una recompensa lo bastante tentadora.

Cuando los golpes de vara se acumulan, no corrigen tu camino hasta enderezarlo y hacer que busques un trayecto más corto y recto hacia el cielo. No, en su lugar, sólo sirven para acumularse en tu corazón y alimentar un globo que ansía elevarse hacia el aire libre y evitar así la regular dosis de castigos.

Eso sí, el padre Patrick no tenía ningún problema en quedarse con el dinero que debía pagarle el gordo de la policía, ese tal Goodstein, cada vez que venía a llevárselos para hacer algún encargo. Normalmente eran cosas de poca monta, sin mucho riesgo (el último encargo había sido tan tonto como robarle un sobre a un mensajero despistado), tan fáciles que Pete no podía evitar preguntarse para qué tenían que sacar durante unas horas a unos chicos del reformatorio.

Bueno, sí que lo sabía: no eran trabajos dignos de uniformados. Mucho mejor que alguno de los chicos perdidos de St. James se ocupara del asunto. Otras veces, eran ellos los que tenían que hacer alguna entrega, que por los antros que tenían que pisar no debía de ser muy legal. Pero Pete no preguntaba nada: por ahora, se sentía más que pagado con la posibilidad de perder de vista, durante un tiempo, los muros de aquella casa.

Por eso, por más que todo el mundo hablara de que la ciudad se estaba yendo al carajo, que estaban siendo atacados, la única opción racional era huir, escapar, alejarse de la vara. Nada podía ser peor que eso.

¿O sí? Mientras Pete observaba las criaturas metálicas que ocupaban la calle, inmóviles, en perfecta formación, ocupando todo el ancho de los dos carriles de Adams Street, sentía la aprensión que produce lo extraño. Desde donde estaban, uno de los edificios al lado derecho del principio del puente, podían ver las máquinas de frente, absolutamente inmóviles, como si siempre hubiesen estado allí. Pero sus ojos iluminados les recordaban que no, sólo esperaban.

—¿Por qué demonios no cruzan? —preguntó Johnny—. ¿Se han pegado todo ese viaje para ahora quedarse ahí, sin hacer nada?

—Están esperando a que se cumpla el ultimátum. No debe de quedar mucho...

—Son muy educados.

—Me pregunto cuánto podríamos sacar vendiéndolos al peso —dijo Pete—. ¿Johnny, te imaginas lo que haría tu primo Ron, el del desguace?

—Si le dejasen, se acabaría la amenaza. Aéreo que cae en sus manos, aéreo que desaparece en piezas fáciles de vender. Para cuando el pipiolo del conductor se entera de que se lo han robado, ya anda repartido en cachitos por Brooklyn y Queens.

Johnny y Tom se rieron. ¿Cómo era posible? Claro, ellos tampoco podían mostrar su miedo, sobre todo si miraban los dos grandes trípodes que esperaban unas manzanas más abajo, y aun así perfectamente visibles, unas formas que reflejaban el gris de la lluvia de una forma ominosa, amenazante...

Y lo peor era el sonido. Podían estar inmóviles pero, cada cierto tiempo, un ruido seco, tan mecánico que era inhumano, surgía de la masa metálica, muy probablemente de las máquinas de largas patas.

Bzzzzzzzzzzz... ¡click!

Como si en su interior algo se recolocara para luego moverse y volver a repetir el ciclo, y de nuevo...

Bzzzzzzzzzzz... ¡click!

No se veía a nadie. Todo el mundo había huido hacia los refugios o lo más lejos posible de aquellas calles. Ni rastro del ejército, de la policía, de ninguna fuerza del orden. Sería el paraíso... si no estuvieran los autómatas.

Pete se agachó y se sentó en el suelo, la espalda apoyada en el trozo de pared bajo la ventana.

—Ojalá cruzaran ya, así podríamos movernos.

En su huida, habían tomado el camino equivocado, ahora lo comprendían. Pero no tenían otra salida: seguir la ruta que les alejaba de los autómatas les habría llevado en la misma dirección del padre Patrick; la única manera de evitar que les encontraran era ir hacia ellos. Esperaban poder sortearlos y cruzar al otro lado, pero habían llegado demasiado tarde. Mientras caminaban a paso ligero por Tillary Street, habían sentido primero el ruido de sus poderosos pasos, sincronizados, una legión que avanzaba con la seguridad de quien sabe que nada ni nadie podrá detenerlos. Y justo cuando la vanguardia apareció en el cruce de la calle, habían corrido a meterse en la primera casa que encontraron a su derecha. Una vez dentro, fue fácil arreglárselas para entrar en uno de los pisos. Todo mostraba que los inquilinos se habían ido precipitadamente: un periódico estaba abierto sobre el sofá, y había una pipa en la mesa, aún humeante. Su dueño ni siquiera había tenido tiempo de apagarla para evitar el riesgo de un incendio.

«Si esto arde, lo hará hasta los cimientos. No vendrá ningún aéreo de los bomberos —había pensado Pete—, y no creo que entre las instrucciones de las máquinas esté la de apagar los fuegos que se encuentren. Más bien al contrario, los provocarán.»

—Pero ¿qué pasará cuando lleguen a Manhattan?

Pete se encogió de hombros.

—Que unos tipos importantes van a recibir lo suyo y otros ocuparán su lugar. Lo que no cambiará es quiénes vamos a seguir jodidos: nosotros. Así que, ¿qué nos importa?

—Pero éstos son extranjeros... —protestó Tom—. Dicen que rusos...

—No, alemanes... —terció Johnny.

—¿Y qué más nos da? —les respondió Pete—. Si fueran irlandeses, sería otra cosa.

Johnny soltó una risita.

—¡Di que sí! Ni autómatas necesitarían...

—No, ésos se los dejaríamos a los ingleses.

—Los mandaríamos a su Londres querido y ¡paf! Todos al Támesis de una patada.

—Pero antes le harían una visita al rey Jorge.

—¡Sí, y le obligarían a estar de pie con su jodida corona de emperador! A ver cuánto tiempo aguantaba antes de romperse el cuello...

Se rieron. Quizá exageradamente, como si lo que hubieran dicho tuviera mucha más gracia de la que en efecto tenía. Pero, poco a poco, la risa fue muriendo, por más que intentaran mantenerla con vida. Al callarse, volvió el silencio ominoso. Sólo quedó el sonido de la lluvia, que al caer sobre los cristales trazaba líneas en el reflejo de la pared frente a ellos. Un continuo ruido teñido por el golpeteo contra las carcasas de metal y, con una cadencia perfecta, sin el más mínimo retraso, el otro sonido, el que les gustaría dejar de oír:

Bzzzzzzzzzzz... ¡click!

Y luego nada. Otra vez la lluvia... hasta que irrumpió otro sonido nuevo, distinto, uno que les había acompañado siempre, desde que pusieron por primera vez el pie en el correccional, pero que ahora parecía fuera de lugar, como si viniera de capas y capas de otra vida diferente, lejana en el tiempo.

Eran las campanas de St. James. Su viejo mecanismo automático, en el que aún era necesario dar cuerda al gran reloj, hacía que no hubiesen sido afectadas por el cese de la energía. Oyeron la primera campanada, la segunda, la tercera...

...y la cuarta ya no la oyeron claramente, porque un rumor inundó sus oídos, se desplegó por todo el espacio, expulsó cualquier otro sonido. Un zumbido creciente, mientras una fuente de luz atravesaba la ventana y arrancaba sombras móviles del marco, de las figuras, de la pipa apoyada en la mesilla...

Clan-clan-clan, clan-clan-clan, clan-clan-clan...

Pete se incorporó, temeroso. No sabía si era buena idea, pero tenía que hacerlo.

—¿Qué haces, Pete? —susurró Johnny.

—¡Te van a ver! ¡Agáchate!

Pete no se agachó, siguió alzándose, primero su gorra ganó el borde de la ventana, y después sus ojos...

Primero no vio nada. Una multitud de luces repartidas entre la masa metálica, que le deslumbraron. Y luego... luego, movimiento. Los cuerpos redondeados que coronaban los trípodes estaban girando, lenta pero perceptiblemente, mientras el hervidero de clics y chasquidos, de zumbidos y mecanismos, aumentaba de nivel. No sabía si St. James había dado ya las ocho campanadas que marcaban el fin del ultimátum, era imposible saberlo. Aquel era un sonido humano, reconocible, y ahora sólo quedaba lugar para lo que no pertenecía a aquel sitio, lo venido de no se sabía dónde, lo ajeno.

Y de repente, algo conocido irrumpió.

Al principio, con lo que llovía y la oscuridad que iba cayendo, no vieron bien qué era. Sólo un bulto de color claro que se movía hacia el hervidero mecánico. No fue hasta que entrecerraron los ojos y se fijaron con más detalle que lo vieron con claridad: era un perro, un labrador color anaranjado, con el pelo empapado y la correa colgando tras él.

Seguramente se había escapado de la mano de su dueño en medio del caos. Lo más curioso era que había tomado el camino contrario a ellos, directo hacia el peligro. Y ahora que lo había encontrado, corría a un lado y a otro, ladrando como un loco, acercándose más para luego retroceder cuando algún ruido más alto o un leve movimiento surgía de los autómatas del flanco. Pero por lo demás, las máquinas no le prestaron la más mínima atención; fue como si no lo vieran siquiera.

Y de repente, se pusieron en marcha.

Primero, los trípodes movieron una de sus patas y las extendieron hacia delante. Su forma de caminar era antinatural por su necesidad de repartir el peso de una manera que tenía poco que ver con lo que siempre habían visto. Parecía que hubiesen venido de algún planeta extraño, quizá del mismísimo Marte. Quien los hubiera diseñado sabía perfectamente cómo tocar la parte más interna del cerebro, la que regula los miedos más profundos. Había algo repulsivo en la manera en la que se desplazaban, encontrando el hueco justo entre las filas de los autómatas, convirtiendo un caminar que en otras circunstancias habría sido incluso elegante en la representación misma de la amenaza.

Uno de los trípodes desapareció hacia la derecha, pero el otro caminó directamente hacia la casa en la que se encontraban.

—¡Viene hacia aquí! —casi chilló Pete.

—¿Quééé?

Los otros dos se alzaron, para luego recular al ver la forma que se acercaba. Desde el margen de su visión, se dieron cuenta de que los autómatas también habían comenzado a caminar, llenando los dos carriles que ascendían hacia el puente, apartando como si fueran de papel los terrestres paralizados, que se precipitaban hacia los lados como cascarones vacíos. El sonido de sus pasos no era ahora uniforme, muy probablemente para evitar que las ondas de los golpes de sus poderosas patas contra el puente, tan metálico como ellos, acabaran provocando una vibración que lo pusiese en peligro.

Pero en ese momento no se percataron de nada de eso. Su vista sólo podía abarcar la pata del trípode que se posó ante ellos, al otro lado de la ventana, del grosor del tronco de un hombre, con tres garras metálicas al extremo que se clavaron en el firme.

Y por primera vez, Pete sintió el miedo a su alrededor, un miedo que se le metió también dentro. Ya no había nada que demostrar, podían asustarse todo lo que quisieran.

El resto del trípode desapareció ante ellos, sólo la luz de su foco se movió de abajo arriba, mientras la parte superior se desplazaba sobre el edificio. Ahora los sonidos de mecanismos eléctricos, de cientos, miles, de piezas y artefactos funcionando al unísono, lo llenaban todo, borrando la visión de Brooklyn, de todo lo conocido, con aquella pata que se inclinaba un poco para permitir, seguramente, que la parte superior superase el edificio.

Oyeron un golpe seco, de algo que se derrumbaba, sobre sus cabezas. Pete comprendió que la máquina había puesto otra de sus patas sobre la parte superior del edificio, y rezó para que el punto en el que se había apoyado fuese lo bastante sólido como para soportar el peso que, durante unos segundos, descansaría en gran medida sobre él, mientras ofrecía soporte suficiente para que la otra, la que aún permanecía ante la ventana, se elevara.

Las entrañas del edificio temblaron, y sonidos procedentes de rincones escondidos de la construcción acompañaron la elevación de la pata, que pronto dejó de estar ante ellos. Durante un tiempo, el edificio siguió quejándose, pero llegó un momento en que volvió a quedar en silencio. La máquina había terminado de superar el obstáculo, y la estructura había resistido. De fondo quedó, eso sí, el estruendo del puente replicando el paso de los autómatas, un estruendo que lo tapaba todo e impedía saber si el perro seguía aún ahí, ladrando al metal sordo.

Quedó ahora sólo la luz de los focos, que dibujaba en la pared unas formas que avanzaban, las cabezas de los autómatas que, ahora sí, estaban cruzando; para acabar con tipos importantes, sí; pero, por un momento, y a pesar de lo que había dicho hacía tan sólo unos minutos, Pete sintió la angustia de que fueran capaces de hacerlo. Pero no lo diría. En realidad, nadie diría nada en un buen rato, mientras el sonido metálico de los pasos repercutía en todo el puente, el avance implacable de la derrota que se cernía sobre todos los habitantes de la ciudad, incluidos ellos, a quienes nadie había querido nunca.

41

Se habían vuelto blandos. Si aún podía tener alguna duda, lo que estaba ocurriendo en las entrañas de la Torre Uno lo demostraba con creces. Nelson no podía creer que toda la estructura de mando, que parecía tan sólida hacía apenas unas semanas, pudiera estar derrumbándose de una forma tan clamorosa.

A pesar de que aún sentía molestias por las heridas sufridas por el accidente, no había otra persona que estuviera moviéndose más por las distintas plantas del edificio, intentando dar unas órdenes que no llegaban a ser efectivas, por la sencilla razón de que no había forma de que sus destinatarios las conocieran. Hasta el más mínimo canal de comunicación había dejado de funcionar, y apenas podían hacer otra cosa que darlas a voz en grito, con la esperanza de ser escuchados por alguien que, a su vez, las pudiese transmitir. De hecho, lo cierto era que estaban encerrados en la Torre Uno, y nadie podía salir ni entrar.

Por supuesto, Nelson no tenía ninguna autoridad sobre la Guardia Nacional, que poseía su complicada organización jerárquica, que, en momentos como aquél, se revelaba más como un problema que como una ventaja. Sin comunicación con sus mandos, sin información de lo que estaba ocurriendo en la ciudad, el general Rich apenas podía pedir a sus hombres otra cosa que el que mantuvieran una pose más o menos digna. O lo que era lo mismo, poner una cara de circunstancias que impidiera que el pánico se extendiera aún más.

Nelson sólo tenía bajo su mando directo al puñado de hombres de la Casa Morgan; pero, como sucedía con el ejército, la pérdida del control de la Red les había privado del acceso a las armas. Tan sólo un reducido grupo portaba las mecánicas preinalámbricas que Rich, temiéndose que algo así pudiera pasar, había hecho llevar a la torre. El mismo Nelson manejaba una Luger que era para él como un amuleto y que había arrebatado a un oficial alemán muerto en el campo de batalla. Armas menos fiables y potentes, en todo caso, que las inalámbricas, y afectadas además por la escasez de munición disponible.

Pero en definitiva, los que verdaderamente podían marcar la diferencia no eran ninguno de los armados. No, si alguien podía hacer algo eran los técnicos, los hombres de Gernsback y de Baker. Pero parecía que incluso ellos estaban desbordados; llevaban días probando cosas en el entramado del edificio, sin resultado.

No, aquél no era sitio para personas armadas. O desde luego, no para él. Su temperamento, su forma de ser, le llevaba a buscar continuamente la acción; y en ese gran edificio, ahora, no había ninguna oportunidad para ello. El general había quedado separado de los hombres que mantenían el perímetro de la torre; cuando llegaran los autómatas y comenzaran a masacrarles, éstos no tendrían hacia dónde retirarse. En cierta forma, estaban condenados, aunque ellos no correrían mucha mejor suerte si aquellas máquinas del demonio penetraban en el interior.

Y sin embargo, sentía envidia de los soldados del exterior. Al menos, ellos podrían hacer algo, por mucho que no significara una gran diferencia, y si tenían que morir lo harían de una forma más digna, no como ellos, que estaban atrapados como ratones. O más bien, como un hormiguero que estuviese a punto de ser destruido de una patada.

No acababa de entender por qué no habían desmantelado todo el sistema mientras aún estaban a tiempo. Pero Baker se había negado:

—No serviría de nada, porque ellos seguirían teniendo el control del resto de la Red. Y en cambio, nosotros perderíamos cualquier posibilidad de intervenir.

—Pero al menos ganaríamos tiempo... —había comenzado a protestar—. Ni la gente de Gernsback ha sido capaz de encontrar un modo de arreglar esto.

—No ganaríamos ningún tiempo. En absoluto. En cuanto el chantajista se diese cuenta de lo que pretendemos, y puedes estar seguro de que lo sabría, se olvidaría del ultimátum y atacaría con todas sus fuerzas. No es un riesgo que podamos permitirnos.

Nelson se había desesperado al ver cómo Shear asentía a las palabras de Baker. Nunca había tenido demasiado respeto por él, por mucho que fuera la mano derecha de su jefe; le reconocía habilidad para las intrigas, para mover los hilos ocultos del poder y la influencia. Un buen servidor, eso no podía negarlo nadie. Pero en un momento como aquél, en el que las cartas estaban bien claras sobre la mesa y las opciones de compadreo y arreglos eran mínimas, sus talentos se mostraban inútiles. ¡Ojalá pudiera contactar con Morgan para convencerle de que le diera a él el mando! Pero mientras siguiesen desconectados, eso era imposible...

Finalmente, el dolor de su pierna le había obligado a sentarse en el sillón de un despacho de la sala de control. Un gran ventanal le permitía ver ante él, como en un termitero, cómo los hombres de batas blancas y uniformes militares se movían de un lado para otro sin demasiado sentido. Otros, más sensatos, permanecían sentados con las manos en la cabeza, derrotados ya sin siquiera haber presentado batalla.

Cada vez se veía más como uno de ellos. Tenía que reconocerlo: aquél era uno de los momentos más deprimentes de los que había vivido en sus veinticinco años de vida. Por eso, sentía como ninguno la frustración de estar allí encerrado sin poder nacer nada; y lo que era peor, de sentir que quien les había reducido a esa condición tan deshonrosa era alguien del otro lado del océano, de aquellas tierras que, teniéndolo todo en la mano, habían decidido arrojarlo al fuego de una guerra estúpida y trasnochada.

La irrupción de uno de sus hombres interrumpió la deriva melancólica de sus pensamientos.

—Señor, debería pasarse por el muelle.

—¿Por qué? ¿Qué pasa?

—Alguien está intentando entrar.

Nelson se enderezó.

—¿Te refieres a un aéreo?

El hombre asintió.

—Eso es imposible... a no ser que...

Un pensamiento apareció en la mente de Nelson, más bien una intuición. Instantánea, absurda... y sin embargo, verosímil.

—Vamos, rápido.

Se levantó y siguió al hombre. Todavía notaba las molestias en la pierna, pero no le importaba. Presentía que muchas de las preguntas que se estaba haciendo iban a encontrar respuesta.

El muelle era un hervidero. La compuerta que comunicaba con el exterior permanecía cerrada, porque todos los intentos de abrirla manualmente habían fracasado. Varios soldados habían tomado posiciones, parapetados tras improvisadas barricadas, mientras que una pareja de hombres en bata blanca se afanaba ante la consola de control.

Eso sí, no estaban solos.

—¡Nelson! Bienvenido, habría sido una lástima que te perdieras el momento.

Debió haberse imaginado que, de la misma manera en que uno de sus hombres había corrido a informarle a él, Gernsback habría sido advertido por uno de los suyos. Y además, con más rapidez...

...a no ser, claro, que supiese de antemano que algo iba a ocurrir. No podía probarlo pero, de algún modo, la idea le daba continuas vueltas en la cabeza. No tenía ningún sentido que Gernsback se hubiera metido en esa ratonera junto al perro faldero de Nossiter, y que no hubiese salido de la ciudad como habían hecho tantos otros. Estaba convencido de que sabía quién estaba al otro lado, o al menos lo sospechaba.

—Señor Gernsback, ¿qué está pasando?

—Hay un aéreo suspendido delante de la puerta. Creemos que quiere entrar.

—¿Quién va dentro?

—No lo sabemos. Lo cual no deja de ser frustrante, porque quienquiera que sea, tiene los mandos del único vehículo que funciona en un radio de bastantes kilómetros. Si descontamos a nuestros amigos los autómatas, claro.

—¿Forma parte del ataque?

Gernsback encogió de forma un tanto excesiva los hombros.

—Imposible saberlo. Aunque los hombres del general Rich no albergan muchas dudas. Me imagino que por aquello de prevenir antes de curar...

—¿Y por qué no entran?

—Puede que manejar un aéreo sea una cosa, y hacer que funcione el sistema de apertura de la compuerta, otra.

—Entonces no trabajan para el chantajista... Si fuera así, no habrían tenido ninguna dificultad para abrirla.

Gernsback levantó las cejas, en un casi sincero gesto de sorpresa.

—¡Vaya, chico! Se nota que en West Point sí que os enseñan a pensar...

Nelson sostuvo la mirada al excéntrico empresario con su ridícula pajarita.

«¡Lo sabe! ¡Claro que lo sabe!»

La llegada del general Rich les concedió una tregua.

—¡Sargento! ¿Están todos los hombres en sus puestos?

—¡Sí, señor! ¡Armados y preparados!

—Bien, señores. ¿Alguna sugerencia sobre lo que debemos hacer si esa compuerta se abre?

—Si me permite, general, antes de malgastar balas de las pocas armas mecánicas de que disponemos, esperaría a ver quiénes son y qué quieren —se apresuró a responder Gernsback, temeroso de cuál sería la opción de su joven compañero.

—¿Y si son hostiles?

—Francamente, con todo un ejército de autómatas viniendo hacia acá, no sé qué sentido tendría molestarse en enviar un único aéreo que, para colmo, ni siquiera es capaz de entrar por sorpresa. No, si algo ha demostrado nuestro chantajista es que puede estar loco, pero no es tonto... Hay alguien más jugando en este juego, alguien que no conocemos.

—¡Señor, hay movimiento! —gritó uno de los soldados más próximos a la compuerta.

No hizo falta que nadie corroborara sus palabras. Con un chasquido, las pesadas compuertas comenzaron a moverse. Las de la Torre Uno no eran como las de otros muelles, que se abrían de abajo arriba, sino que el acceso al muelle estaba custodiado por dos mitades de acero que comenzaron a deslizarse como una boca.

A pesar del uniforme, Nelson sintió la ráfaga de aire que penetró en el muelle, frío y húmedo, en contraste con el ambiente cerrado en el que se encontraban. Afuera, la lluvia arreciaba.

En el hueco, pronto fue visible una masa situada al otro lado de la compuerta. De hecho, como observó Nelson, estaba inusualmente cerca. Los procedimientos de acceso a los muelles normalmente implicaban mantener una distancia de seguridad mínima con los edificios en las esperas. Pero, por algún motivo, aquel piloto apenas estaba a apenas dos metros de la torre. Eso sí, no parecía un vehículo militar. De hecho, era un aeroterra carguero y, como delataban los distintivos de la carrocería, pertenecía a la flota de servicio de la terminal.

Silencioso, suavemente, el aeroterra penetró en el muelle, una maniobra que habían visto miles de veces y a la que ya casi nadie prestaba atención, pero que en ese momento todos observaban como si fuera la primera. Los cañones de las vetustas armas de los soldados lo siguieron desde todos los ángulos, hasta que se hubo detenido en el centro del muelle. La compuerta se cerró tras él. El mismo Nelson sacó la pistola de su funda y la empuñó con su brazo bueno hacia el parabrisas.

Lo que vio a través de él le sorprendió tanto que a punto estuvo de volver a bajarlo.

—Qué demonios...

Era aquel chico, el tal Edgar Kerrigan. Él era el único capaz de pilotar un aéreo en toda Nueva York, y también le miraba de manera desafiante.

Nelson sintió cómo le invadía una rabia irracional.

—Vaya, vaya —oyó decir a Gernsback—. Esto se pone de lo más interesante. Creo que ese aeroterra no lleva dentro maletas, precisamente.

El vehículo terminó de posarse, y el piloto y el copiloto desaparecieron de la vista. Al cabo de un par de minutos de espera nerviosa, la puerta comenzó a abrirse. El sonido de las armas preparándose llenó el silencio del muelle.

42

Primero se confundió entre los truenos que acompañaban a la lluvia que caía ya sin pausa sobre el parque; sólo que, lejos de desaparecer, continuaba sonando de fondo, manteniéndose sin cesar. Un rumor que simulaba extinguirse, pero que no lo hacía del todo. Al contrario, iba ganando en intensidad porque, lejos de desaparecer, iba creciendo, hasta que abandonó la región en la que podría confundirse con lo imaginado para convertirse en algo que estaba ahí, que nadie podría dudar, evidente.

No fue hasta un poco más tarde cuando llegó la vibración. La de la gigantesca estructura de metal del puente, que repercutía al ser golpeada por los cientos de patas metálicas que avanzaban imparables, alternando ritmos diferentes para no amenazar la estabilidad del conjunto. Los sonidos de los terrestres cayendo al agua ejercían de extraño complemento a aquella alfombra sonora.

Al final, la evidencia: algo se acercaba, algo poderoso. Algo que aquel puñado de ilusos pretendía detener con armas venidas de un mundo que ya no existía.

—¡Ya están aquí! —gritó un soldado al ver la señal luminosa del vigía destacado en lo más alto del edificio del ayuntamiento.

O'Neill podía sentir la tensión que de repente se adueñó de los soldados. Los artilleros se inclinaron aún más junto a sus cañones, y el resto de los hombres se aferraron con mayor fuerza a sus fusiles.

Aún no veían nada, y de hecho la ciudad parecía más vacía que nunca. Y esa indefinición de la amenaza hacía de ella algo aún más ominoso.

Hasta que la señal luminosa que les llegaba desde la torre del ayuntamiento deletreó la palabra maldita:

T-R-Í-P-O-D-E

—¡Permaneced firmes, muchachos! —gritó el capitán, cuyo nombre, O'Neill lo había averiguado, era Michael Kirpatrick.

Era fácil de decir. Pero difícil de cumplir: la reacción lógica del cerebro humano ante una forma monstruosa que aparece a lo lejos sobre la línea de los edificios, desvelada por el fogonazo de un relámpago, es darse la vuelta y huir en sentido contrario.

La parte superior del trípode, levemente elíptica, giró a lo lejos, como si estuviera evaluando la situación, calibrando las defensas. Y lo que vio no le debió de provocar un gran esfuerzo de cálculo, porque enseguida adelantó una de sus patas y superó la primera línea de edificios, más bajos que la segunda. Se detuvo en el intervalo de las dos, y desde donde estaban ya podían distinguir los largos tentáculos que pendían de su cuerpo, al parecer, incapaces de quedarse quietos, ondulantes y examinando continuamente el entorno.

El sonido vibrante que procedía del puente absorbió ya por completo el ruido de la lluvia, que había convertido el terreno del parque en puro barro. El telégrafo luminoso de la torre del ayuntamiento volvió a lanzar otro mensaje:

A-U-T-Ó-M-A-T-A-S

O'Neill miró en la distancia, al borde de donde desaparecía el puente en su curvatura. La cortina de agua y la oscuridad que caía rápidamente, atrapados como estaban bajo una gruesa capa de nubes grises, le impidió distinguir nada que no fuera una especie de vibración oscura en el límite del campo de visión. Le pidió al soldado que tenía a su lado unos prismáticos, y volvió a mirar en esa dirección. Ahora sí que pudo ver claramente la primera fila de autómatas que avanzaba, sus formas humanoides e inexpresivas. Se detenían de tanto en cuanto para eliminar los obstáculos que encontraban en su camino, arrojándolos al río, pero al ritmo que iban muy pronto llegarían hasta Park Row.

O'Neill volvió a buscar el trípode que venía directo hacia ellos, y que debió de atravesar el río, alzado sobre sus largas patas. Cuando finalmente lo encontró sobre la azotea del único edificio que se interponía ya entre él y ellos, sintió que una sequedad repentina se adueñaba de su garganta. Ahora podía ver bien la gran cúpula metálica que cubría su parte superior, con un hueco para una cubierta traslúcida que podría hacer creer que había alguien pilotándolo. Pero bien sabía que no era así, aquellas criaturas habían sido diseñadas para ser controladas a distancia, e incluso contaban con una cierta capacidad para decidir por ellas mismas. Un prodigio de la entonces naciente ciencia de la teleautomática, llamada a liberar al hombre de las tareas ingratas, repetitivas y poco creativas. «Como luchar, matar y destruir», se dijo.

Bruscamente, la gran máquina volvió a ponerse en marcha, posó una de sus patas sobre el edificio y se elevó. Por un momento se alzó a una altura de vértigo, e incluso pudieron ver con claridad cómo desde el vientre caía en cascada el agua que se había acumulado sobre la parte superior.

—¡Permaneced firmes, chicos! ¡Que no se mueva nadie! ¡Esperad mi señal!

El trípode superó el edificio y se alzó ya directamente ante ellos, sin nada que se interpusiese. Se quedó plantado, con un leve balanceo que se transmitía a sus tentáculos colgantes. Los autómatas, mientras tanto, iban ya descendiendo y la masa oscura iba llenando a ojos vista los carriles del puente.

—Artilleros, ¡apunten al vientre! —gritó el capitán Kirpatrick.

Los hombres se afanaron en torno a los cañones y alzaron las bocas para buscar el punto débil de la máquina. La cabeza, allá en lo alto, parecía observarles, pero por el momento no pasaba de allí, muy probablemente porque esperaba a que llegara el grueso del ejército de autómatas.

—¡Preparados!

Los hombres se quedaron inmóviles bajo la lluvia, sus capotes empapados, las gotas cayendo de las viseras de sus gorras.

—¡¡FUEGO!!

Un cúmulo de destellos, el seco estruendo de la pólvora y las nubes de humo surgiendo de los cañones. Las grandes ruedas calzadas que, aun así, les hicieron retroceder. Y entre la nube de olor a pólvora quemada que se alzaba, las señales de los impactos de las balas explosivas. Una contra el edificio situado detrás del trípode; otra demasiado baja, entre sus patas extendidas; una tercera, contra la parte frontal del cuerpo. Y la decisiva, por fin, directamente contra un vientre que pareció abrirse para dejar salir del interior una erupción de fuego.

Un grito triunfal surgió de las gargantas de los soldados mientras la máquina retrocedía y parecía perder el equilibrio, desconcertada. Se quedó clavada, posando la mayor parte de su peso sobre la pata derecha. Oyeron crujidos y gemidos metálicos, e incluso les pareció ver algún trozo de metal desprenderse y caer al suelo. Finalmente, se quedó quieta, mientras una nube de humo oscuro y un potente olor a quemado salió de su parte inferior.

—¡Carguen! ¡Vamos, rápido!

Los hombres se afanaron en preparar los cañones para una segunda descarga. Y, aunque lo hacían con la sincronía de quienes lo han hecho en innumerables ocasiones, a O'Neill le pareció que eran lentos, irritantemente lentos, porque no acababa de creerse que el trípode hubiese quedado tan afectado como para dejar de estar operativo.

Por desgracia, no tardó en ver que tenía razón.

Justo bajo la cúpula traslúcida comenzó a ser visible un brillo que rápidamente creció en intensidad. A la vez, un zumbido eléctrico, de inducción, muy grave, lo ocupó todo, y el olor a ozono sepultó todos los demás, incluido el de quemado. O'Neill sintió que el vello de su piel comenzaba a erizarse, y con un golpe de angustia comprendió lo que estaba pasando.

—¡Está cargando la bobina! ¡Va a disparar!

Confirmando sus negros vaticinios, el trípode volvió a incorporarse, y de algún lugar de su parte inferior, aún humeante, surgió una especie de manguera más ancha que los tentáculos, culminada en algo parecido a una caja con una extensión cónica en su extremo.

—¡A cubierto! —gritó el capitán, y los hombres retrocedieron, buscando el refugio de sus parapetos.

Pero era tarde, y además inútil. El ambiente, cada vez más cargado de electricidad, pareció conducir todo, incluido el aire, hacia la caja que ahora la máquina extendía en su dirección. La cúpula traslúcida emitía ahora un brillo cegador, como si un sol de un azul blanquecino hubiese crecido en su interior. Hasta que llegó un momento en que toda la energía acumulada fue imposible de retener y buscó una vía de escape recorriendo el tubo, capaz de canalizar una corriente de electricidad con una potencia de centenares de miles de voltios.

Ante la mirada atónita de O'Neill, surgió el relámpago más intenso y poderoso que hubiera visto jamás. Un haz que seguía un camino irregular, no recto, pero que tomó tierra justo en el punto en el que se encontraba la batería más alejada. Aquel rayo eléctrico cayó con la fuerza de una bomba, entre un estruendo chirriante de electricidad que destrozó el cañón, con un intenso olor a quemado que lo invadió todo con un diluvio de chispas. Una marca en forma de estrella se extendió sobre el suelo con el centro en el arma, mientras que el césped y un árbol cercano, que había sido alcanzado por una de las ramificaciones secundarias del rayo, comenzaron a arder.

O'Neill vio con horror que el metal de la boca del cañón se había derretido por varios puntos, dejándolo totalmente inservible. Por fortuna, los hombres habían retrocedido justo a tiempo y no habían sido alcanzados por el rayo.

La máquina emitió un sonido ululante, con un tono de triunfo, que atronó sus oídos. A cierta distancia, algo le respondió. La avanzada de los autómatas, con un sonido que ya lo cubría todo, estaba casi a ras de suelo y en pocos minutos inundaría el parque.

—¡Vamos, recargad! ¡Artilleros, hay que disparar de nuevo! —gritaba Kirpatrick, sujetando con fuerza las bridas de su caballo para que se mantuviera en el sitio y no huyera. Los ojos abiertos, alucinados, del animal reflejaban el resplandor del incendio del parque que, a pesar de la lluvia, amenazaba con extenderse rápidamente por toda la zona.

Aunque nadie habría podido reprochar a los hombres de Kirpatrick que emprendieran la huida y abandonaran el puesto, lo cierto fue que sólo se movieron para obedecer las órdenes del capitán con celeridad asombrosa. Se abalanzaron sobre los cañones y los movieron con presteza, corrigiendo el tiro. Pero entonces el trípode, como si adivinara sus intenciones, avanzó, extendió sus tentáculos hasta el suelo y comenzó a descargarlos como látigos contra ellos, con una fuerza sobrehumana. La potencia de los golpes era tal que uno de los cañones quedó volcado, mientras que los soldados, tras el violento latigazo que les hendía la carne, salían despedidos como si fueran muñecos. Al volver a su posición inicial, los tentáculos iban manchados de sangre, y era posible distinguir unos angustiosos y húmedos chasquidos que hablaban de huesos rotos y columnas cercenadas.

El trípode se abalanzó sobre la posición, mientras los hombres que quedaban en pie, al ver el espectáculo de la matanza, olvidaron cualquier disciplina para echar a correr entre las patas metálicas como hormigas que se agitasen entre los pies de un hombre que se dispusiera a destruir su hormiguero. Pronto el campo de batalla dejó de ser tal, para ser sólo un caos de hombres que veían cómo sus pies se hundían en un barro que les sujetaba con un sonido viscoso, con el grueso de los soldados intentando desesperadamente alcanzar un refugio para encontrar a cambio sólo los tentáculos y las garras que éstos tenían al final.

O'Neill, que veía el espectáculo de muerte desde su parapeto, incapaz de moverse, sintió que algo se desplomaba a sus espaldas. Cuando se giró, vio un cuerpo que había sido arrojado contra el suelo desde una gran altura, a donde seguramente había sido alzado por las extremidades del trípode. No necesitó comprobar nada para saber que el soldado estaba muerto; sobre su cabeza vio pasar otro cuerpo sujeto por otro tentáculo que era lanzado con fuerza contra la fachada del ayuntamiento, donde dejó una leve mancha oscura antes de caer entre los setos de la entrada.

La confusión era total, y aquello ya no se parecía en nada a una batalla. Las patas del trípode se hundían aquí y allá, abriendo hondonadas en un barro en el que los colores de los heterogéneos uniformes que habían vestido a la débil fuerza de defensa iban hundiéndose cada vez más. Sólo entonces O'Neill se dio cuenta de que el olor a ozono volvía a hacerse casi insoportable, y el zumbido eléctrico lo llenó todo de nuevo. Echó a correr, imprudente, sin fijarse en nada, mientras el vello de su nuca se erizaba de forma casi dolorosa.

Saltó tras un pequeño muro de piedra justo en el instante en el que un segundo relámpago alcanzaba otra batería, trazando además una línea de fuego hasta ella y atravesando a dos hombres que encontró en su camino y que se quedaron de pie, presos de convulsiones, mientras la potente descarga recorría sus cuerpos y les quemaba por dentro. Cuando el brillo cesó, se desplomaron sobre el suelo, inanes.

Desde donde estaba, O'Neill ocupaba un ángulo que le situaba por detrás de la horrible máquina, que mientras tanto había seguido avanzando. Y entre los caballos que permanecían aún en pie, le pareció ver pasar al de Kirpatrick, que huía al galope del destino que había sorprendido a sus compañeros, caídos sobre el barro, quemados o con profundas heridas en sus flancos, sus dientes bien visibles en una especie de relincho abortado.

Presa de una loca esperanza, imposible de explicar, O'Neill buscó con la mirada a Kirpatrick. Cuando lo encontró, estaba justo bajo el cuerpo del trípode, junto al único cañón aún en funcionamiento. Los soldados que lo habían armado yacían muertos junto a él, y el capitán había corrido entre las patas para meterse en el único lugar donde, al parecer, la gran máquina no podía localizarle. Con toda la fuerza de la que fue capaz, Kirpatrick alzó todo lo que pudo el tubo del arma, dejándolo lo más vertical que le fue posible, y disparó.

El nuevo impacto sobre el vientre de la máquina, esta vez, fue brutal. La potente explosión hizo que llovieran sobre el oficial, que se tiró al suelo y se cubrió como pudo, todo tipo de trozos de metal y de piezas, mientras la bala se incrustaba en el cuerpo del trípode y abría un boquete en su parte superior, por el que surgió un surtidor de fuego.

La máquina no cayó, no hizo nada especial. Su muerte consistió en quedarse allí detenida, mientras que los tentáculos dejaron súbitamente de moverse para caer y quedar colgando, inertes.

Los hombres que aún permanecían vivos lanzaron un ansioso grito de júbilo, mientras un Kirpatrick con el rostro tiznado de negro y el uniforme lleno de barro se alzaba, exhausto. El mismo O'Neill no pudo resistir el impulso de incorporarse para acompañar los hurras de aquellos hombres que, con sus armas caducadas, habían logrado destruir uno de los prodigios de guerra más potentes jamás creados por la invención humana.

Pero el grito de triunfo murió tan de repente como había comenzado. Otro sonido fue claramente audible desde el otro extremo del parque, un sonido ondulante que precedió a la irrupción del segundo trípode, que había cruzado el río desde el otro costado del puente y que apareció pillando por sorpresa a los supervivientes. Nada más entrar en el perímetro, lanzó una descarga de electricidad sobre Kirpatrick. El rayo impactó contra un depósito de pólvora junto al cañón, y tanto éste como el oficial volaron por los aires, destrozados en una gran explosión.

La segunda mole se alzaba, majestuosa, y entre sus patas una riada de autómatas se desplegó por el parque, disparando las armas situadas en los extremos de sus brazos y abalanzándose sobre los soldados, que se desperdigaron desordenadamente ante el arrollador avance de los humanoides de tres metros de altura.

La euforia de la victoria parcial apenas había durado unos segundos. Aquello ya era sólo una carnicería en la que las máquinas perseguían a los pocos hombres que aún estaban en pie para aplastar cualquier resistencia. Ya no tenía ningún sentido seguir allí, y el mismo O'Neill corrió hasta meterse en un portal y arrebujarse bajo la escalera. Desde allí pudo ver el marco de la puerta abierta que daba a la calle, algún hombre que pasaba corriendo sólo para ser acribillado y caer, vio masas amenazantes que delataban los momentos en los que los autómatas cruzaban ante el edificio. Y por encima de todo, los ruidos metálicos, las atronadoras ráfagas, las descargas del arma eléctrica y los destellos temblorosos que teñían todo con un aura de irrealidad.

Hasta que un sonido más potente y reconocible, la llamada ululante del trípode, se impuso a todo lo demás. O'Neill vio cómo algunos autómatas pasaban de nuevo ante el portal, volviendo al parque. Esperó, sintiendo que el corazón podría salírsele de un momento a otro del pecho; al cabo de un tiempo que le pareció eterno, volvió a ser audible el sonido de desfile de las máquinas.

«Abandonan el parque. Ya no tienen nada que hacer aquí», pensó.

Sacando un valor que desconocía que aún pudiera tener, se incorporó y, con mucho sigilo, fue acercándose hasta la salida del portal. Cuando llegó, se asomó, cuidadosamente. El espectáculo era desolador: la calle estaba salpicada de cuerpos de soldados muertos, acribillados los más, alguno aplastado al haberle pasado un autómata por encima. Incluso, de uno de los cadáveres situados en el extremo más cercano al parque, surgía una tenue voluta de humo que indicaba que había sido el rayo del trípode el que le había matado.

Poco a poco, aquí y allá fue apareciendo algún que otro soldado que, como él, había sobrevivido milagrosamente a la cacería, y sólo porque las máquinas habían decidido interrumpirla. Con los uniformes desgarrados, los rostros llenos de barro y el horror pintado en ellos, se agruparon como corderos que volvían al lugar donde habían estado paciendo y del que habían sido ahuyentados por la irrupción de lobo.

—¿Se han ido? —preguntó un joven, poco más que un adolescente tembloroso.

O'Neill asintió con la cabeza.

—¿Adónde?

—Al único lugar posible —contestó el periodista—. Hacia allí.

Y su brazo se extendió para señalar la silueta llena de luz de la Torre Uno, a la que, como polillas, se encaminaba la horda de autómatas.

43

Parecía estar convirtiéndose en una costumbre que cada vez que Nelson Yadley se cruzara en su camino, un arma se interpusiera entre ambos. Aunque en esta ocasión se le sumaban algunos hombres de la Guardia Nacional y un par de efectivos de la Casa Morgan. Un recibimiento por todo lo alto.

Habían obligado a Savage a que entregara sus armas, que éste había puesto, a regañadientes, en el suelo. El resto tenía las manos en alto, esperando que les dijeran qué hacer; Edgar de nuevo llevaba su pesada mochila, que Tesla le había dicho que se volviera a echar a la espalda.

Nadie parecía saber muy bien qué era lo que había que hacer con ellos. Seguramente, pensó Edgar, porque ni siquiera tenían muy claro si eran una ayuda o una amenaza. Vistas las distintas posibilidades de cómo podrían haber ido las cosas, el chico pensó que, al fin y al cabo, no era el peor escenario. Al menos, tenían la duda. En un extremo, el hombre que parecía al mando, quizá un general, hablaba con otros dos de traje. Uno de ellos, de unos cincuenta años, miraba de vez en cuando en su dirección. Finalmente, se acercó y les habló:

—Tesla, Swezey. Venid conmigo.

—El chico también, Hugo —respondió el inventor—. Y dame tu palabra de que nadie pondrá un pie dentro del aéreo hasta que regresemos.

Gernsback meditó un momento la respuesta, mientras miraba fijamente a Tesla. Al final, respondió:

—De acuerdo. Con la condición de que se quite esa mochila.

—No.

Edgar casi pudo sentir físicamente el aguijonazo de alerta que recorrió a todos los hombres allí reunidos.

—¿No?

—No. Es nuestro seguro.

—¿Vuestro seguro?

—Señor Tesla, no está en posición de imponer condiciones —tronó la voz de Rich—. Chico, quítate ahora mismo esa mochila y déjala en el suelo.

—¡No! —repitió con contundencia Tesla, haciéndole un gesto a Edgar para que ni lo intentase—. Kerrigan lleva un aparato que, en estos momentos, está distorsionando todo el campo alrededor nuestro. Es lo único que impide que aún sepan que estamos aquí. No por mucho tiempo, pero sí lo suficiente.

El general miró a Gernsback. Éste, tras meditar unos instantes, hizo un leve asentimiento con la cabeza.

—Tesla —añadió entonces, dirigiéndose de nuevo hacia el anciano—, ¿me das tu palabra de que ni en esa mochila, ni en el aeroterra, hay nada que represente una amenaza para nosotros o para la torre?

Tesla mostró su media sonrisa pícara, tan característica.

—Tienes mi palabra de que ninguno de nosotros portamos amenaza alguna. Es más, os traemos la única solución posible a esta situación.

—¿Vamos a seguir perdiendo el tiempo escuchándole? —Nelson interrumpió la conversación, furioso—. ¡Él ha provocado todo esto! ¿Cómo podemos fiarnos de lo que nos diga?

A ambos lados, sus hombres estaban visiblemente nerviosos. Por un momento, Edgar incluso temió que alguno de ellos se dejara llevar por el nerviosismo y terminara por dispararles.

—Joven —dijo tranquilamente la voz de Tesla, con esa capacidad de focalizar su atención en una persona, lo que tanto había sorprendido a Edgar cuando le conoció. Miraba a Nelson con sus ojos seguros, imperturbables, y el acento eslavo de su voz tenía un efecto hipnótico—, usted no tiene por qué saberlo, pero hubo un tiempo en el que la palabra de un hombre valía algo. Supongo que debo ser una antigualla, porque aún creo en eso.

Transcurrieron unos tensos instantes en los que Nelson mantuvo la mirada clavada en el anciano, la pistola temblando ligeramente como si esa atención le cargara el brazo de energía, hasta que por último el general Rich habló:

—Baje el arma, señor Yadley. Y dígale a sus hombres que hagan lo mismo.

—General, yo...

—¡Es una orden del oficial al mando!

—La Torre Uno es propiedad de Edison Electrics —respondió Nelson, tozudo—. Y ésta de la Casa Morgan...

—¡Y como el resto de las cosas de este país, incluso el mismísimo John Pierpont Morgan tiene que obedecer las órdenes del presidente de Estados Unidos! Le recuerdo, Yadley, que estoy aquí designado por él para organizar la defensa de este lugar, y mientras sigamos aislados no hay ninguna instancia superior a la mía. Se lo repito por última vez, ¡bajen las armas!

Nelson estaba tan furioso que su rostro parecía a punto de estallar, y el temblor de la mano que empuñaba la pistola aumentó. Tenía la mirada clavada en los ojos de Edgar, que a duras penas conseguía ocultar el terror que se adueñaba de él. Por unos segundos, estuvo convencido de que efectivamente iba a dispararle.

Finalmente, Nelson se rindió. Flexionó el brazo con violencia, como si necesitara un esfuerzo sobrehumano para ello y, como respuesta, sus dos compañeros bajaron sus armas.

El general Rich se dirigió a sus hombres.

—El joven también se viene. Sargento, llévelos a los cuatro a la sala de reuniones —y luego añadió, aunque en un tono de voz mucho más bajo, que impidió que la mayor parte de los presentes lo pudiera oír—. Espero que sepa lo que hace, Gernsback.

Éste respondió algo con una sonrisa, pero Edgar ya no lo entendió. Tesla, Savage, Swezey y él se pusieron en marcha, escoltados por soldados. Siguieron a uno que les iba abriendo paso fuera del muelle y a través de los amplios pasillos. Les hicieron entrar en una sala con una gran mesa, y les pidieron que se sentaran. Dos soldados se colocaron a cada uno de los lados de la puerta, mientras que el resto se quedó fuera.

—¡Maldita sea! ¿Es que no han visto las máquinas? A estas alturas ya deben de haber cruzado el río. Como no nos demos prisa, va a dar igual que hayamos logrado llegar hasta aquí.

—Paciencia, Swezey —le tranquilizó Tesla—. Antes tenemos que demostrarles que pueden confiar en nosotros.

—¿Es que no lo ven? ¿Acaso vendríamos a meternos en la boca del lobo si no fuera por ayudarles? —gruñó Savage.

—Desde luego que no. Pero ellos no lo saben...

Swezey y Savage parecieron meditar cien respuestas a eso, a cada cual más desabrida, pero finalmente optaron por guardar silencio. Los cuatro esperaron sin hablar, hasta que alguien llamó a la puerta. Uno de los soldados abrió, y el general Rich entró en la sala, acompañado de Gernsback y Baker. Los tres se sentaron a la cabecera de la amplia mesa.

Gernsback miró al general. Éste hizo una señal de asentimiento con la cabeza.

—Bueno, Tesla. ¿Qué estás haciendo aquí? ¿Has venido a entregarte para que así pongamos punto final a esto?

Tesla estuvo a punto de que se le escapara una sonrisa, al ver la formidable capacidad de interpretación de que hacía gala Gernsback. Si alguien en el mundo sabía que no estaban allí precisamente para eso, era él.

—¡Vamos, Hugo! Sabes mejor que yo que eso no serviría de nada. Cuando me tuviera, pediría otra cosa. Y seguramente sería algo aún más difícil de conseguir y que le daría la excusa perfecta para hacer lo que le viniese en gana.

—Ya puede hacerlo... —terció Baker.

Tesla le contempló como si le descubriese por primera vez. Separó sus manos y le miró.

—Es cierto —contestó—. Pero así sería más divertido... para él, por supuesto.

—Pero al menos ganaríamos tiempo... —intervino Rich.

—Me temo que tiempo es precisamente lo que no tienen, general —le respondió Tesla—. No, venimos a colaborar con ustedes para ofrecerles una solución definitiva, no algo temporal.

El militar examinó al anciano con expresión desconfiada.

—Exactamente, ¿qué es lo que pueden solucionar?

—Todo. Para empezar, el ataque que están sufriendo Nueva York y los Estados Unidos. Un ataque, me temo, bastante exitoso, a tenor de lo que hemos podido ver hasta ahora.

—Y, ¿cómo se supone que lo conseguirían?

Tesla apoyó los codos en la mesa y entrelazó sus manos.

—Eso, con su permiso, prefiero reservármelo por ahora. Creo que es más interesante que hablemos sobre nuestras condiciones...

El general pegó un puñetazo en la mesa.

—¿Otro chantaje? ¡No! ¡De ninguna manera! Es usted ciudadano norteamericano, y eso es suficiente para que, si tiene alguna información útil que nos pueda ayudar a detener a ese loco, nos la facilite.

Tesla habló sin alterarse. Aun cuando a medida que se adentraba en el relato era visible, al menos para Edgar, el resentimiento que guiaba sus palabras:

—Soy un ciudadano de los Estados Unidos, sí, señor. Concretamente, desde 1891. Un ciudadano que ha visto cómo el fruto de toda una vida de trabajo le ha sido robado y utilizado para el enriquecimiento de unos pocos. Un ciudadano que ha tenido que vivir años bajo un nombre falso, como si hubiera hecho algo malo. Un ciudadano que ha visto cómo su tecnología, que debía estar al servicio de todos, ha terminado controlada por un puñado de monopolistas...

—Señor Tesla —trató de interrumpirle Rich, repentinamente conciliador, temeroso de que la indignación del anciano estropeara la negociación—, estoy convencido de que existen canales para que pueda hacer sus reivindicaciones. Pero ahora no es el momento ni el lugar...

El anciano alzó una mano. No esperó siquiera a que Rich dejara de hablar para responder:

—No se preocupe, general. No estoy aquí por eso. De hecho, me preocupa mucho más que esa tecnología pueda caer en manos de De Bobula.

El general frunció el ceño.

—¿Quién?

—Titus de Bobula. Ahora no tenemos tiempo para entrar en detalles; estoy seguro de que el FBI podría darle todo tipo de información sobre él... si pudiera contactar con ellos. En el pasado, colaboré con él en un sistema para obtener un acceso privado y sin posibilidad de bloqueo al sistema inalámbrico que poco después se convertiría en la Red Mundial. Abandonamos nuestra asociación cuando comprendí que nos movían motivaciones muy diferentes; pero es evidente que él continuó con sus investigaciones.

—¿Sabe dónde podemos encontrar a ese... De Bobula?

Tesla negó con la cabeza.

—No. Como le digo, hace mucho que no he vuelto a saber de él. Pero estoy convencido de que es él el que está detrás de este ataque. Y les puedo asegurar que, además de sus ansias de poder, le mueve una profunda obsesión hacia mi persona. No me quiere para charlar de los viejos tiempos, se lo aseguro.

»Pero eso, en realidad, es lo que menos importa ahora. Lo verdaderamente significativo es que tenemos en nuestra mano la posibilidad de revertir la interferencia que está produciendo en la Red. Podemos sacarle fuera y recuperar el control. Eso sí, si se cumplen nuestras condiciones... que, por cierto, son mucho más fáciles que las que actualmente penden sobre ustedes. No les supondrán ninguna extorsión, no se preocupe.

—Y... ¿cuáles serían esas condiciones? —preguntó Gernsback.

—En realidad, se resumen en una sola: que una vez que hayamos conseguido salvar la situación, se nos deje irnos libremente, sin que nadie nos siga.

Gernsback, Rich y Baker continuaron escuchándole, esperando que continuara. Pero Tesla no dijo nada más.

—¿Cómo? ¿Ya está? —preguntó Hugo.

—¿Sólo eso? —añadió, incrédulo, el general Rich.

—Solamente.

El general respiró profundamente.

—Y, ¿puedo saber a dónde se supone que debemos dejarles ir?

Tesla le miró con expresión de pillo.

—Eso, si me lo permite, es algo que nos atañe sólo al señor Swezey, al señor Kerrigan, al señor Savage, al señor Kuznetsov, que se ha quedado junto al aéreo, y a mí. Creo sinceramente que deberían sopesar la oferta; al fin y al cabo, sólo les estoy pidiendo que nos dejen volver a salir de sus vidas para que puedan continuar con su mundo. Aunque, eso sí, espero que hayan sacado alguna enseñanza de lo ocurrido para evitar la repetición de los errores que nos han llevado a esta situación de extrema urgencia.

Rich se echó para atrás en su sillón y se pasó la mano por el mentón. Sus ojos escrutaron al inventor. Finalmente, habló:

—Señor Tesla, como bien sabe, no puedo asegurarle que el presidente acepte sus condiciones. Pero, como máximo representante suyo en estos momentos, lo que sí puedo decirle es que haremos todo lo posible para que sea así. El presidente Hoover es un hombre justo.

Tesla asintió.

—Acepto su palabra, general. Para mí, eso es suficiente. Terminaremos el trabajo y nos iremos, todos nosotros.

Edgar miró a Swezey. En su rostro se veía claramente que no era un trato que acabara de gustarle, pero parecía el único posible.

Llamaron a la puerta. Uno de los hombres de pie la abrió y entró un soldado, que se cuadró ante Rich.

—Señor, los vigías informan de que el enemigo viene hacia aquí. Ha cruzado y rebasado las defensas del puente. Llegarán en pocos minutos hasta nuestra posición.

—¡Maldita sea! Han durado aún menos de lo que creíamos... —dijo éste, poniéndose en pie—. Señor Tesla, dígale a los señores Gernsback y Baker lo que necesitan. Ellos pondrán a todos sus técnicos a su disposición. Espero que toda esta historia fantástica que me ha contado responda a una realidad, porque si no... estamos perdidos.

—Tiene mi palabra de que es absolutamente cierta.

—Bien. Sólo espero que, además, sea absolutamente rápida. Se nos acaba el tiempo.

Y diciendo esto, abandonó la sala. Gernsback y Baker se quedaron mirándole.

—Bien, señores. Vamos de nuevo al muelle. Hemos traído un juguete que creo que les resultará enormemente interesante.

44

La noticia de que los autómatas habían entrado ya en Manhattan y avanzaban hacia la Torre Uno corrió como la pólvora entre el personal encerrado en su interior. El cansancio y la desesperación después de tantas horas de intentar, sin éxito, recuperar el control, viendo las oscilaciones en las consolas que ya no controlaban, había provocado que cada vez más gente tirara la toalla y se dejara llevar por la angustia de no saber qué sería de sus familias y seres queridos. Otros se temían que el único desenlace posible fuera la irrupción de los autómatas en el interior de la torre, a la caza de todos ellos.

De modo que era difícil mantener un orden que sólo los hombres del general Rich eran capaces de esbozar. Además de los técnicos de Gernsback, claro, que a pesar de la falta de resultados seguían batallando en el subsuelo del edificio para atajar el problema. Eran, al menos, tan obcecados como su jefe y eso, en unas circunstancias como las que estaban viviendo, sólo podía ser considerado como una ventaja.

Y ahora, Tesla, venido de no se sabía dónde, les mostraba a Gernsback y a Baker un gran aparato negro, un cubo irregular con varios indicadores y controles. Un intercod, decía, el arma que les iba a permitir derrotar a ese tal De Bobula.

—¿Y esto es lo que nos va a salvar? —les preguntó Gernsback, sus ojos con el brillo del niño que ha descubierto un nuevo y fascinante juguete—. Francamente,

Tesla, será muy efectivo, pero el diseño no parece ser el fuerte de su inventor. Si lo comercializáramos así, no nos comprarían ni uno, ¿verdad, Nossiter?

Éste, que se había incorporado al grupo del muelle tras cumplir algún nuevo y disparatado recado de su jefe, asintió.

—¿Están seguros de que funcionará en un complejo de las dimensiones de la Torre Uno? —les preguntó a su vez Baker, indeciso—. No creo que haya sido puesto a prueba en ningún lugar parecido.

Kuznetsov, normalmente muy discreto, se adelantó en esta ocasión a la respuesta del inventor. Quizá se sintiese ofendido porque alguien pudiera mostrar objeciones a lo que consideraba la joya de la tecnología astoriana.

—Ha demostrado de sobra su eficacia en contextos bien complicados, puede creerme —dijo—. Sobre el papel, tendría que ser igualmente eficaz con el núcleo del sistema.

A Gernsback no le pasó desapercibido el sentido último de esas palabras. Ahora lo entendía: Tesla y su pandilla venían de un lugar protegido por un aparato como ése, que los alejaba de miradas indiscretas desde la Red. Un lugar que contaba con una notable capacidad para la investigación y el desarrollo: era un misterio quién lo había diseñado en última instancia, pero a pesar de su fealdad era bien visible la huella tesliana en su concepción. La única explicación factible era que había sido desarrollado por algún discípulo aventajado; pero ¿quién?

«Si salimos de ésta, vamos a tener ante nosotros un panorama muy interesante», pensó el presidente de la RCA. Empezando por el hecho de que no creía para nada en la promesa del general Rich; Tesla era más valioso cuanto más pudiera contarles, y estaba demostrando que era mucho. Y le costaba creer que el inventor, a pesar de la ingenuidad que le había acompañado durante toda su vida, no fuese consciente de ello.

—Espero que tengan razón; en realidad, no nos queda tiempo para probar nada más, y ni siquiera estoy seguro de que tengamos margen para esto. Tenemos que bajarlo de inmediato a los niveles inferiores. —Baker se dirigió hacia un plano desplegado sobre una mesa colocada junto al aeroterra—. Concretamente, aquí —y señaló un punto del nivel -3.

Tesla miró al técnico ruso. Éste pareció estudiar durante un momento el plano, y finalmente le devolvió la mirada, asintiendo.

—De acuerdo —dijo entonces Tesla—. Pero sus hombres estarán a mis órdenes y las de Kuznetsov. De nadie más.

—Sólo con la condición de que trabajen bajo escolta militar —replicó Rich.

—Me parece justo.

A partir de ese momento, la actividad fue frenética. Los vigías informaron de que los autómatas tomaban posiciones alrededor de la Torre Uno, a pocos metros de la línea de defensa de la Guardia Nacional. Nadie sabía en qué momento exacto descargarían el golpe, así que el tiempo corría en su contra.

El grupo al completo descendió con el intercod aprovechando que la mochila de Edgar permitía que uno de los montacargas funcionara. Durante el descenso, y mientras los números de las plantas iban pasando ante ellos, Gernsback preguntó, impaciente:

—Bueno, Tesla, bien jugado. Pero ¿cuándo vas a decirme la verdad?

—¿Qué verdad?

—¿Dónde has estado? Y ¿de dónde han salido los uniformes con esa «A» en el pecho que lucen el chico y tu militar? ¿Quién es vuestro benefactor? Alguien con muchos recursos, eso es evidente. No es fácil hacer algo que se escape del control de la gente de Morgan.

Tesla se tomó tanto tiempo en responder que Edgar

temió que hubiese caído en otro de sus episodios de ofuscación. Pero, finalmente, el inventor respondió:

—¿Recuerdas la época en la que soñábamos con hacer del mundo un lugar mejor? Estábamos convencidos de que todos se sumarían sin dudarlo a nuestro proyecto. Pues bien, los hay que no han querido, y han sido capaces de construir algo por su cuenta para quedarse al margen. Y la paradoja es que puede que sean ellos, los autoexcluidos, los que salven Nueva York.

—Eso aún está por verse, Tesla.

Éste sonrió.

—¡Mírate! ¿Dónde está el Hugo que tenía una fe infinita en el futuro y el progreso?

El empresario sonrió con complicidad.

—No lo sé. Hace mucho tiempo que no sé nada de él...

Tesla le estudió aún durante un instante. Luego miró al frente, y sólo entonces terminó por replicarle, como si hubiese perdido el interés y cosas más importantes reclamaran su atención.

—Te has acomodado, querido amigo. Es una lástima; eso sólo sirve para engordar y envejecer. Y veo que en lo primero ya estás.

Edgar reprimió una risa al ver que Gernsback, instintivamente, miraba hacia abajo, hacia su estómago. Pero no contestó. Y no lo hizo porque, en el fondo, sabía que su antiguo maestro tenía razón. Una parte de sí mismo seguía diciéndole que él era una anomalía en el sistema, pero en realidad era bien consciente de que se trataba sólo de una autojustificación, una construcción que hacía digerible su situación de privilegio. En el fondo, no era menos responsable que Morgan o Marconi de lo que había ocurrido.

Pero ahora no había tiempo para pensar en ello. En realidad, si no tenían éxito, nada de eso tendría ya la menor importancia.

Al final, llegaron a su destino. Dos hombres fuertemente armados con rifles de principios de siglo custodiaban la puerta de acceso al nivel -3. El general Rich había ordenado que sólo pudiesen descender hasta allí las personas que tuvieran el pase de seguridad de mayor grado. Su pretensión era que toda aquella zona, que se hundía profundamente en la corteza para utilizar la frecuencia de resonancia de ésta para el envío de la energía a cualquier parte del mundo, fuese, llegado el caso, el último baluarte de resistencia, volándolo con todos dentro si fuera necesario.

A Savage no le pasó inadvertida la gran cantidad de explosivos acumulados por todas partes.

—Como esto no funcione, creo que no va a hacer falta que nadie nos entierre —le murmuró a Edgar. El joven sintió su garganta repentinamente seca al ver el pasadizo excavado en el subsuelo de la ciudad y que se desplegaba en una serie de cuevas repletas de aparatos que componían el corazón del corazón de la Red. Pronto llegaron ante un punto donde convergían canalizaciones y un gran panel abierto y ante el que se concentraba un grupo de técnicos.

Eran los hombres de Gernsback, la última defensa que luchaba denodadamente contra la intrusión. Y ahora uno de ellos, el técnico al cargo, se adelantó. Las bolsas en torno a sus ojos evidenciaban el cansancio de tanto tiempo trabajando bajo tierra. Tan agotado estaba que ni siquiera se dejó llevar por los formalismos para saludar a su jefe.

Y sin embargo, cualquier agotamiento pareció evaporarse en cuanto vio el intercod que la plataforma inalámbrica posó suavemente en el suelo.

—¿Qué demonios es eso? ¿Un compactador de basuras?

—Sí, un compactador de basuras que va a salvarles el culo —respondió Savage en lo que él pensó que era voz baja, pero que fue claramente audible.

El técnico al mando le miró sin una expresión determinada, pero finalmente sus ojos se dirigieron de nuevo hacia el intercod. De repente, vieron cómo la curiosidad y el interés se despertaban en él, con toda probabilidad porque su ojo experto comenzó a entender qué era en verdad aquel aparato.

Comenzó a disparar preguntas que Kuznetsov se apresuró a responder, a una velocidad cada vez más rápida y en una jerga que, para Edgar, resultaba simplemente indescifrable. Para cuando Gernsback quiso darse cuenta, los recién llegados estaban del todo integrados en el equipo y comenzaban los trabajos para conectar el intercod con la Red.

El empresario sintió un ramalazo de esperanza: si sus técnicos habían reconocido de inmediato que ese feo aparato no era una locura, todavía podrían conseguir algo. Pero debían hacerlo pronto: como para recordárselo, un ruido grave y una leve vibración que llegó hasta ese lugar situado bajo la tierra les recordó que afuera seguía habiendo una guerra. Y sólo ellos tenían la llave para detenerla.

45

La oscuridad caía sobre la ciudad, y el manto ominoso de la noche sin luz artificial acrecentaba el cuadro de derrumbe general. Sólo el fuego de los incendios y los destellos de las explosiones iluminaban de forma esporádica la ciudad arrasada; y también los ojos de los autómatas, cuyo resplandor se extendía conforme avanzaban por las calles que daban acceso a la Torre Uno. Por no hablar del trípode, que se movía indistintamente de un lado a otro, barriendo la calle con su potente foco a la vez que soltaba descargas eléctricas.

A la altura en la que se encontraba Nelson, apenas llegaban las voces y los gritos de los hombres. En su lugar, sólo era bien audible el rugido de la batalla, las explosiones, las ráfagas, la destrucción.

Era un espectáculo deprimente.

—Los de ahí abajo no tienen ninguna opción —dijo, bajando los prismáticos—. Los autómatas estarán aquí dentro de nada y podrán hacer lo que quieran. O matarnos de hambre o abrir las puertas para rematar su trabajo.

—Tal vez habría que considerar la idea de escapar, señor.

Nelson miró al hombre a su mando. Tenía más edad que él, o al menos eso indicaba su cabello canoso. Y era un cobarde, eso estaba claro.

—Nadie se va a ir a ningún sitio, Steinhauer.

—Pero, señor, éste es el momento perfecto. Podemos bajar a la zona inferior y encontrar algún túnel que nos permita salir de aquí antes de que lleguen...

Nelson cogió al hombre por la pechera. Su brazo aún se resintió algo del esfuerzo, pero decidió que merecía la pena al ver el rostro del otro.

—Nadie se va a ir de aquí, ¿entendido? Se nos ha encomendado una misión, y la vamos a cumplir.

—Pero, señor, ¡es imposible cumplirla! No tenemos armas que nos permitan enfrentarnos a ellos... ¡Es como tener las manos desnudas! Mi hermano me contó lo que hicieron en Europa...

Nelson le empujó y se alejó del ventanal. Furioso, se encaminó hacia el pasillo, donde se cruzó con grupos de personas que deambulaban caóticamente por él. Todo el mundo parecía muy nervioso, cogían papeles y caminaban de forma apresurada hacia las escaleras. Nelson estaba convencido de que los niveles inferiores debían encontrarse muy concurridos en ese momento, con tanta gente buscando una salida para abandonar la torre.

No le extrañó encontrar entre el grupo a Shear. De hecho, le pareció que había aguantado mucho más de lo que cabía esperar de él.

—Nelson —le dijo—, han llevado a Tesla y a los suyos abajo.

Nelson lo sabía. De hecho, había visto que habían sacado algo, un gran bulto sobre una plataforma inalámbrica, del aeroterra, y luego se lo habían llevado. Pero no pudo ver más: el general Rich le había vedado el acceso. Cuando acabara todo aquello, tendría que hablar con Morgan para que el presidente entendiera cuál era la jerarquía correcta en ese lugar.

—Dicen que tienen una solución...

—¿Y le cree? —preguntó Nelson—. ¿Cómo sabemos que no va a volar la torre desde dentro?

Shear le hizo un gesto abarcando el caos que les rodeaba.

—¿De verdad crees que es necesario tendernos una trampa para tomar este sitio? Estamos en la ratonera perfecta, Nelson.

—Eso es verdad. Nadie puede entrar... ni salir. —Al joven piloto casi le divirtió añadirle esto último a Shear.

—Alguien debe contarle a Morgan lo que está ocurriendo.

—En eso estamos de acuerdo —dijo Nelson, mirándole fijamente—. Creo que le interesaría mucho...

Shear le sostuvo la mirada. Aunque sin Goodstein y sus hombres (el muy imbécil aún debía de estar buscando a Tesla por toda la ciudad) estaba desprotegido, al menos no parecía querer darle a Nelson la satisfacción de mostrárselo.

—No me gusta cómo suena eso, Nelson —le dijo.

—¿El qué? Yo no he dicho nada. Si hubiera dicho que está buscando la manera de llegar abajo sin que se lo impidan los soldados, todavía podría molestarse. Pero no he dicho nada; ¿cómo podría insinuar siquiera que la mano derecha de Jack Morgan está pensando en huir cuando estamos en el momento álgido de esta historia?

—Aquí ya no hay nada que hacer.

—¡Sí que lo hay! Ese Tesla ha venido con un aparato nuevo, salido de no se sabe dónde, y montado en el único aéreo que funciona en todo el área de Nueva York. Y en lugar de saber por qué ni para qué, lo único en lo que piensa es en escapar.

—Tengo mujer e hijos, Nelson. Y no sé nada de ellos.

—¡Excusas, excusas, excusas! En momentos así es en los que se gana uno el sueldo, Shear...

—¡Se han detenido! ¡Se han detenido! —gritó alguien desde algún rincón.

Nelson y Shear aún se sostuvieron la mirada, mientras el resto de la gente preguntaba:

—¿Qué ocurre? ¿Ya están dentro?

—¿Han atacado a la gente de la entrada?

—No —dijo el que debía de haber dado la noticia—. Se han detenido a unos veinte metros de la primera línea de defensa. Y parecen esperar.

Esas últimas palabras hicieron reaccionar a Nelson.

—¿Esperar? ¿A qué?

—No lo sabemos, señor —dijo Steinhauer, que había sido testigo incómodo de la conversación anterior—. Pero dicen que hasta el trípode se ha detenido.

Nelson no entendía nada. ¿Tanta destrucción para eso, para detenerse allí?

—Vamos, sígueme —le dijo a Steinhauer.

—¿A dónde?

—¡A la entrada!

—¿Para... para qué?

—No preguntes y ven conmigo.

Dejaron a Shear y se abalanzaron hacia la escalera. Había todo un río de gente descendiendo y tenían que abrirse paso con esfuerzo.

—¡Apartaos! ¡Apartaos!

El camino se hizo eterno, pero por fin ganaron la zona de entrada. Allí, grupos de soldados custodiaban la escalera para impedir el paso. Un grupo de gente se agolpaba y les exigía que les dejaran llegar a las plantas inferiores, sin éxito. La atención estaba tan concentrada allí que Nelson no tuvo problema en dirigirse hacia el portón que normalmente servía para la entrada de los terrestres. Ahora, aquella gran puerta metálica era lo único que les separaba de los hombres que defendían la Torre y, más allá, del ejército metálico que les asediaba.

Allí, sorprendentemente, había menos soldados de los que cabía esperar. Aunque en realidad no había gran cosa que hacer, y eran más necesarios los hombres custodiando las plantas inferiores.

—Señor, ¿qué... qué hacemos aquí?

Nelson no sabía muy bien qué responder, pero algo en su interior le decía que, en medio del caos que se estaba adueñando de la torre, su sitio estaba precisamente allí, en el lugar por el que entrarían, en cualquier momento, las máquinas. No, él no huiría a ningún sitio. Aquello era lo más parecido a una situación de combate que había vivido en toda esa crisis, y no iba a dejarla escapar.

Justo en ese momento, volvió a ocurrir.

Las pantallas se iluminaron. Y surgió de nuevo la misma figura amenazante.

—¡Ciudadanos de Nueva York! En esta ocasión, me dirijo de manera especial a todos los que permanecen en el interior de la Torre Uno. Tengo el placer de informarles de que, como cabía esperar, su débil resistencia no ha sido nada para nuestros autómatas, que se desplazan por todo el sur de Manhattan a su antojo. Lo de Park Row ni siquiera puede ser calificado de batalla: sus defensas se derritieron como mantequilla, aunque es justo reconocer que los hombres que estaban allí lucharon con coraje.

»Pero ahora todo ha terminado. Nuestras fuerzas rodean todo el perímetro. Podemos entrar en cuanto queramos, y sería lo mejor para todos que aceptaran ese hecho y abandonaran una lucha que no tiene sentido.

»De todas maneras, hemos visto que han ocurrido ciertas cosas inesperadas. Eso está bien, porque de otra manera sería demasiado aburrido derrotarles. Sabemos que Nikola Tesla está en el interior de la torre, y exigimos que sea entregado ahora mismo a nuestras fuerzas. Si no, arrasaremos por completo todo lo que haya en su interior, esté vivo o no.

»Y por si tienen dudas, esto no es un ultimátum: es una orden. Tienen cinco minutos para traer a Tesla ante la puerta de entrada del hangar. Si para cuando se cumpla el tiempo no está, no tendremos piedad. Tienen mi palabra.

La imagen se desvaneció, pero un leve brillo delataba que no se había apagado del todo. Simplemente, permanecía en espera. Pocos minutos después, volvería a activarse. Lo que sucediera entonces dependía de lo que se encontrara cuando lo hiciera.

46

Cuando la pantalla se apagó, todas las miradas se posaron en Tesla. No sólo las de sus hombres, también de los técnicos. Por un momento, el revuelo se había detenido, y todos parecían buscar alguna pista en su rostro. Pero el anciano solamente parecía cansado, muy cansado.

—¿No se suponía que el aparato de la mochila protegía al doctor? —preguntó Edgar.

Swezey asintió.

—Sí. Y quizá sea por eso por lo que De Bobula sospecha. Debe de haber detectado la interferencia, y sabe que sólo hay una persona capaz de hacer algo así.

—Tesla, no le escuches. No le hagas caso, sólo quiere provocarte —le pidió Gernsback.

El inventor no pareció escucharle. Se puso en pie (observaba los trabajos sentado en una silla que le habían acercado) y miró hacia arriba. Parecía estar mucho más tranquilo que el resto de las personas que le rodeaban. Puso su mano en el hombro de Swezey, un gesto realmente inusitado en alguien como él. Luego giró la cabeza a un lado y a otro. Sólo se detuvo cuando encontró a quien estaba buscando.

—Chico, acompáñame.

—¿Yo? —respondió éste, sorprendido.

El anciano asintió. La respuesta fue inmediata en el grupo. Dos soldados, incluso, se adelantaron a cortarle el paso hacia el ascensor.

—¡No! —gritó Savage—. ¿Qué hace? ¡No suba! No le quiere para nada bueno, en realidad sólo está jugando con nosotros...

—Puede ser —contestó el anciano—, pero puede destruir este lugar en cualquier momento. Al menos, así ganaremos algo de tiempo. Pero no quiero ir solo... Chico, una vez te hice un encargo absurdo. Éste puede que lo sea todavía más, pero... ¿te ves capaz de acompañar a este anciano allá arriba?

A Edgar le sorprendió encontrarse sin saber muy bien qué decir. ¿Subir, enfrentarse a Dios sabía qué? ¿Por qué él? Allí había gente mucho mejor preparada; ¿no era por eso por lo que Savage les había acompañado?

—Señor Tesla, yo... —respondió torpemente—, yo no...

El anciano sonrió.

—¿Qué vas a decirme? ¿Que no eres valiente? Yo sé que sí, chico. Me lo has demostrado en cada momento de este viaje.

Edgar sintió que algo se sacudía en su interior. Volvía a oír esa palabra, «valiente», que de alguna forma se confundía con la pronunciación que hacía muchos años había oído en boca de su padre. Valiente como Orville Wright... ¿Sería cierto que, de alguna forma, había dado los pasos suficientes para ser de verdad como él?

Sólo había una forma de saberlo.

Dio un paso hacia delante.

—No sé si lo soy, señor. Pero, por usted, estoy dispuesto a averiguarlo.

El anciano sonrió abiertamente, cualquier signo de preocupación había desaparecido de su rostro, como si en realidad le estuviera proponiendo un paseo por el parque para dar de comer a las palomas.

—Pues si estos caballeros tienen la bondad de dejarnos pasar... —dijo mirando a los soldados. Éstos se cruzaron una mirada, indecisos. Finalmente, se hicieron a un lado. Tesla empezó a caminar hacia el ascensor, acompañado por Edgar, que se ponía de nuevo trabajosamente la mochila, ayudado por Savage.

—Esto puede ser peligroso —le dijo el anciano cuando llegaron ante las puertas del elevador—. ¿Lo sabes, verdad?

—No me importa, señor. Es... un honor estar junto a usted.

Tesla soltó una carcajada.

—Parece que estos viejos huesos aún pueden vivir una aventura. —Le miró una vez más—. Recuerda, Edgar; recuérdalo siempre: no dejes que nadie te diga nunca que hay algo que no puedes hacer. Sólo descubre por ti mismo si es así; te sorprenderás.

Las puertas se abrieron y entraron en el ascensor, acompañados por los dos soldados, mientras Edgar asimilaba las palabras del anciano y el hecho de que, por primera vez, se hubiese dirigido a él por su nombre de pila. Le había visto ya lo suficiente como para saber que aquello era algo que reservaba para muy pocos.

Por alguna extraña razón, volvió a pensar en el anciano señor Kachelmann y en el mensaje que le había dejado. Un mensaje sin el que ahora mismo no estaría allí, enfrentándose a algo que no podía ni imaginar. Durante un instante, se preguntó qué habría sido del anciano alemán, de su madre, pensó en qué diría Francesca si le viera justo en ese momento, a punto de situarse en el centro de los acontecimientos que estaban cambiando el mundo. Como el profesor Challenger, como el capitán Nemo, como Clovis Dardentor, como Impey Barbicane, como John Carter, como Tom Sawyer, como el joven Jim Hawkins, como tantos personajes cuyas aventuras había creído vivir, ahora llegaba su momento. No sabía lo que ocurriría a continuación, pero nunca jamás volvería a tener el control sobre su vida como lo tenía en ese momento; y eso, por alguna razón, significaba mucho, lo significaba todo.

No podía decir que no. No, no podía hacerlo si quería dejar atrás las dudas, la incomprensión; si quería poder mirarse al espejo. De alguna forma, enfrentar el destino junto a aquel hombre que había vivido una vida extraordinaria, a pesar de que quisieran extirpársela, era algo que superaba sus sueños de explorar los fondos del mar, la Luna, las selvas del Amazonas, de dar una y otra vez la vuelta a un mundo lleno de sorpresas.

Comprendió que eso era lo que le regalaba Tesla. De alguna forma, había penetrado en su cabeza y lo había comprendido. Lo había comprendido todo.

Con esa loca idea en la mente, la más loca que hubiera generado su mente, pero también la que más paz podía traerle, Edgar pulsó el botón de la planta baja. Como antes, prácticamente silenciosa, la gran caja cerró sus puertas y comenzó a ascender. Cuando llegó arriba y las puertas volvieron a abrirse, lo primero que vieron fue a unos soldados apuntándoles. Estaba empezando a convertirse en una molesta costumbre.

—Caballeros, déjennos pasar.

Los hombres armados no se movieron. Finalmente, junto a ellos apareció el general Rich. Les observaba ceñudo, valorando las alternativas. Tesla y Edgar esperaron, sin decir nada.

Por último, Rich hizo un gesto con la cabeza hacia sus hombres y ordenó:

—Déjenles pasar.

Los soldados bajaron sus armas. Un silencio sorprendente se hizo en el lugar. Todas las miradas permanecían clavadas en el hombre viejo y el joven que iba a su lado. Edgar sintió una especie de energía que irradiaba de Tesla, algo así como una frecuencia que sólo ellos dos conocían, y que en ese momento parecía trazar un campo magnético que dejaba fuera a los demás.

Con serenidad, el inventor se puso en marcha. Parecía disfrutar de todos aquellos ojos mirándole, viéndole por primera vez. Y a pesar del peligro, de la tensión del momento, Edgar podría jurar que había algo en él profundamente digno. No había vuelto a necesitar el bastón desde que habían subido al *Oxtrott*, y ahora cualquier rastro de cojera había desaparecido. Ya no era un fugitivo; volvía a ser, simplemente, el anciano sabio que le había hablado de la nieve que caía en su pueblo, de su gato y de los sueños que su padre no podía entender. Y de alguna manera, a su lado, Edgar se contagiaba de su dignidad para, a su vez, dejar atrás al joven indeciso que iba a remolque de las cosas, para en su lugar sentir que en el futuro había un lugar reservado para él, algo en lo que aquel anciano tenía mucho que ver. Vio a Nelson entre el grupo, pero no le dedicó ni un segundo; no se lo merecía.

Se dirigieron hacia el gran portón de entrada. Se detuvieron a varios metros de él y esperaron un par de minutos. Nada sucedió.

—¡Vamos, De Bobula! —gritó entonces Tesla, harto de esperar—. ¿No me querías? ¡Aquí estoy! Acabemos con esto de una vez.

Por un momento nada cambió, pero repentinamente un sonido metálico anunció que la gran puerta comenzaba a abrirse. Hubo una conmoción entre todo el mundo que se encontraba allí; los civiles retrocedieron, buscando un refugio. El ruido de las contadas armas mecánicas de los soldados acompañó su posición de defensa.

El aire frío penetró, y según iba subiendo el portón, la luz procedente de los focos lanzó un resplandor que fue extendiéndose por el interior de la torre. Y silueteado sobre él, pudieron ver a un autómata que, adelantado con respecto el resto, esperaba justo al otro lado del portón; un gigante metálico de más de tres metros, una gran masa poderosa, con anchos hombros y potentes piernas, con una garra metálica en el brazo izquierdo y una ametralladora en el derecho, una criatura portentosa y letal. El agua de la lluvia se deslizaba por toda su estructura, hasta el suelo.

Cuando el portón hubo terminado de abrirse, permaneció aún un instante detenido. Pero inmediatamente comenzó a caminar con su andar ágil, a pesar de que el suelo temblaba cada vez que sus pies se posaban sobre él.

—¡Fuego! —gritó Rich—. ¡Detenedlo! ¡Detenedlo!

Los hombres dispararon, pero por todo resultado obtuvieron tan sólo un racimo de destellos contra la coraza metálica. El autómata no pareció inmutarse, ni siquiera se molestó en responder. Caminó de manera firme, directamente hacia donde se encontraban Tesla y Edgar. Éste sintió una opresión en el estómago al ver a aquella masa dirigirse hacia ellos. Pensó que nada ni nadie podría detenerla nunca.

Y, sin embargo, cuando estaba a poco más de dos metros de distancia, lo hizo.

Se detuvo. Los focos de sus ojos se concentraron en el anciano. Éste le sostuvo la mirada.

—Muy logrado, De Bobula —dijo asomándose a aquella mirada mecánica, como si pensara que al otro lado de esos cañones de luz se encontraba realmente su enemigo—. Pero me pregunto si esto es todo lo que eres capaz de hacer.

Un sonido procedente del exterior les sacudió a todos, una acumulación de chasquidos, zumbidos eléctricos y máquinas reaccionando.

—¡Se están poniendo en marcha!

—¡Van a disparar!

Una parte de los soldados corrió hacia el portón ahora abierto, y por el que seguían colándose las gotas de lluvia, que el brillo de los focos de los autómatas que avanzaban hacia la torre hacían perfectamente visibles, como una cortina brillante. El resto seguía apuntando al gigante, que permanecía quieto, los ojos clavados en Tesla.

Un leve olor a ozono comenzó a notarse. Edgar sintió que el vello de su piel se le comenzaba a erizar.

—¡Vamos! —gritó Tesla—. ¡Acaba ya de una vez!

El autómata insinuó un movimiento, comenzó a mover un brazo, a alzarlo, amenazante, los ojos sin vida fijos en el anciano, que parecía más frágil que nunca comparado con aquella monstruosidad mecánica...

...y, repentinamente, se volvió a detener, a la vez que sus ojos se apagaban y todo él parecía morir. Afuera, el resplandor de sus compañeros también desapareció, mientras que las farolas comenzaron a encenderse a toda velocidad por las calles de la ciudad a oscuras.

Los hombres aún tardaron un momento en comprender lo que significaba aquello. Pero cuando entendieron que la Torre Uno, y con ella toda la Red, volvía a ser suya, prorrumpieron en un grito de júbilo. En las decenas de plantas sobre sus cabezas, los técnicos volvían a sentarse en sus asientos y se introducían de nuevo en el complejo entramado que sostenía aquel mundo. El clima, los transportes, la Aurora... todo iba cayendo de nuevo bajo su control. Y por supuesto, los autómatas, que se quedaron donde estaban, detenidos a escasos metros de la torre, replegando sus armas y retornando a sus posiciones de descanso, mientras el trípode liberaba en el aire la energía acumulada en su bobina, sin llegar a disparar. Sólo la máquina que había penetrado en el hangar permanecía en el mismo lugar y posición en el que se había detenido, su brazo levantado, a punto de lanzar un poderoso golpe sobre aquel anciano que no parecía tenerle el más mínimo miedo y la miraba con una sonrisa cada vez más amplia.

La planta inferior se convirtió en un hervidero de risas que liberó la tensión tanto tiempo acumulada. Por un momento, se olvidaron de los muertos del exterior, de la profunda huella que lo sucedido dejaría por mucho tiempo en la ciudad. El mismo general Rich, siempre imperturbable, respiraba aliviado, antes de retirarse, seguramente para comunicarse con el presidente.

Tesla se volvió sonriente hacia Edgar.

—Buen pilotaje, chico —le dijo.

Y Edgar, cediendo a un impulso y olvidando sus prevenciones, se abalanzó sobre él y le dio un abrazo que, por un momento, desconcertó al anciano.

La Red volvía a ser suya. La ciudad, también. Todo había acabado. Y tan contento estaba Edgar con lo que había sucedido, que no recordó que aún tenía la mochila con él y que seguía conectada, emitiendo energía a un radio de cinco metros, energía que liberaba del control de la Red, una Red que volvía a estar en sus manos. Y quizá fue esa influencia la que, por un momento, interfirió en los circuitos del autómata y ofreció un resquicio por el que la abortada orden anterior pudo continuar.

Sí, quizá fue por eso por lo que volvió a la vida, encendió de nuevo sus ojos luminosos y continuó con el movimiento del brazo con su garra, el mismo que se había detenido a medio camino en su descenso hacia Tesla, y que ahora completó su camino, descargando toda su fuerza sobre el cuerpo del frágil anciano, que salió despedido a varios metros de distancia, haciendo un sonido al caer al suelo que acompañaría a Edgar durante el resto su vida.

—¡No! —gritó éste, con la vista clavada en el cuerpo del anciano, que asemejaba un muñeco arrojado sin miramientos, sin preocuparse de que el gigante metálico aún seguía a su lado—. ¡No! ¡No!

—¡La mochila! —oyó que gritaba alguien detrás de él, probablemente Savage—. ¡Deshazte de la mochila!

El autómata se había movido, se desplazaba hacia el rincón donde Tesla yacía, intentando moverse sin éxito. Una lluvia de balas cayó de nuevo sobre él con un ruido insoportable, que no tuvo efecto alguno.

Lleno de confusión, con dificultad para asimilar lo que estaba ocurriendo, Edgar luchó por deshacerse de la mochila, pero una de las correas parecía haberse atascado en un pliegue de su ropa y no se deslizaba. Hizo un tímido intento de acudir a socorrer al anciano.

—¡No! ¡Aléjate! ¡Vete! —le gritaron varias voces aterradas, superponiéndose en la confusión de lo que estaba ocurriendo.

Por fin logró descolgarla de su espalda, mientras el autómata llegaba ante el inventor y se preparaba para sacudir un golpe definitivo, mortal...

Edgar lanzó la mochila lo más lejos que pudo. Savage se adelantó, la agarró y, tras correr unos metros, la arrojó a su vez para que cayera al otro extremo de la planta. Antes de que llegara a tocar el suelo, los ojos del autómata volvieron a apagarse, y todo su cuerpo quedó detenido de nuevo, componiendo la impresionante imagen de una máquina a punto de descargar toda su potencia.

Edgar se arrodilló junto al anciano. Tenía los ojos cerrados, el rostro ensangrentado. Intentaba hablar, pero era difícil entender qué decía.

Varios hombres se arremolinaron a su alrededor. Edgar sintió la mano de dedos largos y perfecta manicura de Tesla aferrarse a su brazo, temblorosa pero firme. Al fin, abrió los ojos y pudo verle. Le pareció que sonreía.

—Chico..., chico... Tú..., tú... —intentó añadir algo más, pero un hilo de sangre comenzó a caerle por la comisura de sus labios. Le sujetó aún con más fuerza, con una presión sorprendente en un hombre de su fragilidad. Pero finalmente la presión se suavizó, la mano dejó de agarrarle y el cuerpo cayó, sin vida.

El rostro de Edgar se llenó de lágrimas, en una tensa mueca de dolor y rabia, mientras que el de Tesla, con los ojos cerrados, se relajaba. El caos se desató alrededor y le pareció que llegaban unos hombres con cruces rojas en el uniforme.

Uno de ellos se las ingenió para levantarle y llevárselo de allí. Edgar no sabía adónde. No le importaba y, de todas formas, las lágrimas que anegaban sus ojos no le habrían permitido saberlo.

Epílogo

—Madre, ¿está lista?

Pamela no respondió, pero eso a Edgar no le sorprendió lo más mínimo. Aunque en teoría ya estaba todo empaquetado y no había nada más que llevarse, su madre continuaba dando vueltas de un lado para otro, haciendo recuentos inacabables de cosas imposibles de trasladar. Aun así, habían llenado varios baúles.

El mismo Edgar había echado un último vistazo a su habitación, a la cama con el colchón desnudo. Habían pasado muy pocas semanas, pero sentía que el Edgar que había crecido allí quedaba ya muy lejos. Mientras sostenía en su mano la réplica del *Flyer I*, una parte de sí mismo era consciente de que había visto realizados sus sueños más profundos. Ahora sabía que sería piloto, y lo sería a un nivel que nunca habría imaginado.

Entonces, ¿por qué esa sensación de tristeza no terminaba de abandonarle?

Metió de nuevo el pequeño avión en una caja de zapatos en la que cabía perfectamente, y cerró el baúl. Lo colocó sobre una plataforma inalámbrica de mudanzas, y salió sin mirar atrás. No tenía sentido volver a hacerlo. Se iba, y estaba convencido de que no iba a regresar.

Al salir, se encontró con Kachelmann. El anciano era el primero que había empaquetado sus pertenencias en un par de maletas. Hasta aquel momento, Edgar no se había dado cuenta de hasta qué punto éste estaba siempre preparado para irse; quizá por eso no había dudado ni un instante cuando Edgar le había insinuado que podía ir con ellos. Su madre le había contado cómo habían pasado todo el tiempo que había durado la crisis, resguardados en la estación de metro, entre una multitud inquieta por lo que sucedía en la superficie. Sin apenas luz, sin información, oían el ruido de las explosiones que lograba abrirse paso hasta allá abajo, sin saber qué se encontrarían cuando por fin volvieran a subir. Cuando la luz regresó a los túneles, no supieron si era buena señal, pero que la oscuridad retrocediese fue un alivio evidente.

Cuando regresaron a la superficie, se encontraron con el escenario de las calles desoladas, aunque al menos Brooklyn se había librado de la herida de los enfrentamientos, a diferencia de la huella que la batalla de Manhattan, como comenzaba a ser conocida por la prensa, había dejado en el sur de la isla. La lluvia había cesado, pero la iluminación de las farolas, acostumbrados como estaban al manto cálido de la Aurora, les parecía mortecina, triste, acorde con el espíritu de una ciudad asustada que había sido atacada por primera vez en su historia.

Durante el tiempo que habían pasado en el metro, Pamela y Kachelmann habían tenido oportunidad de hablar. Y la mujer fue descubriendo que tras esa sombra silenciosa y discreta, que deambulaba por la pensión como si en realidad no estuviese allí, se escondía un solitario que no había llegado a construir una verdadera vida. Por eso, cuando Edgar propuso a su madre que se fuera con él y con Francesca a vivir a Villa Astoria, ella le pidió que también se lo dijera al anciano.

—Aquí ya no tiene nada que hacer, Edgar. Es como nosotros, no tiene sitio.

El joven asintió. Lo que su madre no sabía es que ya había decidido que el anciano viajaría con ellos. En realidad, era lo justo: fue su grabación la que desencadenó todo, y a Edgar no dejaba de fascinarle lo profético que había resultado su relato. Al fin y al cabo, había confiado en él, aunque tenía dudas de si efectivamente había estado a la altura de lo que el anciano esperaba cuando lo eligió para oír el verdadero origen del mundo que tanto admiraba. Además, seguía siendo la única persona que había conocido a Tesla cuando puso el pie en Nueva York y era un joven repleto de ilusiones. Y Edgar necesitaba que aquella memoria se conservara, porque ahora más que nunca se sentía comprometido a perpetuar su nombre. Quería aprender muchas más cosas sobre el genio muerto, quería entender quién había sido Tesla verdaderamente, y que nadie lo olvidara.

Cuando se lo propuso, los ojos de Kachelmann se iluminaron con un brillo de gratitud que le impresionó.

—Por supuesto; iré con mucho gusto.

Swezey, en cambio, había decidido quedarse. No se había recuperado de la muerte de Tesla, y consideraba que, ahora más que nunca, era el momento de que alguien se encargara de intentar limpiar su nombre, manchado al verse involucrado en los sucesos que habían desembocado en el asalto a la Torre Uno. La Casa Blanca había emitido un comunicado en el que se retractaba de lo leído por el presidente Hoover en la televisión, atribuyéndolo única y exclusivamente a la necesidad de ganar tiempo ante el chantaje y proteger a los habitantes de Nueva York.

Eso soliviantó los ánimos del grupo de Villa Astoria, pero a su pesar, no tuvieron más remedio que aceptarlo si querían regresar a su refugio en Canadá. Afortunadamente, tenían una baza a su favor: el intercod mantenía fuera a los terroristas, pero Astor se había guardado un as en la manga, reservándose la supervisión final del aparato, de tal modo que, si detectaba alguna acción hostil hacia él o cualquiera de los suyos, lo apagaría y la Red volvería a estar a merced del ataque de la organización de De Bobula. Era un parche, claro, porque el intercod se quedaría en la Torre Uno y sería sólo cuestión de tiempo que acabasen encontrando la manera de replicarlo; pero al menos les daba el tiempo necesario para que les dejaran irse. Curiosamente, fue el general Rich el que más abogó por ello; era tan de la vieja escuela como el mismo Tesla, una escuela que aún creía en el valor de la palabra dada.

Astor, por cierto, había vuelto a tener un paso fugaz por la televisión y los diarios. Afortunadamente, no por su nueva vida, sino por las informaciones que habían acompañado la noticia de la desaparición de John Pierpont Morgan Jr., cuya nave se había hundido en el océano por causas desconocidas. Aunque era evidente que la huella de De Bobula era bien visible también en eso, ninguna de las comunicaciones oficiales hizo la más mínima mención al detalle. Y para reforzar que todo se había debido a un trágico azar, pasaron revista a los tristes naufragios de otros famosos, entre ellos el del propio Astor. Una mentira apoyando a otra mentira, así se construyó la verdad que quedó como versión oficial.

Como la vuelta de Tesla a la oscuridad. Diana Grosstower vio cómo su profesora la suspendía al leer que asignaba la invención de la radio a Tesla, e incluso escribió una nota a sus padres pidiéndoles que inculcaran a su hija el cariño por los verdaderos héroes norteamericanos. El propio entierro del cuerpo de Tesla, celebrado de manera discreta en una pequeña parcela situada en el Museo Wardenclyffe, en Long Island, en las instalaciones de lo que había sido la primera torre construida por él y que abrió las puertas a la Red Mundial, había sido una ceremonia discreta a la que sólo asistió un puñado de fieles. Allí Edgar vio a O'Neill, quien parecía haber envejecido treinta años después de lo que había visto en Park Row y tras saber que Tesla había sido el único fallecido en la Torre Uno. Y en las miradas duras que le lanzaba, Edgar podía leer que, en cierta forma, le culpaba.

Y tenía razón. No importaba las veces que Kuznetsov le repitiese que no tenía ninguna responsabilidad en lo ocurrido, que era imposible prever la posibilidad de que, al volver a separar al autómata del control de la Red por la influencia del intercod de su mochila, la orden de matar a Tesla se restaurara y continuara justo donde se había detenido. Edgar no tenía por qué saberlo, pero aun así el joven sentía el peso de la culpa y maldecía de nuevo a su ingenuidad, que había costado la vida de un hombre que valía un millón de veces más de lo que él valdría en toda su vida.

Levantó la vista mientras el pope leía el responso, y su mirada fue más allá del monumento que a la entrada de Wardenclyffe representaba a Edison y Marconi estrechándose la mano. No se detuvo hasta encontrar un gato, que contemplaba curioso la escena a una distancia prudencial, protegido por una línea de árboles. Por algún motivo, Edgar sintió que sabía a quién estaban despidiendo, y que por esa razón estaba allí.

Gernsback parecía entender cómo se sentía. Quizá por eso se le acercó junto a Nossiter y le puso la mano en el hombro.

—No te culpes, Kerrigan. No sé cómo, pero en cierta manera él sabía que esto podría ocurrir. Era un hombre extraordinario, y algún día se le hará justicia. Tú eres joven, y lo verás.

«Algún día. Pero, por ahora, lo único que tiene es una tumba sin lápida cerca de los aseos de una torre de metal.»

Por lo demás, había acudido muy poca gente. La mayor parte de los amigos y conocidos del inventor ya habían muerto. Sólo un hombre viejo, con una gran barba y un estilo de vestir que parecía tan anticuado como el del propio Tesla, se acercó hasta Wardenclyffe. Swezey y O'Neill le estrecharon la mano, y le llamaron «señor Johnson», pero Gernsback le había dado un abrazo y le llamó «Filipov». Según le comentó el empresario después, él y su mujer habían sido fieles amigos del inventor durante décadas. El hombre, que ahora era viudo, parecía especialmente desolado por la noticia de la muerte del inventor. Edgar, al mirarle, sintió la punzada de estar viendo toda una época que desaparecía para no volver.

Llegó hasta el salón. Su madre le esperaba. Contemplaba con ojos humedecidos los muebles ahora desnudos.

—Echaré de menos todo esto, Edgar. ¡Hemos vivido tantas cosas aquí!

Su hijo recorrió la estancia con la mirada.

—Pero ahora viviremos cosas mejores, madre. Y por fin podrás descansar.

—Pero dices que allí nieva...

Edgar sonrió.

—Sí, pero te prometo que no pasarás frío...

Kachelmann se les unió. Llevaba su siempre elegante sombrero, y el mismo traje con el que se lo había llevado el FBI.

—A mí no me importa que haga algo de frío —comentó—. Ayudará a que nos mantengamos despiertos.

—¿Sabe Francesca que vamos?

Edgar asintió; Savage se lo había comunicado a Villa Astoria a través del aparato de Gernsback que Swezey y Tesla habían dejado allí, y Astor había dado el visto bueno a las nuevas incorporaciones. Por un momento, Edgar pensó en Francesca con el mismo vestido con el que había acudido a su primera cena en la mansión; y por algún motivo, a ese pensamiento le había seguido inmediatamente otro, el de Anna con su chaqueta de piloto... Esa mezcla de imágenes le desconcertó. Pero volvió a recordar el sabor de los labios de Francesca y se dio cuenta de hasta qué punto aquel recuerdo había estado presente durante todo ese tiempo, de forma inconsciente. Quería volver a verla; quería descubrir hasta qué punto aquello significaba algo.

—Claro que sí, madre. Está deseando verte.

—A mí seguro que no tanto —dijo el anciano con sorna.

Dieron unos golpes en la puerta, a pesar de que estaba abierta. Era Savage.

—Kerrigan, debemos irnos.

El chico asintió. Le tendió el brazo delicadamente a su madre, que apartó la mirada de la casa y comenzó a caminar a su lado, los ojos bajos, como si ya no quisiera que ninguna imagen se interpusiera en el recuerdo que había construido en su mente.

Bajaron las escaleras. Se cruzaron con algún vecino que murmuró unas palabras de despedida, poco entusiastas. Cuando llegaron a la calle, vieron el gran aéreo que les esperaba. Era de la flota de la RCA, un modelo con piloto automático que le permitiría volver por sí solo cuando llegaran al punto de encuentro con el *Oxtrott*. A pesar de todas las precauciones, no se fiaban de hacer todo el viaje hasta Canadá en él; seguía siendo más discreto hacerlo en el submarino.

Su madre miró hacia arriba un instante. El sol agradable, nunca excesivo, volvía a ser la constante. Y, aunque aún persistía un cierto temor hacia la seguridad que podían ofrecer los aéreos, el cielo volvía a estar poblado. La fe en el progreso y el afán por la comodidad siempre terminan abriéndose camino, por mucho que se hubieran podido revelar como falibles.

Edgar ayudó a su madre a subir a los asientos de la parte trasera del aéreo, y al hacerlo se fijó en un chico que se contaba entre las pocas personas que habían acudido a verles, no hostiles pero tampoco amistosos. Sólo en la mirada de él, que sujetaba a un gran labrador al que faltaban jirones de pelo en los flancos y que había sido testigo de excepción del avance de los autómatas, se leía algo más positivo, cercano a la curiosidad. Kuznetsov estaba terminando de cargar el equipaje, y a continuación le tendió la mano a Kachelmann para ayudarle a subir al vehículo.

Sólo quedaba Edgar. Echó un último vistazo a la calle en la que había crecido como un niño huérfano la mayor parte del tiempo. Se detuvo especialmente en la escalera de acceso al portal, donde siendo muy pequeño se sentaba con su padre en las noches de verano, tras el ocaso, a ojear algún libro sobre los pioneros de la aviación a la luz de la Aurora. Lamentó que ese recuerdo no pudiera convertirse en algo material que cupiera en la maleta. Sabía que, por mucho que se esforzara, empezaría a disolverse en el momento en el que Nueva York quedase atrás y comenzara a convertirse en algo del pasado. Pronto la ciudad entera sería para él más un recuerdo que una realidad diaria, e incluso se preguntó si volvería alguna vez por allí.

No importaba, decidió. A cambio, las perspectivas que se abrían ante él eran mucho más amplias de lo que nunca hubiera soñado.

Se encaminó a la puerta del piloto, pero algo le hizo detenerse.

En la otra acera, tres chicos, poco más que adolescentes, le miraban. Los tres llevaban gorras y tenían el inconfundible aspecto de los pillos de la calle. El del medio, por alguna razón, era claramente el jefe, aunque sólo fuera porque parecía levemente mayor y su gorra iba inclinada con más chulería.

Le miraban sin decir nada, y él les identificó de inmediato. Eran los pilluelos que le habían robado el envío fantasmal de Tesla.

Edgar se preguntó qué harían allí, pero finalmente llegó a la conclusión de que eso ya no importaba. Pronto, también ellos estarían lejos, y ni siquiera serían recuerdo por mucho tiempo. Les saludó llevándose dos dedos a la frente. Los chicos no respondieron, pero siguieron con los ojos clavados en él. Sólo el mayor se movió para escupir en el suelo.

Edgar subió por fin al aéreo y lo puso en marcha.

—Nos vamos —anunció, lacónico.

Con suavidad, el aparato se elevó y enseguida estuvieron sobre el nivel de los edificios. Aún eran visibles los desperfectos causados por la lluvia de vehículos y el paso de los autómatas, pero nada comparable al devastado paisaje del Bajo Manhattan, donde zonas enteras habían tenido que ser evacuadas mientras se arreglaban los destrozos de la batalla.

Mientras viraban hacia el norte, contempló la línea de rascacielos de la ciudad. Se iban muy lejos y ni siquiera sabía cuándo volverían, quizá por eso le pareció más hermosa que nunca. Y comprendió que, a pesar de todo, siempre sería su hogar. Entendió por qué Tesla, a pesar de todo, de las humillaciones, del olvido, no había querido irse de allí.

No importaba a dónde le llevaran sus vuelos o qué aventuras corriese. Aunque nunca más volviese a pisar sus calles, siempre pertenecería a aquel lugar.

La verdadera historia de Edgar Kerrigan

por Miguel A. Delgado

Tesla y la conspiración de la luz es, claro, una obra de ficción. Pero también tiene algo de juego, como toda historia que se plantea una realidad alternativa y especula con cómo podrían haberse desarrollado las cosas si algo hubiera sucedido de forma distinta. Es ese subgénero que tanto gusta a los anglosajones y que responde al sugerente nombre de *What If?*

Un requisito fundamental es poder contar con personajes reales, y esta novela los tiene en abundancia. No sólo los evidentes, como Nikola Tesla, inventor del motor eléctrico y el sistema que permitió la explotación de la corriente alterna y el advenimiento de la Segunda Revolución Industrial que transformó totalmente el mundo (además de, para muchos, verdadero padre de la radio, precursor del control remoto y los autómatas y visionario de un mundo de transmisión inalámbrica de la electricidad que democratizaría el acceso a la energía); o su rival Thomas Alva Edison, inventor sobradamente conocido por todos y que aún hoy en día es puesto como ejemplo en escuelas de todo el mundo. Lo que no suelen contar, por cierto, es que Edison apostó por la corriente continua en oposición a la alterna tesliana, y que en su afán por desprestigiarla llegó a permitir que en su laboratorio se hiciesen electrocuciones públicas de animales para demostrar su presunta inseguridad (otra consecuencia de esta batalla industrial entre ambos sistemas, hoy conocida como Guerra de las Corrientes, fue la introducción de la silla eléctrica en Estados Unidos).

También son reales los poderes en la sombra. John Pierpont Morgan II, conocido popularmente como Jack Morgan, fue verdaderamente un financiero muy poderoso, que continuó la labor de su padre, el constructor del gran conglomerado industrial norteamericano que permitió su vertiginoso desarrollo como potencia. Un hombre tan poderoso que llegó a salvar por dos veces al Gobierno federal de la bancarrota; en sus últimos años, sin embargo, tuvo que afrontar acusaciones de que era en realidad quien manipulaba la Bolsa; algo que no sonaba del todo disparatado, sobre todo si tenemos en cuenta que tenía participación en prácticamente todas las empresas y sectores cotizados, lo que le dejaba en una inmejorable posición para decidir a cada momento qué valores convenía que cotizaran al alza y cuáles a la baja. De fuerte temperamento y con un imponente aspecto físico (sobre todo por una nariz bulbosa que los retratistas oficiales procuraban disimular), su hijo heredó su poder aunque con formas más refinadas. Y los Morgan han seguido siendo un apellido fundamental para entender gran parte de la historia reciente norteamericana y mundial: ahí está el famoso banco Morgan Stanley, tan señalado con motivo de la crisis de 2008, para demostrarlo.

Personajes reales son igualmente Henry Ford, el magnate de la industria automovilística, con un gran talento inventor y que sentía una desmedida admiración por Edison. De hecho, él fue el que se encargó de mantener vivo el recuerdo del Mago de Menlo Park durante sus últimas décadas de vida, con iniciativas como la reconstrucción detalle a detalle de su laboratorio o la organización del Light's Golden Jubilee en 1929 para conmemorar el 50 aniversario del encendido de la primera bombilla. Un acontecimiento que reunió a una gran multitud, tuvo al país en vilo y que fue encabezado por el mismísimo presidente Herbert Hoover. En cuanto a Marconi, es bien sabido que ha sido durante muchísimo tiempo considerado el padre de la radio (por lo que recibió el Nobel en 1909), pero lo cierto es que el Tribunal Supremo estadounidense sentenció en 1943 a favor de Tesla y reconoció que el italiano había pirateado patentes fundamentales del serbocroata.

No menos real es John Jacob Astor IV, un personaje fascinante, epítome de los excesos de la Edad Dorada, heredero del apellido fundamental de la *jet set* neoyorquina y de una de las mayores fortunas de su tiempo, y copropietario del mítico hotel Waldorf Astoria. Inventor frustrado por tener que rendirse a las servidumbres de su posición social y autor de una curiosa novela de ciencia ficción que echaba una mirada a cómo sería el mundo en el año 2000, murió ahogado en el *Titanic* cuando regresaba de su viaje de bodas con su segunda esposa, una chica de 18 años cuyo matrimonio había sido considerado un escándalo. Presionado por una prensa que no se lo tomaba en serio, Astor intentó siempre ser reivindicado como figura pública, incluso armando un regimiento en la guerra contra los españoles de 1898 que lucían el anagrama de la «A» en sus cañones, así que nos hemos permitido concederle eso en esta ficción. Y para convertirle en el inventor que nunca pudo ser, hemos tomado prestados detalles de la biografía de otro millonario, John Hays Hammond Jr., quien se construyó una gran mansión de estilo inglés en la costa de Massachusetts en la que su principal atracción era un inmenso órgano de 8.000 tubos. Y dado que uno de los campos a los que más aportó fue en el del control remoto, ¿por qué no rescatar embellecido a «Seleno, el perro eléctrico», el artilugio que hizo furor en 1912 y que era una caja con ruedas capaz de responder a los estímulos de la luz para seguir a su amo?

Otro personaje que tiene una novela en sí mismo es Hugo Gernsback, un verdadero visionario apasionado por la tecnología que emigró a Estados Unidos desde Luxemburgo y profesaba una gran adoración por Tesla.

De hecho, en una de sus revistas, la aún hoy maravillosa *Electrical Experimenter*, publicó por entregas, en 1919, su autobiografía *Mis inventos*.* Gernsback fue una de las personas que entraron en la habitación de hotel de Tesla cuando su cadáver aún estaba presente, en 1943, y de hecho hasta el fin de sus días conservó la máscara mortuoria del inventor en su despacho. Gernsback legó para la posteridad, además, la expresión «ciencia ficción», una muestra de su capacidad para, a partir de los avances tecnológicos, ver más allá para indagar el mundo por venir.

Hay bastantes más personajes reales que pululan por estas páginas, como Kenneth Swezey, un gran divulgador científico que legó toda su biblioteca a la Smithsonian, que comprende numerosa documentación sobre Tesla, incluidas las felicitaciones de figuras como Einstein con motivo de su 75 cumpleaños, una celebración trabajada por el propio Swezey. O John O'Neill, otro periodista científico que ganó el Pulitzer por su cobertura del 300 aniversario de Harvard y autor de la primera biografía de Tesla, *Prodigal Genius*, publicada en 1944, un año después de la muerte de éste. Una biografía en la que puede leerse este texto:

> «Una mañana, temprano, [Tesla] llamó a su mensajero favorito, Kerrigan, le dio un sobre cerrado, y le ordenó entregarlo tan pronto como fuera posible. Estaba dirigido a Mr. Samuel Clemens, 35 South Fifth Ave., New York City.
>
> Kerrigan volvió al poco y le dijo que no había podido entregar el mensaje porque la dirección era incorrecta. No existía una calle como South Fifth Ave., le informó el muchacho; y en las proximidades de ese número de la Fifth Ave. no había podido localizar a nadie que respondiera al nombre de Clemens...»

...y entonces, todo comenzó.

---

* Edición española en *Yo y la energía*, Nikola Tesla (ensayo preliminar de Miguel A. Delgado), Turner, 2011.